Societas Iuris Publici Europaei (SIPE)

Band 11

Julia Iliopoulos-Strangas/Michael Potacs
Elena Simina Tanasescu/Jacques Ziller (eds.)

Migration – Migration – Migrations

Neue Herausforderungen für Europa, für die Staatssouveränität und für den sozialen Rechtsstaat – New challenges for Europe, for State Sovereignty and for the Rule of Law and the Welfare State – Nouveaux défis pour l'Europe, la souveraineté de l'État et l'État de droit social

Nomos

Stämpfli Verlag

Die Deutsche Nationalbibliothek verzeichnet diese Publikation in der Deutschen Nationalbibliografie; detaillierte bibliografische Daten sind im Internet über http://dnb.d-nb.de abrufbar.

The Deutsche Nationalbibliothek lists this publication in the Deutsche Nationalbibliografie; detailed bibliographic data are available on the Internet at http://dnb.d-nb.de

ISBN 978-3-8487-4273-8 (Nomos Verlagsgesellschaft, Baden-Baden, Print)
ISBN 978-3-7272-2775-2 (Stämpfli Verlag AG, Print)
ISBN 978-3-8452-8536-8 (ePDF)

British Library Cataloguing-in-Publication Data
A catalogue record for this book is available from the British Library.

ISBN 978-3-8487-4273-8 (Nomos Verlagsgesellschaft, Baden-Baden, Print)
ISBN 978-3-7272-2775-2 (Stämpfli Verlag AG, Print)
ISBN 978-3-8452-8536-8 (ePDF)

Library of Congress Cataloging-in-Publication Data
Iliopoulos-Strangas, Julia / Potacs, Michael / Tanasescu, Elena Simina / Ziller, Jacques
Migration – Migration – Migrations
Neue Herausforderungen für Europa, für die Staatssouveränität und für den sozialen Rechtsstaat – New challenges for Europe, for State Sovereignty and for the Rule of Law and the Welfare State – Nouveaux défis pour l'Europe, la souveraineté de l'État et l'État de droit social
Julia Iliopoulos-Strangas / Michael Potacs / Elena Simina Tanasescu / Jacques Ziller (eds.)
264 p.
Includes bibliographic references.

ISBN 978-3-8487-4273-8 (Nomos Verlagsgesellschaft, Baden-Baden, Print)
ISBN 978-3-7272-2775-2 (Stämpfli Verlag AG, Print)
ISBN 978-3-8452-8536-8 (ePDF)

1. Auflage 2017

Vorwort

Auf Einladung der Kollegin *Prof. Elena-Simina Tanasescu* und unter der Schirmherrschaft des EU-Kommissars für Migration, Inneres und Bürgerschaft *Dimitris Avramopoulos* veranstaltete die *Societas Iuris Publici Europaei* (*SIPE*) ihre elfte Tagung vom 30. Juni bis 2. Juli 2016 in Bukarest.

Nach Kreta (Gründungstagung im Juli 2004), Rom, Wien, Göttingen, Sevilla, Budapest, Straßburg, Lissabon, Krakau und Athen (10. Jubiläumstagung im Oktober 2014), den Austragungsorten der bisherigen Kongresse, hat sich damit eine Stadt in die Tagungsgeschichte der *Societas* eingetragen, die in einer auf den 20. September 1459 datierten Urkunde erstmals erwähnt wird und zum politischen, wirtschaftlichen und kulturellen Mittelpunkt der Walachei und später von Rumänien geworden ist.

Ihrer Tradition folgend war die SIPE auch bei dieser Jahrestagung bemüht, ein Thema auszuwählen, dessen Aktualität unbestritten ist und das gleichzeitig das Interesse einer Vielzahl von Juristen zu wecken vermag, die aus verschiedenen Mitgliedstaaten und unterschiedlichen Rechtskulturen kommen. „*Migration: Neue Herausforderungen für Europa, für die Staatssouveränität und für den sozialen Rechtsstaat*“ ist in der Tat ein Thema, das diesen Anforderungen entspricht.

Die Migration hat sich in den letzten Jahren für die Mitgliedstaaten der Union und für die Union selbst als eine politisch und rechtlich brisante Frage entwickelt. Insbesondere Kriege und Armut ziehen immer mehr und mehr Menschen von Drittstaaten nach Europa an. Es ist dabei oft schwierig zwischen Migranten und Flüchtingen zu unterscheiden. Bekanntlich ist aber diese Unterscheidung für den rechtlichen Status der betroffenen Menschen von ausschlaggebender Bedeutung. Außerdem ist die Belastung für einige Mitgliedstaaten – diejenigen nämlich, die als Außengrenze der Union gelten – viel größer als für andere und kann keinesfalls von ihnen allein bewältigt werden.

Die Bewältigung der Migration durch Europa und das Recht ist vielschichtig und vielgestaltig. Zunächst geht es um die verschiedenen rechtlichen Ebenen: nationales Recht, Europarecht und Völkerrecht. Alle drei Rechtsordnungen beinhalten Regelungen, die die Einreise, den Aufenthalt und die Ausweisung von Migranten regeln sollen. Dabei setzt die Union ihrerseits rechtliche Vorgaben über ihre Außengrenzen sowie über die Binnengrenzen. Aus einer anderen Perspektive sind mit der Migration wichtige Fragen des Grundrechtsschutzes verbunden. Sie betreffen in erster Linie die Rechte der Migranten, könnten aber gegebenenfalls mit dem Grundrechtsschutz auch der Einheimischen zusammenhängen. Letzteres nämlich dann, wenn es durch illegale und unkontrollierbare Einwanderung zu einer Gefährdung der inneren Sicherheit kommen würde. Ferner wirft die Migration neue theoretische und praktische Herausforderungen auch für die Gerichte auf. Worin besteht die Rolle des nationalen, supranationalen und internationalen Richters in Anbetracht der Gefahren einer nationalen und transnationalen Krise für Einzelne, Staaten, ja die ganze Welt, die mit der aktuellen Migrationsflut zusammenhängt? Wie könnte er dazu beitragen, die finanzielle, politische und soziale Realität in Bezug auf die Migration zu bewältigen, ohne gleichzeitig die rechtsstaatlichen Prinzipien zu opfern, die unserer Rechtskultur innewohnen?

Einige dieser vielschichtigen und komplizierten Fragen wurden zwei Tage lang in Bukarest von namhaften Juristen, Wissenschaftlern und Richtern lebhaft diskutiert. Die Referenten der SIPE-Tagungen stammen stets aus verschiedenen europäischen Ländern, sind Repräsentanten der Forschung und Lehre, oder der Europäischen Institutionen. Auch bei der Organisation dieser Tagung war der Vorstand nach besten Kräften bemüht, die Vielfalt wissenschaftlicher Ansätze durch die Bandbreite der Themen und das Gleichgewicht zwischen den drei offiziellen Sprachen unserer Vereinigung – deutsch, englisch und französisch – sicherzustellen. Traditionsgemäß hat es eine Simultanübersetzung zwischen diesen Sprachen und der Sprache des Tagungsortes gegeben.

Am *Vortag* des Kongresses bot das Atelier junger Wissenschaftler ein Forum, auf dem qualifizierte Nachwuchswissenschaftler zu dem Tagungsthema eigene Referate beisteuern und darüber diskutieren konnten. Unter der Leitung von *Vasco Pereira da Silva* (Universität Lissabon) warfen *Christoph Bezemek* (Universität Graz), *Roberta Mungianu* (Universität Kopenhagen), *Michał Jackowski* (WSB Universität in Poznań) und *Catrinel Brumar* (Universität Bukarest) markante Schlaglichter auf besondere Aspekte der Gesamtproblematik.

Der *erste Tag* des Kongresses wurde unter dem Vorsitz von *Egils Levits* (Richter beim Gerichtshof der Europäischen Union) zunächst durch zwei Impulsreferate eröffnet: „Neue Herausforderungen für das Recht in Europa“ (*Daniel Thym*, Universität Konstanz) und „Neue Herausforderungen für Europa durch Migration“ (*Philippe Fargues*, Direktor des Migration Policy Centre, Europäisches Hochschulinstitut, Florenz). Danach standen zwei Schwerpunktthemen auf dem Programm, die die Sicht derjenigen europäischen und nationalen Akteure zum Gegenstand hatten, die für die Bewältigung der Migration und den Schutz der Migranten uunmittelbar oder mittelbar die Verantwortung tragen.

Der erste Schwerpunkt betraf die „Bewältigung der Migration durch Europa und das Recht“. *Stefan Haack* (Europa-Universität Viadrina Frankfurt a.d. Oder) behandelte die Frage der Immigrationshoheit des Staates, während *Nuno Piçarra*

(Universität Lissabon) und *Alessandra Lang* (Universität Mailand) sich mit dem unionsrechtlichen Rahmen der Migration und die rechtlichen Vorgaben über die Binnen- und Außengrenzen der Union beschäftigten.

Der zweite Themenschwerpunkt bezog sich auf den Schutz und die Integration von Migranten im Recht der EU, der EMRK und der Mitgliedstaaten. Unter dem Vorsitz von *Michael Potacs* (Wirtschaftsuniversität Wien) berichteten zunächst *Constantin Hruschka* (Leiter Protection, Schweizerische Flüchtingshilfe) über „Asylrecht und Einwanderungsdruck“ und *Stela Haxhi* (Head of the Asylum, Migration and Counter-Trafficking in Human Beings Programme, Geneva Centre for the Democratic Control of Armed Forces (DCAF), Genf) über die „Bewältigung der Migration durch Transitstaaten und Menschenhandel mit Migranten“. Mit der Rechtsprechung des EuGH und des EGMR beschäftigten sich die Referate von *Horatiu Radu* (Universität Iaşi) und *Angelika Nussberger* (Richterin am Europäischen Gerichtshof für Menschenrechte). Die Praxis des Europäischen Ausschusses für soziale Rechte und der ILO wurden von *Antonis Bredimas* (Professor emeritus, Universität Athen) und *Andrei Popescu* (Richter am Gericht der Europäischen Union) präsentiert. Die Sitzung endete mit einem rechtstheoretischen Referat von *Krzysztof Wojtyczek* (Richter am Europäischen Gerichtshof für Menschenrechte) über die „Berücksichtigung der Zukunft im Gerichtsverfahren“.

Am *zweiten Kongresstag* – den Vorsitz führte *Jacques Ziller* (Universität Pavia) – schloss sich eine der Brisanz des Gegenstands entsprechend lebhafte Podiumsdiskussion über die „Herausforderungen durch Migration für das europäische öffentliche Recht“ an. Die Diskutanten waren *Koen Lenaerts* (Präsident des Gerichtshofs der Europäischen Union), *Leonard Orban* (ehem. EU-Kommissar, Berater des Präsidenten, Bukarest), *Camelia Toader* (Richterin am Gerichtshof der Europäischen Union) und *Sanderijn Wierink* (Senior Migrationsexpertin am Rotterdamer Gericht).

Die Tagung endete mit den Schlussfolgerungen von *Jörn Axel Kämmerer* (Professor, Bucerius Law School, Hamburg).

Die überwältigende Zahl der Vorträge ist zusammen mit den Beiträgen aus dem Atelier junger Wissenschaftler in dem vorliegenden Tagungsband abgedruckt.

Die Publikation des Tagungsbandes ist eine willkommene Gelegenheit, nochmals jenen Institutionen und Personen zu danken, die durch ihre Unterstützung und Hilfe die Durchführung der Tagung ermöglicht haben. Wir danken der juristischen Fakultät der Universität Bukarest, die freundlicherweise die Räumlichkeiten für die Tagung zur Verfügung gestellt und uns warmherzig aufgenommen hat. Ebenso herzlich danken wir den Co-Organisatoren dieser Tagung, namentlich „Le Centre Régional francophone CEREFREA“ und „The Research Institute of the University of Bucharest ICUB“, beide Institutionen der Universität Bukarest.

Spezieller Dank gebührt Herrn *Dr. Angelos Gerontas* LL.M. (Harvard), Berlin/Athen, für die wissenschaftliche Unterstützung bei der Vorbereitung der Tagung.

Schließlich gilt unser Dank noch unseren Sponsoren: *die Universität Bukarest, die Vertretung der Europäischen Kommission in Bukarest und die Nationale Vereinigung der Anwaltskammern von Rumänien.* Ohne deren Unterstützung wäre die Realisierung der Tagung nicht möglich gewesen.

Im Zusammenhang mit der Drucklegung des Tagungsbandes sind ergänzend Herrn *Marios Kourtis*, (Diplomjurist, Juristische Fakultät der Universität Athen), Athen, sowie *Mag. Marina Kaspar* und *Lisa Kircher* LL.B. (WU), Wien, für ihre hilfreiche und engagierte Unterstützung zu danken.

In Bukarest wurde von der Mitgliederversammlung ein neuer Vorstand gewählt. Der neue Vorstand setzt sich wie folgt zusammen: *Jacques Ziller* (Pavia) als Präsident, *Jörn Axel Kämmerer* (Hamburg) als Generalsekretär, *Julia Iliopoulos-Strangas* (Athen), *Egils Levits* (Luxemburg/Riga), *Irena Lipowicz* (Warschau), *Vasco Pereira da Silva* (Lissabon) und *Michael Potacs* (Wien). Auf Vorschlag des neu gewählten Präsidenten wählte die Mitgliederversammlung die ausscheidende Präsidentin *Julia Iliopoulos-Strangas* zur Ehrenpräsidentin auf Lebenszeit.

Die nächste (12.) SIPE-Tagung wird vom 25 bis zum 27. Mai 2017 in Mailand stattfinden. Das Generalthema lautet „*Das öffentliche Recht vor den Herausforderungen der Informations- und Kommunikationstechnologien jenseits des Datenschutzes*“.

Athen – Wien – Bukarest – Pavia, im Februar 2017

Julia Iliopoulos-Strangas, Michael Potacs, Elena-Simina Tanasescu und Jacques Ziller

Preface

At the invitation of our colleague *Prof. Elena-Simina Tanasescu* and under the patronage of the European Commissioner for Migration, Home Affairs and Citizenship *Dimitris Avramopoulos*, the *Societas Iuris Publici Europaei* (*SIPE*) held its Eleventh Congress from 30 June to 2 July 2016 in Bucharest.

After the founding conference in Crete in July 2004 and after conferences in Rome, Vienna, Göttingen, Seville, Budapest, Strasbourg, Lisbon, Krakow as well as the anniversary congress in July 2014 in Athens, SIPE held its Congress in Bucharest. SIPE added thus to its congress venues a city, which was first mentioned in a document on 20 September 1459 and became the political, financial and cultural centre initially of Wallachia and then of Romania.

Following its tradition, the SIPE addressed – also for this annual congress – an undoubtedly current topic, which can draw the interest of many legal scholars from various Member States and different legal cultures. *"Migration: New challenges for Europe, for State Sovereignty and for the Rule of Law and the Welfare State"* is a topic that clearly meets these requirements.

Migration has emerged during the last years as a controversial political and legal issue for the Member States and for the European Union itself. Due – in particular – to wars and poverty, Europe attracts an increasing number of third-country nationals. It is often difficult to differentiate between migrants and refugees. However, it is commonly known that this distinction is of crucial importance vis-à-vis the legal status of the persons concerned. Moreover, the overburdening of certain Member States at the EU external borders cannot be overcome by themselves alone.

The management of migration by Europe and through law is multi-layered and manifold. First, it concerns various normative levels: national law, EU law and public international law. All these three legal orders include rules, which regulate the entry, residence and expulsion of migrants. At the same time, the Union has adopted provisions for the internal and the external borders control. From another perspective, major issues of human rights protection are associated with migration. They concern in the first place the rights of migrants, but they could possibly be related to the rights of a state's own nationals as well. This is the case, when illegal and uncontrolled migration leads to a threat to national security. Furthermore, migration raises new theoretical and practical challenges for the courts as well. What is the role of the judge – national, supranational and international – in addressing the dangers of a national and transnational crisis that is associated with the current migration flows and has an impact on persons, states and even on the globe? Which can be his contribution in the effort to deal with the financial, political and social reality without at the same time sacrificing the rule-of-law principle, which is inherent to our legal culture?

These multi-layered and complicated issues were discussed intensively by experts from both a theoretical and practical background (legal scholars and judges from all over Europe) for two days at the University of Bucharest. The speakers of the SIPE-congresses come always from various European countries and represent the respective legal scholarship or the European Institutions. In organising this year's congress, the Executive committee has taken once again efforts to assure the largest possible representation of different scholarly approaches through the diversity of the subject matters as well as the balance among the three official languages – English, French and German – of our association. Simultaneous translation was once again provided into these languages and into the language of the congress venue.

On the *day preceding* the actual Congress, the Workshop of junior scholars provided once again a forum, in which qualified lawyers were given the opportunity to present and discuss their own papers within the theme of the Congress. Under the moderation of *Vasco Pereira da Silva* (University of Lisbon), *Christoph Bezemek* (University of Graz), *Roberta Mungianu* (University of Copenhagen), *Michał Jackowski* (WSB University in Poznań) and *Catrinel Brumar* (University of Bucharest) all raised striking perspectives on different aspects of the general discourse.

On the *first day* of the Congress, under the moderation of *Egils Levits* (Judge at the Court of Justice of the European Union), – and after two introductory reports on "Migration: New Challenges for the Law in Europe" (*Daniel Thym*, Professor, University of Constance) and "Migration as a New Challenge for Europe" (*Philippe Fargues*, Professor, Director of the Migration Policy Centre, European University Institute (EUI), Florence) – there were two basic items on the agenda, which addressed the point of view of these European actors that directly or indirectly bear the responsibility for the management of migration and the protection of migrants.

The first main topic addressed the management of migration by the EU and through law. *Stefan Haack* (European University Viadrina Frankfurt (Oder)) explored the sovereign right to regulate immigration and its limits in EU law and public international law, while *Nuno Piçarra* (University of Lisbon) and *Alessandra Lang* (University of Milan) examined the EU legal regime of migration and of the internal and the external borders of the Union.

The session of the second topic addressed the legal protection and integration of migrants in EU Law, the ECHR and the law of Member States. Under the moderation of *Michael Potacs* (Vienna University of Economics and Business) presentations were delivered by *Constantin Hruschka* (Head of the protection department at the Swiss Refugee Council) on "The Right to Asylum and Migratory Pressure" and *Stela Haxhi* (Head of the Asylum, Migration and Counter-Trafficking in Human Beings Programme, Geneva Centre for the Democratic Control of Armed Forces (DCAF)) on "Management of Migration by Transit-State and Human Trafficking of Migrants".

Horatiu Radu (University of Iași) and *Angelika Nussberger* (Judge at the European Court of Human Rights) examined the jurisprudence of the CJEU and the ECtHR. *Antonis Bredimas* (Professor emeritus, University of Athens) and *Andrei Popescu* (Judge at the General Court of the European Union) delivered presentations on the experience of the European Committee of Social Rights and the ILO. The session concluded with a theoretical presentation delivered by *Krzysztof Wojtyczek* (Judge at the European Court of Human Rights) on "Migration – Addressing the Future in Judicial Proceedings".

The session on the *second day* of the Congress, chaired by *Jacques Ziller* (University of Pavia), produced a lively panel discussion of the topic "European Public Law Challenged by Migration", typical of the volatility of the issue. Presentations were delivered by *Koen Lenaerts* (President of the Court of Justice of the European Union), *Leonard Orban* (Advisor of the President of Romania, former EU Commissioner), *Camelia Toader* (Judge at the Court of Justice of the European Union) and *Sanderijn Wierink* (Senior migration expert, national court of Rotterdam).

The congress concluded with the remarks of *Jörn Axel Kämmerer* (Professor, Bucerius Law School, Hamburg).

The present volume puts most of the presentations together with the contributions presented in the Workshop of junior scholars.

As always, the publication of this volume gives the welcome opportunity to express once again our gratitude to those institutions and persons who with their generous support and assistance have made the Congress possible. We would like to sincerely thank the University of Bucharest, for the friendly provision of accommodation for the Congress and for the warm-hearted reception. Special thanks are also due to the conference co-organisers, namely "Le Centre Régional francophone CEREFREA" and "The Research Institute of the University of Bucharest ICUB", both Institutions of the University of Bucharest.

Special thanks are due to Dr. *Angelos Gerontas* LL.M. (Harvard), Berlin/Athens, for his scholarly support during the preparation of the conference.

Finally, we would like to thank our sponsors: *the University of Bucharest, the European Commission Representation in Bucharest* and *the National Association of Romanian Bars*. Without their support the congress could not have been made possible.

Thanks are also due to Mr. *Marios Kourtis*, LL.B. (Law School, University of Athens), Athens, as well as to Mag. *Marina Kaspar* and *Lisa Kircher*, LL.B. (WU), Vienna, for their commitment and support in preparing this publication for printing.

In Bucharest a new Executive Committee was elected by the Members of the General Meeting. The new Executive Committee stands as follows: *Jacques Ziller* (Pavia) President, *Jörn Axel Kämmerer* (Hamburg), Secretary General, *Julia Iliopoulos-Strangas* (Athens), *Egils Levits* (Luxemburg/Riga), *Irena Lipowicz* (Warsaw), *Vasco Pereira da Silva* (Lisbon) and *Michael Potacs* (Vienna). On proposal of the new elected President, the Members of the General Meeting elected the leaving President, *Julia Iliopoulos-Strangas,* Honorary President for life.

The next (12th) SIPE Congress, will be held from 25 to 27 May 2017 in Milan. The general topic shall be "*Information and Communication Technologies Challenging Public Law, Beyond Data Protection*".

Athens – Vienna – Bucharest – Pavia, February 2017

Julia Iliopoulos-Strangas, Michael Potacs, Elena-Simina Tanasescu and Jacques Ziller

Préface

À l'invitation de notre collègue la professeure *Elena-Simina Tanasescu*, et sous le Haut Patronage du Commissaire européen à la Migration, aux affaires intérieures et à la citoyenneté *Dimitris Avramopoulos*, le 11ème congrès de la *Societas Iuris Publici Europaei* (*SIPE*) s'est déroulé du 30 juin au 2 juillet 2016 à Bucarest.

Après la Crète (congrès fondateur en juillet 2004), Rome, Vienne, Göttingen, Séville, Budapest, Strasbourg, Lisbonne, Cracovie et Athènes (10ème congrès anniversaire en octobre 2014) les lieux de nos précédents congrès, s'est ajoutée ainsi à l'histoire des congrès de la *Societas* une ville évoquée pour la première fois dans un document daté du 20 septembre 1459, devenu par la suite le centre culturel et économique de la Valachie, ensuite de la Roumanie.

Suivant sa tradition, la SIPE a essayé encore une fois de traiter lors de son congrès annuel un sujet d'une actualité incontestable et en même temps susceptible d'intéresser un grand nombre de juristes provenant de pays et de cultures juridiques différents. « *Migrations : Nouveaux défis pour l'Europe, la souveraineté de l'Etat et l'Etat de droit social* » est en fait sans aucun doute un sujet qui répond à ces critères.

Les migrations sont devenues lors des dernières années un thème particulièrement important pour les Etats membres de l'Union et pour l'Union elle-même. Les guerres et la pauvreté, en particulier, attirent vers l'Europe de plus en plus de femmes, d'enfants et d'hommes en provenance d'Etats tiers. Dans ce contexte il est souvent difficile de distinguer entre migrants et réfugiés, alors même que cette distinction est comme l'on sait de première importance pour le statut juridique des intéressés. De plus les charges sont beaucoup plus importantes pour certains des Etats membres que pour d'autres : ceux qui doivent gérer les frontières extérieures de l'Union et qui ne peuvent en aucun cas le faire seuls.

La gestion des migrations par l'Europe et par le droit comporte plusieurs niveaux et plusieurs aspects. En premier lieu différents niveaux juridiques sont impliqués : le droit interne des Etats, le droit européen et le droit international public. Ces trois sphères juridiques disposent de règlementations applicables à l'entrée, au séjour et au renvoi des migrants. L'Union, en ce qui la concerne fixe également des normes relatives à ses frontières externes et internes. D'un autre point de vue, les migrations sont liées à d'importantes questions de droits fondamentaux, qui concernent en premier lieu les migrants, mais peuvent également regarder la protection des droits fondamentaux des nationaux, lorsque les immigrations illégales et incontrôlables peuvent conduire à la mise en danger le la sécurité intérieure. De plus, les migrations pourraient conduire à de nouveaux défis aussi bien théoriques que pratiques pour les juges: quel est le rôle du juge national, supranational et international étant donné les périls d'une crise nationale et transnationale qui a des effets néfastes sur les personnes, les États ou même sur le monde entier ? Quelle pourrait être sa contribution dans la tentative de faire face à la réalité financière, politique et sociale concernant les migrations, sans en même temps sacrifier les principes de l'État de droit, qui sont inhérents à notre culture juridique ?

Ces questions multiples et complexes ont fait l'objet de deux jours de débats animés à Bucarest entre spécialistes de la théorie et de la pratique, juristes renommés, chercheurs et juges. Les rapporteurs des Congrès de la SIPE proviennent toujours de différents pays européens et sont des représentants de la recherche scientifique ou des institutions européennes. C'est ainsi que dans l'organisation de ce congrès le Comité exécutif s'est efforcé de garantir la pluralité des démarches scientifiques à travers la vaste gamme des sujets et l'équilibre entre les trois langues officielles de notre association – allemand, anglais et français. Suivant la tradition, il y a eu une traduction simultanée dans ces trois langues et la langue du lieu du congrès.

La *veille du congrès*, l'atelier des jeunes chercheurs a constitué à nouveau un forum dans lequel de jeunes scientifiques ont eu l'occasion de présenter leurs rapports dans le cadre de la thématique du congrès et d'en débattre. Sous la présidence de *Vasco Pereira da Silva* (Université de Lisbonne), ont été présentées de remarquables réflexions sur des aspects concrets de la problématique générale par *Christoph Bezemek* (Université de Graz), *Roberta Mungianu* (Université de Copenhague), *Michał Jackowski* (WSB Université in Poznań) et *Catrinel Brumar* (Université de Bucarest).

Lors de la *première journée* du congrès, la première séance étant sous la présidence de *Egils Levits* (Juge à la Cour de Justice de l'Union européenne), après deux rapports introductifs sur les « Migrations: Nouveaux défis pour le droit en Europe » (*Daniel Thym,* Professeur, Université de Constance) et sur « Les nouveaux défis des migrations pour l'Europe » (*Philippe Fargues*, Directeur du « Migration Policy Centre », Institut Universitaire Européen, Florence) deux thèmes principaux ont été au programme. Ces questions centrales avaient comme sujet les points de vue de ceux des acteurs européens qui ont de manière directe ou indirecte la responsabilité pour les migrations et la protection des migrants.

La première thématique concernait « La gestion des migrations par l'Europe et le droit ». *Stefan Haack* (Europa-Universität Viadrina, Frankfort a.d. Oder) a traité la question de la souveraineté de l'État dans le domaine de la migration et ses restrictions par le droit de l'Union et le droit international. Par la suite, *Nuno*

Piçarra (Université de Lisbonne) et *Alessandra Lang* (Université de Milan) ont présenté respectivement le régime juridique des frontières internes face aux défis de la migration et le cadre juridique de la migration et des frontières externes en droit de l'Union européenne.

La seconde thématique comportait la protection et l'intégration des migrants dans le cadre du droit l'Union européenne, de la CEDH et des États membres. Sous la présidence de *Michael Potacs* (Wirtschaftsuniversität, Vienne) sont intervenus dans un premier temps *Constantin Hruschka* (Directeur Protection, Organisation suisse d'aide aux réfugiés) sur le sujet « droit d'asile et pression migratoire » et *Stela Haxhi* (Responsable du programme asile, migrations et lutte contre le trafic des êtres humains, Centre pour le contrôle démocratique des forces armées-Genève) qui a traité le sujet de « La gestion des migrations par les Etats de transit et la traite humaine des migrants ». Ensuite, les interventions de *Horatiu Radu* (Université de Iași) et *Angelika Nussberger* (Juge à la Cour européenne des droits de l'homme) ont traité des aspects choisis de la jurisprudence de la Cour de Justice de l'UE et de la Cour européenne des droits de l'homme respectivement. La pratique du Comité européen des droits sociaux et celle de l'ILO ont été présentées par *Antonis Bredimas* (Professeur émérite, Université d'Athènes) et *Andrei Popescu* (Juge au Tribunal de l'Union européenne) respectivement. *Krzysztof Wojtyczek*, (Juge à la Cour européenne des droits de l'homme) a terminé cette session avec une intervention de théorie juridique portant sur les « Migrations - Le rôle de l'avenir dans la procédure judiciaire ».

Lors du *deuxième jour du congrès*, la Table Ronde avec le thème général « Le droit public européen au défi des migrations », sous la présidence de *Jacques Ziller* (Université de Pavie), a suscité de vives discussions correspondant à l'actualité du sujet. Ont pris part à la table ronde : *Koen Lenaerts* (président de la Cour de Justice de l'Union Européenne), *Leonard Orban* (Conseiller présidentiel, ancien Commissaire européen), *Camelia Toader* (Juge à la Cour de Justice de l'Union Européenne) et *Sanderijn Wierink* (Experte en migration de haut niveau à la Cour de Rotterdam).

Le congrès s'est terminé avec les Conclusions de *Jörn Axel Kämmerer* (Professeur, Bucerius Law School, Hambourg).

La grande majorité des rapports, ainsi que des contributions de l'atelier des jeunes chercheurs sont publiés dans le présent volume. La publication des actes du congrès est toujours une occasion bienvenue de remercier toutes les institutions et toutes les personnes qui, avec leur soutien et leur aide, ont rendu possible le déroulement du congrès.

Nous tenons à remercier très sincèrement la Faculté de droit de l'Université de Bucarest qui a mis à notre disposition ses locaux et nous a accueillis très chaleureusement, ainsi que les deux de ses centres d'études avancées qui ont été co-organisateurs du congrès, à savoir „Le Centre Régional Francophone CEREFREA“ et « The Research Institute of the University of Bucharest ICUB ».

Nos remerciements vont également à Dr. *Angelos Gerontas* LL.M. (Harvard), Berlin/Athènes, qui a contribué de manière efficace à l'organisation scientifique du présent congrès.

Finalement, et ce qui n'est pas le moins important, nous tenons à remercier chaleureusement nos sponsors : *l'Université de Bucarest* ainsi que *la Représentation de la Commission Européenne à Bucarest,* et *l'Union Nationale des Barreaux de Roumanie.* Sans leur soutien la réalisation du congrès n'aurait pas été possible.

En ce qui concerne la mise à l'impression de ce volume, nous désirons M. *Marios Kourtis*, diplômé en droit (Université d'Athènes), Athènes ainsi que Mag. *Marina Kaspar* et *Lisa Kircher*, LL.B. (WU), Vienne, pour leur aide aussi efficace qu'engagée.

À Bucarest, un nouveau Comité exécutif a été élu par les membres de l'Assemblée générale. La composition du nouveau Comité exécutif est la suivante : *Jacques Ziller* (Pavie) Président, *Jörn Axel Kämmerer* (Hambourg) Secrétaire général, *Julia Iliopoulos-Strangas* (Athènes), *Egils Levits* (Luxembourg/Riga), *Irena Lipowicz* (Varsovie), *Vasco Pereira da Silva* (Lisbonne) et *Michael Potacs* (Vienne). Sur proposition du nouveau Président, l'Assemblée générale a élu la Présidente sortante *Julia Iliopoulos-Strangas* comme Présidente d'honneur à vie.

Le prochain, 12ème congrès de la SIPE aura lieu du 25 au 27 mai 2017 à Milan. Il portera sur « *Le droit public au défi des technologies de l'information et de la communication, au-delà de la protection des données*».

Athènes – Vienne – Bucarest – Pavie, février 2017

Julia Iliopoulos-Strangas, Michael Potacs, Elena-Simina Tanasescu et Jacques Ziller

Inhaltsverzeichnis - Table of Content - Table des Matières

Atelier junger Wissenschaftler

Workshop of junior scholars

Atelier des jeunes chercheurs

Vorsitz – Chair – Présidence :

Vasco Pereira da Silva

Der Fremde - Migration in staatstheoretischer Perspektive

Christoph Bezemek[*]

I. Einleitung: Der Migrant als Fremder

„Migration“ ist ein Begriff, der eine Vielzahl distinkter Konnotationen birgt. Dementsprechend ist es angezeigt, will man sich dem Phänomen in staatstheoretischer Perspektive nähern, zunächst den Gegenstand der weiteren Ausführungen zu präzisieren: Etymologisch betrachtet, ist der Migrant ein Wanderer. Doch wird eine solche pauschale Zuschreibung schon dem gängigen Gebrauch des Begriffes nicht gerecht. Dem nämlich gilt der Migrant weniger als *ein* Wanderer sondern vielmehr als *Ein*wanderer; als Fremder, der Zutritt sucht (oder bereits gefunden hat) – zu einem bestimmten Ort und in die Gemeinschaft, die ihn beansprucht.

Soziologisch ist der Unterschied beider Phänomene manifest. So bemerkt etwa *Georg Simmel* in seinen 1908 erschienenen „Untersuchungen über die Formen der Vergesellschaftung“: „Wenn das Wandern als die Gelöstheit von jedem gegebenen Raumpunkt der begriffliche Gegensatz zu der Fixiertheit an einem solchen ist, so stellt die soziologische Form des »Fremden« doch gewissermaßen die Einheit beider Bestimmungen dar“. Der Fremde nämlich, so *Simmel* weiter, ist nicht „der Wandernde, der heute kommt und morgen geht, sondern [...] der, der heute kommt und morgen bleibt“[1]. Dem Fremden, also dem bloß „potentiell Wandernde[n]“[2], nicht dem beliebigen Wanderer sind die folgenden Ausführungen gewidmet.

II. Die qualifizierte Differenz als differenzierende Qualifikation

Den Ausgangspunkt der folgenden Gedanken bildet jene Differenz zwischen Individuum und Gruppe, die die Erfahrung des Fremden als soziales Phänomen konstituiert: Ist der Fremde der, „der heute kommt und morgen bleibt“, weist schon das damit als unvermittelt hervorgehobene Moment der *Präsenz* Fremdheit als multidimensionales soziales Konzept aus: Fremdheit bedingt zunächst

* *Professor für Öffentliches Recht, Universität Graz.*

1 G. Simmel, *Soziologie: Untersuchungen über die Vergesellschaftung*, Leipzig, 1908, S. 685.

2 Im Sinne R. Musils, *Der Mann ohne Eigenschaften*, Reinbek bei Hamburg, 2006 (21. Auflage), S. 19, jener Wanderer, „der sich für die Ewigkeit auf eine Bank setzt, obgleich er ahnt, daß er sofort wieder aufstehen wird.“

Diskontinuität. Der Fremde ist jener, der angekommen ist. Gerade deshalb ist er aber nicht *arriviert*; und wird zum Element der Gruppe, ohne ihr gewachsener Teil zu sein. Er ist eben kein *beliebiger* Anderer. Fremdheit ist mehr als bloße Alterität; mehr als jene Anwesenheit des Anderen, die notwendig die Beziehungen zwischen Individuen kennzeichnet[3]. Fremdheit – Alienität – ist qualifizierte Differenz[4].

Als solche ist sie – in einem engen Verständnis des Begriffs – notwendig transzendent; trägt mit *Simmel* „Qualitäten, die aus [einem betroffenen Kreis] nicht stammen und stammen können, in ihn hinein"[5]. Damit bedingt Fremdheit die Umkehrung der prototypischen Ausformung von Distanz in zwischenmenschlichen Beziehungen[6], die ja dadurch gekennzeichnet ist, dass das Nahe fern ist: Fremdheit bedeutet „dass das Ferne nah ist"[7].

Es ist diese Dialektik von Nah und Fern, die Fremdheit auszeichnet[8]. Der Fremde wird über sie für die Mitglieder einer Gruppe einen externen Orientierungspunkt zur kollektiven Standortbestimmung. Aus dieser Perspektive ist der Fremde Kontrastfläche einer, gegebenenfalls erst über diesen Kontrast konstituierten, Gruppenidentität[9]. Die qualifizierte Differenz, die Fremdheit auszeichnet, mündet in eine differenzierende Qualifikation.

III. Der Stammler

Zentral manifestiert sich diese differenzierende Qualifikation in der Funktion, die Sprache als Determinante sozialer Zugehörigkeit einnimmt:[10] „[D]er Mensch", so betont etwa *Wilhelm von Humboldt*, „zieht [...] die Kreise seiner geistigen Verwandtschaft, [indem] er [...] die, wie er Redenden von den anders Redenden ab[sondert]". „Diese, das Menschengeschlecht in zwei Klassen, Einheimische

3 Dazu nur R. Stichweh, Von der Soziologie des Fremden zur Soziologie der Indifferenz. Zur Zugehörigkeit des Fremden in Politik und Gesellschaft <fiw.uni-bonn.de/demokratieforschung/personen/stichweh/pdfs/>.

4 Vgl. nur die Hinweise bei St. Fuchs, „Das Andere und das Fremde", in: *Festschrift für Brackert*, Berlin u.a.,1997, S. 365 (379-380).

5 G. Simmel (Fn. 1), S. 685.

6 Dazu insb auch J. Derrida, *Von der Gastfreundschaft*, Wien, 2015 (3. Auflage), S. 56.

7 G. Simmel (Fn. 1), S. 685.

8 R. Stichweh, *Der Fremde: Studien zur Soziologie und Sozialgeschichte*, Berlin, 2010, S. 12.

9 Dazu nur die aussagekräftige Frage bei M. Pöschl, „Migration und Mobilität", GA, XIX. ÖJT 2015, S. 156: So wirft uns die Frage, wie wir ‚die Anderen' ertragen, immer auf die Frage zurück: Wie ertragen wir uns selbst?"

10 Vgl. für das unüberschaubare Feld etwa die Darstellungen bei L. Milroy, „Language and group identity", 3 *Journal of Multilingual and Multicultural Development* 1982, S. 207, oder Hansen / Liu, „Social Identity and Language", 31 *tesol* 1997, S. 567, sowie die Skizze bei J. Edwards, *Language and Identity,* Cambridge u.a., 2009, S. 15-27.

und Fremde, theilende Absonderungen", so *Humboldt* weiter, „ist die Grundlage aller ursprünglichen geselligen Verbindung"[11]. Sprache, abstrakt besehen zentrales Medium menschlicher Kommunikation, birgt damit konkret stets ein Moment sozialer Distinktion, um schließlich, in der fortschreitenden Konkretisierung über ihre jeweilige Färbung[12], *Schibboleth*[13] der fraglichen Gruppe zu werden[14].

Dass Kommunikation als verständigende Überwindung des Faktums hin zur Bedeutung[15], soweit ihre Praxis angesprochen ist, die exemplarische Separation von Fremdem und Vertrautem erlaubt[16], ist sozialwissenschaftlich eindeutig belegt[17]. Und schon historisch verfügt es über einen prominenten Ausweis, der etymologisch nach wie vor wirkmächtig ist: Barbar (*βάρβαρος*) war den Griechen der Fremde, weil er wörtlich ein Stammler war; einer, der die Sprache nicht beherrschte[18]. Dass die soziale Integration des Fremden in eine bestimmte Gruppe, wie in jüngerer Vergangenheit in zunehmender Frequenz postuliert[19], zunächst und zuvörderst am Spracherwerb anzusetzen hat, ist vor diesem Hintergrund kaum von der Hand zu weisen.

IV. Die Objektivität des Fremden

Es ist diese Perspektive, der Blick der sozialen Gruppe auf den, allenfalls zu integrierenden, Fremden, der in Staatsrecht und -theorie üblicherweise – und deshalb

11 W. von Humboldt, *Ueber die Verschiedenheit des menschlichen Sprachbaues und ihren Einfluß auf die geistige Entwicklung des Menschengeschlechts,* Berlin u.a., 1836, Gesammelte Werke VI, 1988, S. 508-509.

12 Dazu insb auch J. Derrida, *Von der Gastfreundschaft*, Wien, 2015 (3. Auflage), S. 69-70 sowie 150: „In einer Sprache kann man viele Sprachen sprechen." Vgl. zum Phänomen der „Sprachheimat" H. Konrad, „Heimat(en)", in: Pirker (Hrsg.), *Kärnten und Slowenien: Getrennte Wege – Gemeinsame Zukunft,* Baden-Baden, 2015, S. 139 (141-142).

13 Ri 12, 5-6: „Gilead besetzte die nach Efraim führenden Übergänge über den Jordan. Und wenn efraimitische Flüchtlinge (kamen und) sagten: Ich möchte hinüber!, fragten ihn die Männer aus Gilead: Bist du ein Efraimiter? Wenn er Nein sagte, forderten sie ihn auf: Sag doch einmal «Schibbolet». Sagte er dann «Sibbolet», weil er es nicht richtig aussprechen konnte, ergriffen sie ihn und machten ihn dort an den Furten des Jordan nieder. So fielen damals zweiundvierzigtausend Mann aus Efraim."

14 Dazu J. Derrida, *Schibboleth*, Wien, 2012 (5. Auflage), S. 54-56.

15 Vgl. mwN Ch. Bezemek, *Freie Meinungsäußerung – Strukturfragen des Schutzgegenstandes,* Wien, 2015, S. 30-34.

16 Vgl. bereits Platon, *Apologie des Sokrates*, 17d: „So wie ihr nun, wenn ich wirklich ein Fremder wäre, mir es nachsehen würdet, dass ich *in jener Mundart und Weise* redete, worin ich erzogen worden" (Übersetzung *Schleiermacher* 1805. Hervorhebung CB).

17 Vgl. nur Kinzler ea, "The native language of social cognition", 30 *PNAS* 2007, S. 12577.

18 Vgl. näher etwa die Abhandlung von F. Roth, Bemerkungen über den Sinn und den Gebrauch des Wortes Barbar, Nürnberg, 1814.

19 Vgl. dazu nur die Bestandaufnahme bei P. Stevenson, „Migration und Mehrsprachigkeit in Europa: Diskurse über Sprache und Integration", in: Eichinger / Plewnia (Hrsg.), *Sprache und Integration*, Mannheim, 2015, S. 13.

auch im gegebenen Zusammenhang – grundlegende Bedeutung zukommt. Das heißt allerdings nicht, dass umgekehrt der Blick des nicht integrierten Fremden auf die soziale Gruppe von bloß nachgelagerter Relevanz ist, wenn es gilt, sich dem Fremden in staatstheoretischer Perspektive zuzuwenden: Denn in diesem Blick erwächst aus der Synthese von Nah und Fern jene bemerkenswerte Eigenschaft, die den Fremden in großer Häufigkeit zum Fluchtpunkt staatstheoretischer Konzepte und staatsmythologischer Überlieferungen machen sollte: Jene „Objektivität des Fremden", die eben daher rührt, dass, wie es *Simmel* betont, „[der Fremde] nicht von der Wurzel her für die singulären Bestandteile oder die einseitigen Tendenzen der Gruppe festgelegt ist, [und daher] allen diesen mit der besonderen Attitüde des ‚Objektiven' gegenüber[steht], die nicht etwa einen bloßen Abstand und Unbeteiligtheit bedeutet, sondern ein besonderes Gebilde aus Ferne und Nähe, Gleichgültigkeit und Engagiertheit ist"[20].

Der Fremde als der Beteiligte, der doch nicht betroffen ist, kann damit – der zentralen Forderung der Sozialvertragstheorie *Rousseaus* entsprechend – als jener „höhere Geist" fungieren, „der alle Leidenschaften der Menschen durchblickt und keine davon empfindet; dem jede Beziehung zu unserer Natur fehlt und der trotzdem aus dem Grunde von ihr Kenntnis besäße; dessen Glück von uns unabhängig wäre und der dennoch Neigung hätte, sich mit dem unsrigen zu beschäftigen"[21].

Die interesselose Aufmerksamkeit, die dem Fremden zu eigen ist, gestattet ihm einen freien Blick auf den Gegenstand, der nicht durch den *Rawls*'schen Schleier des Nichtwissens[22] verhüllt werden muss: Die Objektivität des Fremden ist *eo ipso* gesichert, ohne dass es derartige Hilfskonstrukte, die ein vergleichbares Ergebnis herbeizuführen trachten, braucht.

V. Der fremde Gesetzgeber

Schon ganz grundsätzlich bedarf es deshalb nicht notwendig „göttlicher Wesen, um den Menschen Gesetze zu geben"[23]. Ein Gesetzgeber, im Sinne *Rousseaus*, der frei von Dünkel, Vorurteil und Eigeninteresse agiert, kann auch im Fremden gefunden werden. Dabei erschöpft sich die Möglichkeit, die Objektivität des Fremden staatsrechtlich nutzbar zu machen – wiederum abweichend von der *Rawls*'schen Konzeption – (dem Grunde nach) nicht darin, bloßes Gedankenex-

20 G. Simmel (Fn. 1), S. 687.

21 J. J. Rousseau, *Vom Gesellschaftsvertrag*, Leipzig, 1762 (1880), S. 71 - Übersetzung nach Denhardt.

22 J. Rawls, *A Theory of Justice,* Cambridge, 1971.

23 J. J. Rousseau (Fn. 21), S. 71.

periment zu sein:[24] Die Objektivität des Fremden dazu einzusetzen, ihm die Gesetzgebung im Sinne *Rousseaus* zu übertragen, ist eine reale Option. Und *Rousseau* selbst wartet auch mit historischen Beispielen auf, ebendas zu unterstreichen: „Bei der Mehrzahl der griechischen Städte", so betont er, sei es Sitte gewesen, „Fremden die Abfassung ihrer Gesetze anzuvertrauen. Die neueren Republiken Italiens ahmten diesen Gebrauch oft nach; auch Genf befolgte ihn (hier spielt *Rousseau* auf das Wirken *Calvins* an) und befand sich dabei wohl"[25].

Diese Beispiele sind eindrücklich, und doch werden sie deutlich von einem Gründungsmythos überstrahlt, dessen Wirkmacht nicht zuletzt aus der übergreifenden Akzeptanz der großen Buchreligionen gespeist wird: Der Migrationsbewegung der Israeliten aus Ägypten unter Moses' Führung und der in weiterer Folge vollzogene Akt der Gründung Israels. Freilich: Gerade hier scheint es sich doch um ein Beispiel zu handeln, das als Archetyp für Staatsgründung qua Emanzipation einer Gruppe aus der Fremde angesehen werden kann. Und doch mag dieser Mythos, wie *Bonnie Honig* in einer rezenten Monographie herausgearbeitet hat[26], in mehrfacher Hinsicht als exemplarisch für das hier diskutierte Phänomen der Fremdgründung staatlicher Gemeinwesen werden; jedenfalls dann, wenn man ihm jenes Verständnis beilegt, das *Sigmund Freud* entscheidend geprägt hat[27]. Dass nämlich Moses, der Befreier und Gründer Israels, abweichend von der biblischen Darstellung gebürtig kein *Isrealit*, sondern ein *Ägypter* war; was *Freud* insbesondere auch an jener Stelle des Buches Exodus nachzuweisen suchte[28], wonach Moses „schwer von Sprache", also wie es *Freud* formuliert, „ein Anderssprachiger war, der mit seinen semitischen Neu-Ägyptern nicht ohne Dolmetsch verkehren konnte, wenigstens nicht zu Anfang ihrer Beziehungen"[29]. Jedenfalls im Sinne der zuvor angesprochenen differenzierenden Qualifikation anhand von Sprache ist das ein bemerkenswerter Hinweis.

Die historische Frage, ob Moses tatsachlich ein Ägypter *war*, ist freilich weder auf Grund dieser Hypothese, noch auf der Basis anderer Argumente zu klären[30]. Es ist aber auch in erster Linie die Symbolik, die im gegebenen Zusammenhang interessiert und die Implikation, die sie zeitigt: dass nämlich dem Volk Israel am Fuße des Berges Sinai, ganz im Sinne *Rousseaus*, von einem *Fremden*

24 Für eine experimentelle Überprüfung des Gedankenexperiments vgl. die bemerkenswerte Untersuchung von N. Frohlich ea, „Laboratory Results on Rawls's Distributive Justice", 17 *British Journal of Political Science* 1987, S. 1. Dazu wiederum Jackson / Hill, "A Fair Share", 7 *Journal of Theoretical Politics* 1995, S. 169.

25 J. J. Rousseau (Fn. 21), S. 72.

26 B. Honig, *Democracy and the Foreigner,* Princeton, 2003, S. 25.

27 S. Freud, *Der Mann Moses und die monotheistische Religion,* Amsterdam, 1939.

28 Freud bezieht sich augenscheinlich auf Ex 4:10-17.

29 S. Freud (Fn. 27), S. 57-58.

30 Dazu nur die Nachweise auf die weit zurückreichende Diskussion bei J. Kirsch, *Moses: A Life*, New York, 1998, S. 24.

Gesetze gegeben wurden[31]. Mit diesem Moment wird die qualifizierte Differenz, die den Fremden kennzeichnet, von einer sozialen in eine normative Dimension übersetzt: Die Gründung steht in Differenz zum Gegründeten; der *pouvoir constituant* in Differenz zum *pouvoir constitué*[32].

Diese Differenz, die Fremdheit des rechtlichen Rahmens, der sich der Disposition der eigentlich Rechtsunterworfenen entzieht, aufrechtzuerhalten, bedingt, den Fremden nach dem Akt der Gesetzgebung aus dem Verband ausscheiden zu lassen. Um das eingangs zitierte Diktum *Simmels* an dieser Stelle zu modifizieren: Der Gesetzgeber ist der Fremde, der heute kommt; morgen bleibt, aber nur um Gesetze zu geben und dann sogleich weiterzuziehen; hinaus in diese Welt oder in die nächste, gleichviel ob er selbst zum Sprung ansetzt oder gestoßen wird: *Moses* verscheidet (wenn auch nicht unmittelbar) nachdem er die Gesetze am Berg Sinai empfangen hat und damit noch bevor das Volk Israel das gelobte Land erreicht. *Lykurg*, der durch das Exil entfremdete spartanische Königssohn, kehrt in seine Heimat zurück, um ihr eine Verfassung zu geben und zieht im Anschluss den freiwilligen Hungertod außerhalb Spartas dem Verbleib in der Stadt vor, um, wie *Plutarch* berichtet[33], dem von ihm geschaffenen Rechtsrahmen umso größere Autorität zu geben.

VI. Subjektivität und Subjektion

Der fremde Gesetzgeber kann nicht Teil jener Gemeinschaft sein, deren Zusammenleben er, der ihm eigenen Objektivität entsprechend, geordnet hat. Institutionell bedingt das grundlegend, die Funktion des Gesetzgebers strikt von der Ausübung eigentlicher Herrschaftsmacht zu trennen: „denn [wie *Rousseau* ausführt,] wenn der Beherrscher der Menschen nicht zugleich der der Gesetze sein darf, so darf der Beherrscher der Gesetze ebensowenig der der Menschen sein, sonst würden diese Gesetze als Werkzeuge seiner Leidenschaften oft nur seine Ungerechtigkeiten fortpflanzen; nie könnte er vermeiden, dass Privatzwecke die Heiligkeit seines Werkes trübten“[34].

Anders ausgedrückt: Der Fremde, der in der Gemeinschaft der anderen verweilt, geht seiner Objektivität verlustig. Dieser Umstand lässt nicht länger zu,

31 B. HONIG (Fn. 26), S. 30.

32 Zur Grundlegung der Unterscheidung vgl. E. J. SIEYÈS, *Qu'est-ce que le tiers état?,* Paris, 1789, V.

33 G. B. VON SCHIRACH (Hrsg.) *Biographien des Plutarchs*, Wien, Prag, 1777, S. 226. Kritisch freilich zur historiographischen Akkuranz dieser Darstellung bereits Hermann PETER, *Der historische Werth von Plutarchs Biographie des Lykurg*, 22 Rheinisches Museum für Philologie nF, 1867, S. 62.

34 J. J. ROUSSEAU (Fn. 21), S. 72.

ihn außerhalb rechtlicher Ordnung zu begreifen: Die Subjektivität des Fremden aber bedingt seine Subjektion.

Der Fremde, als jener, „der heute kommt und morgen bleibt", muss, wie kurz sein Verweilen auch sein mag, „Subjekt unter Subjekten" werden[35]. Das freilich heißt nicht, dass der Fremde damit „Gleicher unter Gleichen" wird. Vielmehr weicht die Überordnung des Gesetzgebers, der einer Rechtsordnung vorausgesetzt ist, die seiner Disposition anheimgestellt ist, der Unterordnung des Rechtsunterworfenen, dem eine Rechtsordnung vorgegeben ist, die sich seiner Disposition entzieht. Der Fremde ist, wie es im Buch Exodus vermerkt ist, „Gast [...] unter Fremden"[36]. Allein, dieser Status separiert Gast und Gastgeber. Der Fremde ist, normativer Ausdruck der differenzierenden Qualifikation von Fremdheit, im Staate nur geduldet[37]. Das bedeutet nicht notwendig, dass er rechtlos ist, soweit ja auch der Duldung eine rechtliche (zumindest eine quasi-rechtliche) Grundlage korrespondiert. Überhaupt erweisen sich derartige Zuschreibungen, soweit sie in älteren staatsrechtlichen Abhandlungen getroffen werden[38], als historisch kontrafaktisch, oder jedenfalls als zu grobschlächtig, wie neuere Untersuchungen zum Gegenstand bescheinigen[39].

An dieser Stelle steht die Akkuranz des Bildes des rechtlosen Fremden aber nicht auf dem Prüfstand. Auch ist keine rechtsgeschichtliche Darlegung des Verhältnisses des staatlichen Gemeinwesens zu denen, die es als Mitglieder ansieht und jenen, denen es die Zugehörigkeit zur Gänze oder zum Teil versagt, vorzunehmen. Staatsrechts*historisches* Faktum ist: Schon proto-staatliche Einrichtungen bewehren die in ihnen geborgenen Errungenschaften gegen den unerwünschten Zugriff Gemeinschaftsfremder[40]. Staats*theoretisch* prominent wurde das von *Thomas Hobbes* im XVII. Kapitel des „Leviathan" dergestalt übersetzt, dass einer der zentralen Staatszwecke darin besteht, der Gemeinschaft Schutz *vor fremden Eindringlingen* zu bieten[41].

Auch für *Hobbes'* wäre es falsch, dem eine Gleichsetzung von Fremden und Feind zu unterstellen. Doch weist der Gedanke, wie im neueren Schrifttum etwa auch *John Rawls* unterstreicht[42], treffend darauf hin, dass die Rechte, die der Staat dem Fremden gewährt, eben punktuelle Privilegien sind, die ihm zugebil-

35 Vgl. nur G. Jellinek, *Allgemeine Staatslehre*, Berlin, 1914 (3. Auflage), S. 406-408.
36 Ex 2:22.
37 So etwa noch H. Zoepfl, *Grundsätze des Gemeinen Deutschen Staatsrechts II*, Leipzig u.a., 1863 (5. Auflage), S. 85-86.
38 Vgl. etwa die Ausführungen bei H. von Fritsch, „Die Stellung der Fremden" in: Laband ea (Hrsg.) *Handbuch der Politik* I/2, Berlin, 1914, S. 124.
39 Dazu nur die gesammelten Abhandlungen bei A. Coşkun und L. Raphael (Hrsg.), *Fremd und Rechtlos?*, Köln u.a. 2014.
40 Vgl. nur U. Wesel, *Frühformen des Rechts in vorstaatlichen Gesellschaften,* Frankfurt am Main, 1985.
41 T. Hobbes, *Leviathan*, Oxford, 1651 XVII.
42 J. Rawls, *The Law of the Peoples*, Cambridge, Mass.,1999, S. 38-39.

ligt werden, nicht aber Positionen, die sich der Verfügungsmacht des Gemeinwesens entziehen, oder anders gewendet: die dem Fremden originär (also unabhängig der konkreten staatlichen Ordnung) zukommen. Damit entzieht sich in der nunmehr eingenommenen Perspektive die staatliche Ordnung nicht bloß der Disposition des Fremden; vielmehr macht sie ihn selbst zum Gegenstand ihrer Disposition[43]. Die Inklusion des Fremden ist damit in letzter Konsequenz stets bloß unter der aufschiebenden Bedingung seiner möglichen Exklusion gewährleistet; was sich im Äußersten in Vorgängen wie der, der spartanischen Staatspraxis zugeschriebenen, *Xenelasie* (also der Fremdenaustreibung) manifestieren kann, die noch im frühen 20. Jahrhundert in staatsrechtlichen Abhandlungen zwar als „barbarisch" – vor dem Hintergrund des Vorbemerkten eine durchaus bemerkenswerte Wortwahl – jedoch als völkerrechtlich zulässig, ausgewiesen wird[44].

VII. Inalienable Rechte

Der Einwand, dass eine solche Sichtweise doch spätestens seit dem Ende des 18. Jahrhunderts, mit der Propagierung „unveräußerlicher" (wörtlich, und im gegebenen Zusammenhang durchaus von Interesse: in*alien*abler) Rechte des Menschen als überholt anzusehen ist,[45] überzeugt bei näherer Betrachtung nicht; jedenfalls dann, wenn man bedenkt, dass die angesprochenen normativen Konzepte nicht zufällig in der Morgendämmerung nationalstaatlicher Entwicklungen strapaziert werden. Sie dienen in diesem Kontext sowohl als konstitutive Voraussetzung, als auch als legitimatorischer Fluchtpunkt der Entäußerung eines Volkes, das in der Nation aufgeht[46]; der Nation, die wie es in Art III der Déclaration des Droits de l'Homme et du Citoyen formuliert war, Sitz aller Souveränität war[47] und damit gesamthaft die Rechte ihrer Angehörigen verkörperte.

43 Dazu nur O. SAVIĆ, "Figures of the Stranger Citizen as a Foreigner", 11 *parallax* 2005, S. 70 (74). Der Fremde ist insofern „Pflichtsubjekt" im *Jellinek'schen* Sinn – G. JELLINEK (Fn. 35), S. 406.

44 H. VON FRITSCH (Fn. 38), S. 128.

45 United States Declaration of Independence, 4.7.1776: "We hold these truths to be self-evident, that all men are created equal, that they are endowed by their Creator with certain *unalienable* Rights, that among these are Life, Liberty and the pursuit of Happiness". Déclaration des Droits de l'Homme et du Citoyen, 26.8.1789: "... considérant que l'ignorance, l'oubli ou le mépris des droits de l'Homme sont les seules causes des malheurs publics et de la corruption des Gouvernements, ont résolu d'exposer, dans une Déclaration solennelle, les droits naturels, *inaliénables* et sacrés de l'Homme ..." (Hervorhebung jeweils CB).

46 H. ARENDT, *The Origins of Totalitarianism,* New York, 1973, S. 291.

47 "Le principe de toute Souveraineté réside essentiellement dans la Nation."

Die in der Erklärung zusammengefassten Rechte, *Mirabeau* zufolge zunächst und zuvörderst eine Kriegserklärung an die Tyrannei[48], waren damit stets in ihrem Verhältnis wechselseitiger Bedingtheit zur souveränen Nation zu verorten, als deren Ausgangs- und Endpunkt sie fungierten; nicht aber als Rechtspositionen, die für das (und vor allem: für jedes) Individuum unmittelbar einlösbar gewesen wären[49]. Schon insofern waren diese „Rechte" jene „Abstraktionen", die *Edmund Burke* gleichermaßen prominent wie wirkmächtig kritisieren sollte[50].

VIII. Der binäre Status

Soweit freilich die genannten Rechte als konstitutiver Faktor der Entstehung der Nation anzusehen sind, beweisen sie eben darin, wie es bereits *Lucien Febvre* herausgearbeitet hat, gleichermaßen inklusives wie exklusives Potential: Sie überführt ein vielfach fragmentiertes Staatsvolk in einen einheitlichen Personenverband von Staatsbürgerinnen und Staatsbürgern[51]. Diese Entgrenzung im Staatsinneren in einem einheitlichen formalen Status bedingt infolge der ihm gegebenen Binarität jedoch eine Abgrenzung nach außen: Bürgerin und Bürger stehen dem Fremden als Nicht-Bürger gegenüber, die als solche aber von der eigentlichen Mitgliedschaft in der Nation, der als Trägerin der Souveränität die Wahrung des vorausgesetzten Rechtsbestandes zukommt, exkludiert sind[52].

Die nach *Habermas* dem Nationalstaatsdenken, wenn auch alternierend, inhärenten Postulate von Homogenität und Leitmotiv[53] tun das ihre, diese Wirkung zu katalysieren: Inklusion erfolgt einerseits kontingent, als Folge der etablierten Kriterien von Blut und Boden, andererseits gesteuert, durch formalisierte Integration über den Erwerb der Staatsbürgerschaft nach jenen Voraussetzungen, darunter wiederum typischerweise der Spracherwerb, die die Gemeinschaft festlegt. Freilich, dem gilt es an dieser Stelle nicht weiter nachzugehen: Mit der Integration des Fremden kommt der Gegenstand der Betrachtung abhanden, indem sich der Fremde ja eben durch die Integration – im eigentlich Wortsinn – *entfremdet* und damit in der durch die Nation verkörperte Gemeinschaft aufgeht.

48 Vgl. die Nachweise bei O. Savić (Fn. 43), S. 73.

49 S. Moyn, *The Last Utopia*, Cambridge, Mass., 2010, S. 25-29 mwN.

50 E. Burke, *Reflections on the Revolution in France*, Dublin, 1790: In the famous law of the 3rd of Charles I, called the Petition of Right, the parliament says to the king, "Your subjects have inherited this freedom", claiming their franchises not on abstract principles "as the rights of men", but as the rights of Englishmen, and as a patrimony derived from their forefathers.

51 L. Febvre, *A New Kind of History,* New York u.a., 1973, S. 208.

52 Dazu insb auch J. Kristeva, *Fremde sind wir uns selbst,* Frankfurt am Main, 2013 (11. Auflage), S. 163-165.

53 Vgl. etwa J. Habermas, *The Inclusion of the Other*, Cambridge, Mass.,1998, S. 108-120, oder O. Savić (Fn. 43), S. 72.

Festgehalten werden kann: Der Nationalstaat und die in ihm und über ihn proklamierten Ansprüche überwinden damit normativ die qualifizierte Differenz zum Fremdem nicht; verstärken sie vielmehr, indem sie die differenzierende Qualifikation in einer formalen Grenzziehung zwischen Innen und Außen vornehmen und den Nachweis der Staatsbürgerschaft zum (formalisierten) *Schibboleth* der Gruppe machen[54]. Über Ein- und Ausschluss anhand dieses Kriteriums zu befinden entspricht, einem Urteil des United States Supreme Court aus den 1950ern zufolge, der „traditionellen Macht der Nation über den Fremden“[55].

Mit der Koppelung der Nation und ihrer Bürgerinnen und Bürger als Träger und Trägerinnen in*alien*abler Rechte, wird – sprachlich vordergründig paradox – die Alienität des Außenstehenden unterstrichen. Freilich: Diese Zuschreibung mag vor dem Hintergrund der staatsrechtlichen Entwicklung der letzten Jahrzehnte, vielfach mit der Zuschreibung „post-national“ belegt[56], zu apodiktisch, wenn nicht schon anachronistisch anmuten: Ist es nicht so, dass die Staatsbürgerschaft als entscheidendes Konzept von Inklusion sukzessive erodiert; insbesondere in regionalen Verbundstrukturen wie der Europäischen Union, die den Status ihrer „Bürger“ selbstbewusst jenem des Staatsbürgers zur Seite stellen?

Bedingt: Denn all das (und mehr) ist zwar zutreffend, zugleich aber vom Konzept der Staatsbürgerschaft um das es mäandriert abhängig, sei es, dass es als Kontrastfläche dient oder, wie insbesondere im Fall der Unionsbürgerschaft, auf Grund ihres akzessorischen Charakters vorausgesetzt ist (und insofern eben nur Bürger bestimmter Staaten als Unionsbürger begreift). Nämliches kann für die Debatte über die Vereinfachung der Erlangung der Staatsbürgerschaft oder des Zugangs zu politischer Partizipation bemerkt werden[57]. Freilich: Gerade in Anbetracht rezenter Entwicklungen muss die Strahlkraft von Mustern nicht bewiesen werden, die auf Basis nationaler Identität aktiv den Ausschluss jener propagieren, die schon formal nicht dem differenzierenden Qualifikationsmerkmal der

54 Differenzierend zwischen Staatsangehörigkeit und Staatsbürgerschaft etwa Ch. Walter, „Der Bürgerstatus im Lichte von Migration und Europäischer Integration“, 71 *VVDStRL* 2013, S. 8 (11-12).

55 Harisiades v. Shaughnessy 342 U.S. 580 (1952), S. 587-588: “That aliens remain vulnerable to expulsion after long residence is a practice that bristles with severities. But it is a weapon of defense and reprisal confirmed by international law as a power inherent in every sovereign State […]. Such is the traditional power of the Nation over the alien”; mag die Ausübung dieser traditionallen “Macht der Nation” aus der Perspektive politischer Moral, wie F. Fukuyama, *The End of History and the Last Man*, New York u.a., 1992, S. 278, argumentiert, “mit schlechtem Gewissen” erfolgen. Dazu für die aktuelle Debatte P. Collier, *Exodus: Immigration and Mulitculturalism in the 21st Century,* London, 2014, S. 246-251.

56 Vgl. dazu nur die Diskussion bei J. Habermas, *The Postnational Constellation,* Cambridge, 2001.

57 Vgl. dazu aus dem neueren rechtswissenschaftlichen Schrifttum nur die Analysen bei Ch. Walter (Fn. 54), S. 32-42, sowie K. F. Gärditz, Der Bürgerstatus im Lichte von Migration und europäischer Integration, 71 *VVDStRL* 2013, S. 51 (118-139).

Staatsbürgerschaft gerecht werden. Und dass die soeben angesprochenen regionalen Verbundstrukturen vor dem Hintergrund aktueller emanzipatorischer Tendenzen einzelner Glieder die Gefahr politischer Erosionserscheinungen zu gewärtigen haben, mag das seine zur Plausibilität dieses Befundes beitragen.

Dem Fremden jedenfalls bleibt vor dem Hintergrund dieser zentralen Stellung mit *Hannah Arendt* nur die abstrakte Nacktheit des Menschseins in ihrer Bedürftigkeit, fernab eigener Berechtigung, fernab eines *right to have rights*[58]; eines Rechtsanspruchs, der Gemeinschaft gegenüber als eigenberechtigt aufzutreten und auf Basis dieser Eigenberechtigung Aufnahme zu suchen und zu finden[59]. Die Differenz zwischen Mensch und Bürger zu überwinden und dem so artikulierten moralischen Anspruch auf Inklusion staatstheoretisch zu entsprechen, bedingt damit die Entkoppelung der Rechtsträgerschaft von Gemeinschaftszugehörigkeit, die normative Emanzipation des Individuums von der Nation.

IX. Zum ewigen Frieden?

Locus classicus eines derartigen Anspruchs des Fremden ist der dritte Definitivartikel in *Immanuel Kants* Abhandlung „Zum Ewigen Frieden", in dem Kant ein auf Bedingungen der allgemeinen „Hospitalität" eingeschränktes „Weltbürgerrecht" postuliert. Ein *Recht*, wie *Kant* eingangs unterstreicht – und darum mehr als bloße „Philanthropie". „Hospitalität (*Kant* übersetzt den Begriff zu „Wirtbarkeit") [als] Recht eines Fremdlings, seiner Ankunft auf dem Boden eines andern wegen, von diesem nicht feindselig behandelt zu werden. Dieser kann ihn abweisen, wenn es ohne seinen Untergang geschehen kann; so lange er aber auf seinem Platz sich friedlich verhält, ihm nicht feindlich begegnen. Es ist kein *Gastrecht*, worauf dieser Anspruch machen kann (wozu ein besonderer wohltätiger Vertrag erfordert werden würde, ihn auf eine gewisse Zeit zum Hausgenossen zu machen), sondern ein Besuchsrecht, welches allen Menschen zusteht, sich zur Gesellschaft anzubieten"[60].

Bemerkenswert an diesem Konzept eines globalen Migrationsrechts ist bereits *Kants* Wortwahl: „Hospitalität" zeugt zunächst etymologisch von der potentiellen Reflexivität, die dem Konzept von Gastfreundschaft inhärent ist. „Hospes" bezeichnet im Lateinischen sowohl den Gast als auch den Gastgeber: Hospitalität verweist darauf, dass jeder möglicher Gast wie zugleich möglicher Gastgeber ist; weil jeder ein Fremder ist – fast überall[61], soweit er sich jenseits der Grenzen

58 H. ARENDT (Fn. 46), S. 296.

59 Vgl. dazu insb S. BENHABIB, *The Rights of Others*, Cambridge u.a., 2004, S. 134-142.

60 I. KANT, *Zum Ewigen Frieden*, Berlin, 1923, AA VIII, S. 341 (357-358) – Hervorhebung CB.

61 Vgl. insb auch die weiterführende Diskussion bei R. STICHWEH (Fn. 8), S. 130.

einer bestimmten Gemeinschaft (als *peregrinus*) bewegt[62]. Die etymologischen Wurzeln des von *Kant* entwickelten Konzepts von Hospitalität reichen jedoch tiefer. Denn im Lateinischen teilen Gast (*hospes*) und Feind (*hostis*) denselben Ursprung. Für *Jacques Derrida* ist der von Kant gewählte Ausdruck damit einer der seinen eigenen Widerspruch verkörpert, indem er „gleich einem Parasiten seinen Gegensatz, die Feindschaft, den unerwünschten Gast, in sich trägt, ihn als Selbstwiderspruch in seinem eigenen Körper beherbergt"[63].

Inwieweit diese Bemerkung von kritischen Untertönen durchdrungen ist, erschließt sich nicht ohne Weiteres. Sollte dem so sein, erscheint es mir unberechtigt; *Kants* Wortwahl vielmehr wohl erwogen. Gerade in seiner etymologischen Offenheit spiegelt der Begriff „Hospitalität" die Ambivalenz wider, die der Begegnung mit dem Fremden gerade in staatstheoretischer Perspektive eignet: denken wir zurück an die Staatszwecklehre von *Thomas Hobbes*[64]. Im Sinne dieser Ambivalenz ist die Hospitalität im hier entwickelten – weiteren – Sinne notwendige Bedingung des umsichtigen Kontakts mit dem Unvertrauten für das die Unterscheidung von Freund und Feind erst vorzunehmen ist[65]. Hospitalität will vor diesem Hintergrund nach *Kant* „eine Befugnis der fremden Ankömmlinge [gewährleisten, die] sich nicht weiter erstreckt, als auf die Bedingungen der Möglichkeit, einen Verkehr mit den alten Einwohnern zu versuchen"[66].

Das bedingt, so *Kant*, dem Fremden, „so lange er [...] auf seinem Platz sich friedlich verhält, [...] nicht feindlich [zu] begegnen[67]. Anders gewendet: Auch als die bloße Bedingung der Möglichkeit der Anbahnung zwischenmenschlichen Kontakts endet der normative Anspruch auf Hospitalität dort, wo Hostilität beginnt; wo der Fremde zur Gefahr für die Gemeinschaft wird.

X. Schluss: Weltbürgerliche Hospitalität

Das von *Kant* präsentierte Konzept scheint uns heute aus staatsrechtlicher und -theoretischer Perspektive in entscheidenden Aspekten selbstverständlich; so sehr, dass es schwerfallen mag, seine Innovationskraft adäquat zu würdigen. Hat doch, nach historischen Erfahrungen, die drastischer nicht hätten sein können, die staatsrechtliche Realität vielfach die staatstheoretische Eutopie überholt: Die

62 Zur begrifflichen Entwicklung J. Kristeva (Fn. 52), S. 98-100.

63 J. Derrida, Hospitality, 5 *Angelaki* 2000, S. 3 (Übersetzung CB).

64 T. Hobbes (Fn. 41) XVII.

65 Vgl. C. Schmitt, *Der Begriff des Politischen*, München, 1932, S. 26-30. Schmitt bei 27: „Er ist eben der andere, der Fremde, und es genügt, zu seinem Wesen, daß er in einem besonders intensiven Sinn existentiell etwas anderes und Fremdes ist, so daß im extremen Fall Konflikte mit ihm möglich sind".

66 I. Kant (Fn. 60), S. 359.

67 *Id.*

Rechtspflicht zur Hospitalität – den geltenden Standards des internationalen Menschenrechtsschutzes und des humanitären Völkerrechts entsprechend – bedeutet nicht länger nur „die Bedingungen der Möglichkeit eines Verkehrs" sicherzustellen, bedeutet mehr als die bloße Anbahnung zwischen Fremden und Staatsangehörigen zu ermöglichen. Hospitalität als Rechtspflicht (insbesondere, aber keineswegs ausschließlich über das Recht auf Asyl, das Verbot der Kollektivausweisung, insbesondere aber jenes des Refoulement und den Schutz zwischenmenschlicher Beziehungsstrukturen) bedeutet einzustehen; einzustehen für jene, die außerhalb ihrer Gemeinschaften gestellt oder aus diesen verstoßen wurden, diejenigen aufzunehmen, die anderweitig vielfach keine Möglichkeit haben, ihr Leben im Einklang mit ihrer Identität zu führen, Familienbande nicht ohne gewichtigen Grund zu trennen und letztlich ganz bewusst auch jenen zu beherbergen, von dem nicht gesichert ist, ob er als *hospes* sich, im Sinne des zuvor zu *Derrida* Angemerkten, nicht doch als *hostil* erweisen könnte; jedenfalls dann, wenn ihn abzuweisen in *Kants* Sinn nicht „ohne seinen Untergang geschehen kann"[68].

Das, weil im Gegenzug Hospitalität als Menschen-, als „Weltbürger*recht*" mehr bedeutet, als die *Philanthropie* anderer, ihre duldende Gastfreundschaft in Anspruch zu nehmen; mehr als „Gast unter Fremden" und zu sein. Ein *Recht* auf Hospitalität bedeutet letztlich ein *Recht* darauf zu haben, „Fremder unter Fremden" zu sein, weil es, wenn auch innerhalb eines sachlich eng umgrenzten Spektrums, einen fundamentalen Anspruch darauf vermittelt, „Mensch unter Menschen" zu sein mit dem das eingangs betonte Moment der qualifizierenden Differenz von Fremdheit normativ sanktioniert wird.

Auch das macht in einer – ungeachtet des verschränkenden Effekts, den Globalisierung zeitigt – nach wie vor nationalstaatlich geprägten geopolitischen Landschaft den Fremden evidentermaßen nicht in vollem Umfang zum „Gleichen unter Gleichen". Aber es belegt, dass in einem – wenn auch beschränkten – Spektrum rechtlich gewährleisteter *Mitmenschlichkeit* der Bürger hinter das Individuum zurücktritt, das sich insoweit von der Nation emanzipiert und in dieser Emanzipation der Disposition der konkreten Rechtsordnung entzogen ist; auch wenn die Durchsetzung des so umschriebenen Anspruchs letztlich an national-

68 Vgl. EGMR (GK), Urteil vom 15.11.1996, *Chahal./.Vereinigtes Königreich* (Beschwerde Nr. 22414/94), Rdnr. 80: "The prohibition provided by Article 3 against ill-treatment is equally absolute in expulsion cases. Thus, whenever substantial grounds have been shown for believing that an individual would face a real risk of being subjected to treatment contrary to Article 3 if removed to another State, the responsibility of the Contracting State to safeguard him or her against such treatment is engaged in the event of expulsion [...]. In these circumstances, the activities of the individual in question, however undesirable or dangerous, cannot be a material consideration." Für die weitere Judikaturentwicklung vgl. Ch. Bezemek, *Grundrechte in der Rechtsprechung der Höchstgerichte*, Wien, 2016, § 24 Rdnr. 6.

staatliche Strukturen rückgekoppelt und seine Effektivität davon abhängig ist, inwieweit nationalstaatliche Akteure bereit sind, ihn auch in der Realität der konkreten Rechtsordnung abzubilden.

Analytisch jedoch bezeugt die damit vollzogene normative Inklusion, dass diesem Segment von „Weltbürgerrechten" ob ihrer Universalität, in der sich die Dialektik von Nah und Fern auflöst[69], der Fremde fremd ist; fremd sein muss, weil sie die „abstrakte Nacktheit des Menschseins" nicht als bloßes Datum, sondern als ihren Ausgangspunkt begreift[70]. Individuen, geeint gerade in ihrer Vielfalt, sind einander nicht fremd. Die Inalieniabilität der ihnen gemeinen Rechtspositionen wandelt die Alienität zur bloßen Alterität, die qualifizierte zur schlichten Differenz, den Fremden zum Menschen.

Dass dieser Befund die Größe der gegenwärtigen Herausforderungen um den Komplex „Migration" nicht mindert, ist offenkundig. Und doch mag es sich als hilfreich erweisen, ebendiese Grundlagen in Erinnerung zu rufen und fernab von Selbstzufriedenheit und Naivität zu betonen, dass das Staatsrecht in seiner internationalen Überformung ein Stück weit dahin gekommen ist[71], entsprechend *Kants* staatstheoretischem Postulat „entfernte Weltteile mit einander friedlich in Verhältnisse kommen [zu lassen], [eben weil sie, wenn auch nur in einem beschränkten Segment, bereits] öffentlich gesetzlich [geworden sind], und so das menschliche Geschlecht endlich einer weltbürgerlichen Verfassung immer näher bringen können"[72]. *Können.* Denn inwieweit gerade die derzeitige Entwicklung in eine Richtung weist, die eine positive Prognose erlaubt, was die Einlösung eines so bestimmten Desiderats anlangt, ist ungewiss.

69 Dazu, wenn auch mit kritischer Intention H. M. ENZENSBERGER, *Aussichten auf den Bürgerkrieg,* Frankfurt am Main, 1993, S. 73-74: „Der Universalismus kennt keine Differenz von Nähe und Ferne; er ist unbedingt und abstrakt."

70 Vgl. auch J. HABERMAS (Fn. 53), S. 199.

71 Mag der zurückzulegende Weg auch noch ein weiter sein – vgl. O. SAVIĆ (Fn. 43), S. 77.

72 I. KANT (Fn. 61), S. 358.

Between Protection and Deflection: A legal account of some specific aspects of the EU's response to the refugee crisis

*Roberta Mungianu**

I. Setting the scene

Since spring 2015, the exceptional numbers of migrants crossing its external borders have required the European Union to work towards a common European migration policy capable of providing an immediate response to the current crisis and of building new forms of cooperation between member states. In the 'European Agenda on Migration', issued at the start of the refugee crisis, the European Commission recognised that 'the immediate imperative is the duty to protect those in need' and that 'securing Europe's external borders must be paired with a strong common asylum policy'[1]. This response has taken the form of the adoption of several measures or proposal for others concerning, amongst other things, facilitating the recognition of those seeking protection within the asylum systems of specific member states that are coming under particular pressure because of the exceptional migration flows, the further supra-nationalisation of controls at the EU's external borders and the readmission and return of third-country nationals[2]. In particular, since September 2015, the European Commission has introduced Migration Management Support Teams to help Italy and Greece, which are subject to particular pressure at their external borders, through the establishment of 'hotspots' in these member states. The 'hotspot approach' has been adopted to facilitate the relocation of 160,000 protection seekers, within a time span of one year from Italy and Greece to other EU member states in accordance with two Council Decisions issued in May and September 2015, when the migra-

* *Assistant Professor, Faculty of Law, University of Copenhagen.*

1 Communication from the Commission to the European Parliament, the Council, the European Economic and Social Committee and the Committee of the Regions: A European Agenda on Migration (COM (2015) 240 final), 2 and 7. The law stated in the text is current as of June 2016.

2 See 'A European Agenda on Migration' and the subsequent European Commission's Communications implementing the European Agenda on Migration. See, inter alia, Communication from the Commission to the European Parliament, the European Council and the Council: Managing the refugee crisis: immediate operational, budgetary and legal measures under the European Agenda on Migration (COM(2015) 490 final/2); Communication from the Commission to the European Parliament and the Council on the State of the Play on the Implementation of the Priority Actions under the European Agenda on Migration (COM(2016) 85 final).

tion crisis started[3]. The approach consists of channelling a concerted and supported effort by EU agencies (European Asylum Support Office, Frontex, Europol and Eurojust) and the Italian and Greek authorities to identify, register and fingerprint individuals and conduct investigations to dismantle smuggling and trafficking networks[4]. Further, in June 2016 the Council agreed with the European Parliament a proposed text for a regulation for a European Border and Coast Guard, superseding the Frontex Regulation now in place and creating a new Agency – the European Border and Coast Guard Agency – whose mandate is to implement the EU's integrated border management process in accordance with the Treaties[5]. Also, in the context of the readmission and return of third-country nationals, a strong component of EU migration policy, the November 2015 EU-Turkey Action Plan, followed by the March 2016 EU-Turkey statement, focused on the importance of close cooperation between the EU and Turkey in order to curb the flow of migrants entering EU territory irregularly[6]. From the above examples of adopted and proposed measures to manage the current crisis, and despite the currently unsatisfactory outcome of some of the measures adopted[7], we understand how the European Union is investing in both measures for the protection of third-country nationals and measures for their deflection when protection cannot be granted. By virtue of protection, third-country nationals who are in need are accorded protection benefits. If the person is found to

3 Council Decision (EU) 2015/1523 of 14 September 2015 establishing provisional measures in the area of international protection for the benefit of Italy and of Greece, OJ L239/146, 15.09.2015; and Council Decision (EU) 2015/1601 of 22 September 2015 establishing provisional measures in the area of international protection for the benefit of Italy and Greece, OJ L248/80, 24.09.2015.

4 On the inception and development of the 'hotspot approach', see 'A European Agenda on Migration', 6, Communication on Managing the Refugee Crisis (COM(2015) 490 final/2) – Annex 4 and 5 on identified 'hotspot' in Greece and Italy.

5 European Commission, Proposal for a Regulation of the European Parliament and of the Council on the European Border and Coast Guard and repealing Regulation (EC) No 2007/2004, Regulation (EC) No 863/2007 and Council Decision 2005/267/EC (COM(2015) 671 final – 2015/0310 (COD)). This proposal is part of a European Commission package of proposals aimed at managing the EU's external borders, including Stronger and Smarter Information Systems for Borders and Security (COM(2016) 205 final) and Proposal for a Regulation of the European Parliament and of the Council establishing an Entry/Exit System (EES) to register entry and exit data and refusal of entry data of third country nationals crossing the external borders of the Member States of the European Union and determining the conditions for access to the EES for law enforcement purposes and amending Regulation (EC) No 767/2008 and Regulation (EU) No 1077/2011 (COM(2016) 194 final - /0106 (COD)).

6 Statement of the EU Heads of State or Government (Brussels, 7 March 2016). Agreement between the European Union and the Republic of Turkey on the readmission of persons residing without authorisation [2014] OJ L 134/3.

7 According to the European Commission's 4th Report on relocation and resettlement, 2280 protection seekers out of 160,000 are to be relocated in one year: Communication from the Commission to the European Parliament, to the European Council and the Council, 'Fourth Report on Relocation and Resettlement' (COM(2016) 416 final, 15.06.2016).

lack such entitlement, protection is not granted[8]. The primary protection instruments are the 1951 Refugee Convention and its 1967 Protocol[9]. Their cornerstone, the principle of non-refoulement, is supplemented by international human rights law[10]. EU law codifies some aspects of the protection of third-country nationals in the Common European Asylum System and the EU Charter of Fundamental Rights[11]. 'Deflection' consists of 'any measure inhibiting lasting forms of access to a territory'. Specifically on deflection, migration control functions by 'managing the inflow, presence, and outflow of non-citizens on state territory'[12]. By virtue of the migration control system, a person is allowed to be 'accepted' or else is 'deflected' from a territory[13]. Notably, practices of deflection may entail violations of the right of individuals under the 1951 Refugee Convention and its 1967 Protocol, as well as international human rights law and EU law.

This paper shows that the elements of deflection in response to the current refugee crisis have old roots. In particular, the logic that has informed EU policy on asylum and border control was primarily one of deflection when the first asylum and border control measures were adopted. The paper continues by arguing that today, changes to the relevant primary legislation on asylum and border control introduced in the Treaty of Lisbon and the legally binding value of the EU Charter of Fundamental Rights insert into the EU legal framework on asylum and border control notable elements of protection (section II.). In this framework, the adoption of some identified measures and proposals in response to the current European refugee crisis (some provisions of the Dublin IV Regulation Proposal, EU-Turkey cooperation and the European Border and Coast Guard Regulation) should be looked at with scepticism, since they are likely to violate the rights of individuals, the predicament of the protection element now being more strongly present in EU primary law (section III.). This paper is concerned with some specific and most problematic aspects of the internal policies on EU asylum and border control in relation to the present refugee crisis. EU external policies are only treated in this paper to the extent that they are relevant to the aims of the current analysis. It is mainly the constitutional and institutional contexts of the EU's border controls and asylum policy that are taken into consideration here.

8 G. Noll, *Negotiating Asylum — the EU Acquis, Extraterritorial Protection and the Common Market of Deflection*, The Hague, 2000, p. 97-116.

9 1951 Convention relating to the Status of Refugees (189 UNTS 137).

10 1950 European Convention for the Protection of Human Rights and Fundamental Freedoms (213 UNTS 222); 1984 Convention against Torture and Other Cruel, Inhuman or Degrading Treatment or Punishment (1465 UNTS 85); 1966 International Covenant on Civil and Political Rights (999 UNTS 171).

11 Charter of Fundamental Rights of the European Union [2010] OJ C83/02.

12 Noll, 2000, p. 10-11.

13 Noll, 2000, Ibid.

II. From a logic of deflection to one of greater protection in EU asylum and border control policies

This section provides an examination of the developments of the Common European Asylum System and its intersection with border control policies through the analysis of the most significant changes in the legal framework: the creation of the internal market and the entry into force of the Treaty of Amsterdam (section II.A.); and, the adoption of the Treaty of Lisbon and the legally-binding character of the EU Charter of Fundamental Rights (section II.B.). This examination lays the foundation for the analysis of the response to the present-day refugee crisis conducted in section III. of this paper.

A. The creation of the internal market and the Treaty of Amsterdam

Since 1987, with the entry into force of the Single European Act, the creation of the internal market required the establishment of 'an area without internal frontiers in which the free movement of goods, services, persons and capital is ensured'[14]. Almost simultaneously, the negotiation of the 1985 Schengen Agreement by a group of member states, followed by the 1990 Schengen Convention implementing the Agreement, showed that, in order to achieve the objective of abolishing internal borders between the signatories, compensatory measures such as the adoption of a common visa policy and the transfer of checks to the EU's external borders were necessary[15]. The so-called Schengen *acquis* became part of the EC legal order in 1999. In the words of Steve Peers, '[within] Schengen, the core act of negative legal integration (abolition of internal border controls) led to considerable positive legal integration, particularly the strengthening of external barriers'[16]. The rationale of compensatory measures and of the strengthening of the external borders had also determined the adoption of EU legislation on asylum, which will later become the Common European Asylum System (hereinafter the CEAS)[17]. Unlike other systems of asylum in the world, which

14 Single European Act [1987] OJ L 169, art. 13.

15 Convention implementing the Schengen Agreement of 14 June 1985 between the Governments of the States of the Benelux Economic Union, the Federal Republic of Germany and the French Republic on the Gradual Abolition of Checks at their Common Borders [2000] OJ L 239/19 (the Schengen Acquis).

16 S. Peers, *EU Justice and Home Affairs Law — Volume I: EU Immigration and Asylum Law*, 4th ed., Oxford, 2016 (2016a), p. 68.

17 For a critique of the compensatory measure rationale, see Costello, 2016, p. 15; D. Bigo, "Border Regimes, Police Cooperation and Security in an Enlarged European Union", in: J. Zielonka (ed.), *Europe Unbound: Enlarging and Reshaping the Boundaries of the European Union*, New York, 2003.

aim primarily at incorporating and supplementing the 1951 Refugee Convention in regional contexts[18], asylum legislation in the EU context was adopted to serve the additional purpose of contributing to the construction of the EU itself[19]. A significant example of this compensatory measure rationale is the adoption of rules on responsibility for asylum applications among member states, which constitutes the cornerstone of the European asylum system. These rules were first set out with the adoption of the 1990 Schengen Convention and, subsequently, the 1997 Dublin Convention[20]. Both instruments were adopted pursuant to Article 14 EC (today Article 26 TFEU), which makes clear the connection between the functioning of the internal market and the abolition of internal frontiers[21]. Specifically, the Dublin Convention listed conflicting rules for establishing which member state is responsible for a particular application. Responsibility was allocated on the basis of objective criteria and on the premise that standards of protection are equal in all EU member states. We can see that this premise proved to be false when we consider the decisions of the European Court of Human Rights in this respect[22]. This list of conflicting rules, which also appears in later EU instruments on the responsibility for international protection applications, commonly known as the Dublin II Regulation and the Dublin III Regulation[23], was based on the idea that the system of asylum in the EU should be informed by the principle that only one member state should be responsible for an asylum application. Under the conflicting rules, that member state might be that of first arrival. Coupled with this list of conflicting criteria, a rule was inserted in the Schengen and Dublin Conventions giving member states the possibility to decide

18 See 1969 AU Convention Governing Specific Aspects of Refugee Problems in Africa (1001 UNTS 45); 1984 Cartagena Declaration; 1966 Bangkok Principles on the Status and Treatment of Refugees (Bangkok Principles).

19 V. Chetail, "The Common European Asylum System: Bric-a-brac or System?", in: Chetail / Bruycker / Maiani (eds.), *Reforming the Common European Asylum System —The New European Refugee Law*, Leiden, 2016, p. 1 (4).

20 Convention implementing the Schengen Agreement of 14 June 1985 between the Governments of the States of the Benelux Economic Union, the Federal Republic of Germany and the French Republic on the Gradual Abolition of Checks at their Common Borders [2000] OJ L 239/19 (Schengen Convention); Convention Determining the State Responsible for examining Applications for Asylum Lodged in one of the Member States of the European Communities [1997] OJ C 254/1 (Dublin Convention).

21 Peers, 2016a, p. 295.

22 See, *inter alia*, the ECHR, Decision of 21.01.2011, *M.S.S../.Belgium and Greece*, Reports 2011-I (Application no. 30696/09) and the ECHR, Decision of 04.11.2014, *Tarakhel./.Switzerland* (Application No. 29217/12).

23 Council Regulation (EC) 343/2003 of 18 February 2003 establishing the criteria and mechanisms for determining the Member State responsible for examining an asylum application lodged in one of the Member States by a third-country national [2003] OJ L50/1; Regulation (EU) 604/2013 of the European Parliament and of the Council of 26 June 2013 establishing the criteria and mechanisms for determining the Member State responsible for examining an application for international protection lodged in one of the Member States by a third-country national or a stateless person (recast) [2013] OJ L 180/31.

that a third country should be responsible for an application. The insertion of this rule shows the concern of legislators to protect the external borders of the EU by transferring the responsibility for asylum applications outside the external borders to a non-EU country[24]. This rule was retained in the later instruments, and it was finally clarified in the Dublin III Regulation's provision that the third country responsible for an asylum application must be a 'safe third country' pursuant to the Asylum Procedure Directive[25]. This Directive establishes common procedures for granting and withdrawing international protection with a view to establish a common asylum procedure throughout the Union. The development of policies which deflect protection seekers elsewhere derives from the uncertainty under the law regarding who is obliged to provide asylum and the existence of an applicant's right to asylum in a country of his or her own choice[26]. On this specific point in the Asylum Procedure Directive, Samantha Velluti has correctly

24 Before its inclusion in the Schengen and Dublin Conventions, the safe third country concept was included in domestic legislation by Western European States. See BYRNE / NOLL / VEDSTED-HANSEN, "Understanding Refugee Law in an Enlarged European Union", in: *European Journal of International Law*, 2004, 15 (2), p. 355 (360); the London Resolutions and the 1995 Resolutions. See also article 3 (5) of the Dublin Convention: 'Any Member State shall retain the right, pursuant to its national laws, to send an applicant for asylum to a third State, in compliance with the provisions of the [Refugee Convention]'. On the origin and impact of the safe third country concept, the first country of asylum concept and the interaction with the Dublin Convention and Dublin Regulation, see C. COSTELLO, "The Asylum Procedures Directive and the Proliferation of Safe Country Practices: Deterrence, Deflection and the Dismantling of International Protection", in: *The European Journal of Migration and Law*, 2005, 7 (1), p. 35 (39-43). For a critique of the practice of safe third country, GOODWIN-GILL / MCADAM, *The Refugee in International Law*, 3rd ed., Oxford, 2007, p. 215.

25 Council Regulation (EC) No 343/2003 of 18 February 2003 establishing the criteria and mechanisms for determining the Member State responsible for examining an asylum application lodged in one of the Member States by a third-country national [2003] OJ L 50/1 (Dublin II regulation), art. 3 (3); Council Directive 2005/85/EC of 1 December 2005 on minimum standards on procedures in Member States for granting and withdrawing refugee status [2005] OJ L 326/13 (Asylum Procedures Directive), art. 25; Directive 2013/32/EU of the European Parliament and of the Council of 26 June 2013 on common procedures for granting and withdrawing international protection (recast) [2013] OJ L 180/60 (Recast Asylum Procedures Directive), art. 33. For a critical legal appraisal of the Recast Asylum Procedure Directive, see COSTELLO / HANCOX, "The Recast Asylum Procedures Directive 2013/32/EU: Caught between the Stereotypes of the Abusive Asylum-Seeker and the Vulnerable Refugee", in: CHETAIL / BRUYCKER /MAIANI (eds.), *Reforming the Common European Asylum System — The New European Refugee Law*, Leiden, 2016, p. 375. On the concept of 'safe third country' see also M.-T. GIL-BAZO, "The Safe Third Country Concept in International Agreements on Refugee Protection: Assessing State Practice", in: *Netherlands Quarterly of Human Rights*, 2015, 33 (1), p. 42.

26 GAMMELTOFT-HANSEN / GAMMELTOFT-HANSEN, "The Right to Seek — Revisited: On the Human Rights Declaration Article 14 and Access to Asylum Procedures", in: *European Journal of Migration and Law*, 2008, 10, p. 439; S. LEGOMSKY, "Secondary Refugee Movements and the Return of Asylum Seekers to Third Countries: The Meaning of Effective Protection", in: *International Journal of Refugee Law*, 2003, 15 (4), p. 567 (612-613); GOODWIN-GILL / MCADAM, 2007, p. 302.

highlighted how 'European asylum policies have come to incorporate means and elements of migration policy, in particular migration control, which is mostly visible in the asylum procedure (...)'[27]. We will see below that this logic affects the way the EU is reacting to the current refugee crisis and the choice of legal instruments the EU has made to provide solutions to it.

With the gradual construction of the CEAS, the asylum system in the EU was characterised by the harmonisation of member states' legislation regarding the procedures and substantive recognition of protection status in order to reduce secondary movements of protection seekers within the EU. Apart from instruments adopted in the pre- and post-Maastricht eras[28], it was the Treaty of Amsterdam and the determinations of the Tampere European Council in 1999 that conferred powers on the Community to adopt measures on asylum, based on the full application of the 1951 Refugee Convention and 1967 Protocol and, specifically, its cornerstones, respect for the principle of non-refoulement, i.e. the prohibition on returning individuals to a territory where they might be at risk, and the right to asylum[29]. Articles 63 (1) and 63 (2) of the EC Treaty gave a mandate to the Council – which should vote unanimously and consult the European Parliament – to adopt 'measures on asylum' establishing 'minimum standards' in relation to reception conditions, procedures for granting and withdrawing refugee status and the qualification of third-country nationals as refugees. The phrase 'minimum standards' means that member states must observe EU asylum legislation, but can still adopt or maintain more favourable standards at the national level. The first-phase CEAS measures were heavily criticised for being a 'race to the bottom' and for lowering the protection standards initially adopted by member states individually[30], as well as for the incompatibility of EU legislation with

27 S. Velluti, *Reforming the Common European Asylum System: Legislative Developments and Judicial Activism of the European Courts*, Heidelberg, 2013, p. 8.

28 Council of the European Union, Council Resolution of 30 November 1992 on a Harmonized Approach to Questions Concerning Host Third Countries [1992] (London Resolution) (unpublished in OJ)); Centre for Information, Discussion and Exchange on Asylum (CIREA) doc. SN 2781/92 WGI 1107, 21 May 1992; Council of the European Union, Council Resolution of 20 June 1995 on minimum guarantees for asylum procedures [1996] OJ C 274/13; The Council of the European Union, Joint Position of 4 March 1996 defined by the Council on the basis of Article K.3 of the Treaty on European Union on the harmonized application of the definition of the term 'refugee' in Article 1 of the Geneva Convention of 28 July 1951 relating to the status of refugees [1996] OJ L 63/2, as found in Peers, 2016a, p. 234-235.

29 European Council, Tampere 15 and 16 October 1999, 16/10/1999, No. 200/1/99.

30 See V. Chetail, "The Common European Asylum System: Bric-a-brac or System?', in: Chetail / Bruycker / Maiani (eds.), *Reforming the Common European Asylum System: The New European Refugee Law*, Leiden, 2016, p. 1 (12).

international law and the 1951 Refugee Convention[31]. They were adopted after a delay due to disagreements between the member states, and the entire corpus of legislation had been completed by 2005[32]. Its adoption was prompted by the 2004 Hague Programme, which also established the future goals of the CEAS, namely the establishment of a common asylum procedure and uniform status for those who are granted international protection[33]. These latter goals were later included in the Treaty of Lisbon's chapter on policies on border checks, asylum and immigration.

B. The Treaty of Lisbon and the EU Charter of Fundamental Rights

With the entry into force of the Lisbon Treaty[34], the European Union was given full powers to 'adopt measures for a common European asylum system', which, for the first time, constitutes an obligation in the Treaties and not only a policy objective[35]. Article 78 of the Treaty on the Functioning of the European Union (hereinafter TFEU) states that 'the Union shall develop a common policy on asylum, subsidiary protection and temporary protection' through the adoption of measures on 'a uniform status of asylum', 'a uniform status of subsidiary protection', 'a common system of temporary protection', and 'common procedures for the granting or withdrawing of uniform asylum and subsidiary protection sta-

31 See, inter alia, G. GILBERT, "Is Europe Living Up to Its Obligations to Refugees?", 2004, 15 (5), in: *European Journal of International Law*, p. 963; E. GUILD, "Seeking Asylum: Storm Clouds between International Commitment and EU Legislative Measures", 2004, 29(2), in: *European Law Review*, p. 198; S. PEERS, "Human Rights, Asylum and European Community Law", in: *Refugee Survey Quarterly*, 2005, 24 (2), p. 24.

32 Council Directive 2005/85/EC of 1 December 2005 on minimum standards on procedures in Member States for granting and withdrawing refugee status [2005] OJ L 326/13 (Asylum Procedures Directive); Council Directive 2003/9/EC of 27 January 2003 laying down minimum standards for the reception of asylum seekers [2003] OJ L 31/18 (Reception Conditions Directive); Council Directive 2004/83/EC of 29 April 2004 on minimum standards for the qualification and status of third country nationals or stateless persons as refugees or as persons who otherwise need international protection and the content of the protection granted [2004] OJ L 304/12 (Qualification Directive); Council Regulation (EC) No 343/2003 of 18 February 2003 establishing the criteria and mechanisms for determining the Member State responsible for examining an asylum application lodged in one of the Member States by a third-country national [2003] OJ L 50/1 (Dublin II Regulation); Council Regulation (EC) No 2725/2000 of 11 December 2000 concerning the establishment of 'Eurodac' for the comparison of fingerprints for the effective application of the Dublin Convention [2000] OJ L 316/1 (Eurodac Regulation).

33 The European Council, The Hague Programme: Strengthening Freedom, Security and Justice in the European Union [2005] OJ C 53/1), p. 3.

34 Consolidated versions of the Treaty on European Union (TEU) and the Treaty on the Functioning of the European Union (TFEU), [2010] OJ C 83/1.

35 Article 78 (2) TFEU.

tus'[36]. Article 78 TFEU also establishes an obligation under primary law for the European Union to develop such a common policy on asylum in compliance with the principle of non-refoulement and in accordance with the 1951 Refugee Convention and other relevant treaties. In this respect, the provision also concerns the enactment of border control legislation inasmuch as it intersects with asylum law issues[37]. The phrase 'minimum standards' is now absent from the text of the Treaties. This means that the European Union can potentially fully harmonise domestic asylum legislation with respect to the principles of subsidiarity and proportionality and the safeguarding of member states' sovereignty[38]. These provisions consist of 'restraints' to the exercise of the EU's power concerning the maintenance of law and order and the safeguarding of the internal security of the member states, pursuant to Article 72 TFEU. Importantly, the European Union has the power to fully harmonise the policy area but no obligation to do so because of the 'shared' nature of competence that characterizes this policy area pursuant to Article 4 (2) (j) TFEU. Accordingly, the European Union can also adopt and maintain minimum-standard legislation, as it has chosen to do with the EU asylum legislation now in force, that is, the 'second-phase CEAS measures', adopted by 2013[39]. Therefore, a more extensive harmonisation of do-

36 Article 78 (1) and (2) TFEU.
37 See likewise VELLUTI, 2013, p. 24.
38 PEERS, 2016a, p. 242.
39 PEERS, Ibid. The 'second-phase CEAS measures' (Recast of the Asylum Directives and the Dublin Regulation) were adopted with qualified majority voting and co-decision of the European Parliament. See Directive 2013/32/EU of the European Parliament and of the Council of 26 June 2013 on common procedures for granting and withdrawing international protection (recast) [2013] OJ L 180/60 (Recast Asylum Procedures Directive); Directive 2013/33/EU of the European Parliament and of the Council of 26 June 2013 laying down standards for the reception of applicants for international protection (recast) [2013] OJ L 180 (Recast Reception Conditions Directive); Directive 2011/95/EU of the European Parliament and of the Council of 13 December 2011 on standards for the qualification of third-country nationals or stateless persons as beneficiaries of international protection, for a uniform status for refugees or for persons eligible for subsidiary protection, and for the content of the protection granted (recast) [2011] OJ L 337 (Recast Qualification Directive); Regulation (EU) 604/2013 of the European Parliament and of the Council of 26 June 2013 establishing the criteria and mechanisms for determining the Member State responsible for examining an application for international protection lodged in one of the Member States by a third-country national or a stateless person (recast) [2013] OJ L 180/31 (Dublin III regulation); Regulation (EU) 603/2013 of the European Parliament and of the Council of 26 June 2013 on the establishment of 'Eurodac' for the comparison of fingerprints for the effective application of Regulation (EU) No 604/2013 establishing the criteria and mechanisms for determining the Member State responsible for examining an application for international protection lodged in one of the Member States by a third-country national or a stateless person and on requests for the comparison with Eurodac data by Member States' law enforcement authorities and Europol for law enforcement purposes, and amending Regulation (EU) No 1077/2011 establishing a European Agency for the operational management of large-scale IT systems in the area of freedom, security and justice (recast) [2013] OJ L 180/1 (Recast Eurodac Regulation)

mestic asylum legislation by the EU is possible pursuant to the Treaties. It is not in place at the moment but achievable in the future[40]. This is in accordance with the goals set up by the Stockholm Programme, the multi-annual programme for the period from 2010 to 2014 to develop the area of freedom, security and justice, and confirming what was stated earlier in the Tampere and Hague programmes[41]. As for the level of harmonisation of the policy area as it is now, the harmonisation of asylum legislation within the EU according to minimum standards has been praised as offering 'a useful way for the EU to set a floor of entitlements while ensuring that Member States may offer further migration and asylum opportunities, and contribute to the progressive development of international human rights and refugee law', depending on the minimum standard legislation[42]. The future development of the Common European Asylum System will depend on the effective implementation of the legislation in place with the addition of 'missing pieces' centred on its 'personal, material and geographical scope'[43]. Specifically, it has been pointed out that there will be a need in the future to establish a uniform protection status valid throughout the EU – since the

40 Part of the implementation of the European Agenda on Migration is the reform of the CEAS. The reform consists of a further harmonisation of national legislation and further supranationalisation consisting of the establishment of a common procedure for international protection valid throughout the Union, a European resettlement system and the reform and empowerment of the European Asylum Support Office. See European Commission, European Agenda on Migration: Legislative Documents accessed at http://ec.europa.eu/dgs/home-affairs/what-we-do/policies/european-agenda-migration/proposal-implementation-package/index_en.htm on 30.09.2016.

41 Council of the European Union, The Stockholm Programme: An Open and Secure Europe serving and protecting the citizens [2010] OJ C 115/1; European Commission, Communication from the Commission to the European Parliament, the Council, the European Economic and Social Committee and the Committee of the Regions: Delivering an area of freedom, security and justice for Europe's citizens: Action Plan implementing the Stockholm Programme (COM(2010) 171 final).

42 Costello, 2016, p. 26, 32.

43 Chetail, 2016, p. 36. The poor track record of the implementation of EU asylum law has been recognised by the European Commission. Notably, since December 2015 the Commission has started ten infringement proceedings for failing to fully transpose and implement the Common European Asylum System. The procedures have been started against Greece, Croatia, Italy, Malta and Hungary concerning the transposition and implementation of the Asylum Procedure Directive, the Reception Conditions Directive and the Qualification Directive. Such procedures add to the forty procedures launched on 23 September 2015 on potential or actual infringements of EU asylum legislation. See European Commission, Communication from the Commission to the European Parliament, the European Council and the Council: Managing the refugee crisis: immediate operational, budgetary and legal measures under the European Agenda on Migration (COM(2015) 490 final/2), 11; EU Law Monitoring Database – Migration and Home Affairs, http://ec.europa.eu/dgs/home-affairs/what-is-new/eu-law-and-monitoring/index_en.htm; European Commission, Press Release, "Implementing the Common European Asylum System: Commission escalates 8 infringement proceedings", 10 December 2015,IP/15/6276.

current system is based on mutual trust regarding the rejection of asylum claims, but not on their recognition[44] – and the creation of humanitarian channels[45].

The entry into force of the Treaty of Lisbon has also introduced the legally-binding character of the EU Charter of Fundamental Rights pursuant to Article 6 of the Treaty on the European Union (hereinafter TEU) into the EU legal framework. The Charter enshrines civil, political, social, economic and cultural rights in the EU legal order. Drafted in 2000, after the European Council deliberated on its elaboration in 1999, the EU Charter was first enshrined in the Treaty of Nice[46] and was subsequently given full legal effect with the entry into force of the Treaty of Lisbon, which grants the EU Charter the status of EU primary law[47]. As stated in its Preamble, the Charter is a reaffirmation of the rights resulting from the constitutional traditions and international obligations common to the EU member states. Under the Charter, the institutions, bodies, offices and agencies of the Union and the member states, when they are implementing Union law alone, must comply with the fundamental rights, obligations and principles enshrined therein regarding the principle of subsidiarity and the powers of the Union as conferred in the Treaties[48]. This novelty, introduced by the Treaty of Lisbon, concerning the protection of fundamental rights within the EU has had strong repercussions in fostering the protection element in both border control and asylum policies. We recall here that we understand protection when aliens in need are accorded protection benefits and enjoy protection of their fundamental rights. Specifically, the EU Charter of Fundamental Rights enshrines the right to asylum (Article 18) and protection in the event of removal, expulsion and extra-

44 See Costello / Hancox, 2016, p. 382. E. Guild, *Immigration Law in the European Community*, The Hague, 2001, p. 206.

45 K. Pollet, "A Common European Asylum System under Construction: Remaining Gaps, Challenges and Next Steps", in: Chetail / Bruycker / Maiani (eds.), *Reforming the Common European Asylum System — The New European Refugee Law,* Leiden, 2016, p.74 (80, 95); Costello / Hancox, 2016, p. 389-90. For an examination of the possibilities of opening humanitarian channels, Hathaway / Gammeltoft-Hansen, "Non-refoulement in a World of Cooperative Deterrence", in: *Columbia Journal of Transnational Law*, 53 (1), 2015, p. 235; UNHCR, *Syrian Refugees in Europe: What Europe Can Do to Ensure Protection and Solidarity,* 2014; European Commission, An Open and Secure Europe: Making it Happen, (COM(2014) 154); Noll / Fagerlund / Liebaut, *Study on the Feasibility of Processing Asylum Claims Outside the EU*, The Danish Centre for Human Rights / European Commission, 2002. See also Hein / Donato, *Exploring Avenues for Protected Entry in Europe*, Italian Council for Refugees (CIR), 2012; U. I. Jensen, *Visas: Option or Obligation?*, Study for the LIBE Committee, European Parliament, Policy Department C, PE 509.986, 2014.

46 Treaty of Nice amending the Treaty on European Union, the Treaties establishing the European Communities and certain related acts, signed at Nice, 26 February 2001 [2001] OJ C 80/1.

47 Article 6 (1) TEU.

48 Article 51 of the EU Charter.

dition (Article 19), together with the right to good administration (Article 41), an effective remedy and a fair trial (Article 47)[49].

By looking at the broader legal framework on border control and asylum consolidated now in the Treaty of Lisbon, we are able to appreciate with some clarity the extent to which protection finds its place in such a framework. Article 3 TEU states that 'the Union shall offer its citizens an area of freedom, security and justice without internal frontiers, in which the free movement of persons is ensured in conjunction with appropriate measures with respect to external border controls, asylum, immigration (…)'. Articles 67 (1) and (2) TFEU state that 'the Union shall constitute an area of freedom, security and justice with respect for fundamental rights (…); it shall ensure the absence of internal border controls for persons and shall frame a common policy on asylum, immigration and external border control which is fair towards third country nationals (…)'. The above provisions show that measures on asylum are still designed as compensatory measures guaranteeing the free movement of persons within the EU, as was the case in the earlier formulations of the text of the Treaties, discussed above. With the entry into force of the Treaty of Lisbon, the EU has not assumed a protection mandate itself. This is very well expressed by *Cathryn Costello*: 'Other than a reference to "fairness" to TCNs [third-country nationals], and respect for refugee rights, there are no positive formulations of what aims EU policies should pursue'[50].

In sum, the logic of deflection still informs border control and asylum policies. However, the developments concerning EU primary law in border control and asylum policies and the legally binding character of the EU Charter of Fundamental Rights insert robust protection elements into the legal framework. Importantly, this is reflected in the adoption of secondary EU legislation for the strengthening of the EU's external borders to preserve the functioning of the Schengen system and, in particular, the setting up of a European agency for the management of operational cooperation at the external borders of the member states of the European Union (hereinafter Frontex). The border agency Frontex, whose mandate has been expanded by two amendments, one of which better defines surveillance at sea, had at its inception in 2004 a mandate almost entirely informed by a culture of pure border control. References to the protection of fundamental rights enshrined in international and EU legislation were limited in the

49 For an account of the importance of the EU Charter in refugee protection matters, see M.-T. Gil-Bazo, "The Charter of Fundamental Rights of the European Union and the Right to be Granted Asylum in the Union's Law", in: *Refugee Survey Quarterly*, 2008, 27 (3), p. 33; F. Ippolito, "Migration and Asylum Cases before the Court of Justice of the European Union: Putting the EU Charter of Fundamental Rights to the Test?", in: *European Journal of Migration and Law*, 2015, 17 (1), p. 1.

50 Costello, 2016, p. 19.

wording of the Regulation setting up the agency. With the amendment to the Frontex Regulation in 2011, after the Treaty of Lisbon entered into force along with the legally binding character of the EU Charter, a culture of fundamental rights has been introduced in the border control activities of Frontex and the EU member states: the establishment of a fundamental rights strategy and the appointment of a fundamental rights officer, the inclusion of several more provisions concerning fundamental rights protection, and the principle of non-refoulement[51].

III. Response to the present-day refugee crisis

This section, by building on the foundations laid above on the development of asylum and border control policies, examines the prevailing rationale behind the response to the current refugee crisis (section III.A.) and points at some specific aspects of such response which may be problematic from the perspective of the rights of the individuals (section III.B).

A. The 'border protection rationale'

With the start of the present refugee crisis, the only-one-country-of-application logic, coupled with the country-of-first entry criterion of the Dublin system examined above, has exacerbated the struggle of the already weak reception capacity of some member states at the EU's external borders and favoured the secondary movement of third-country nationals within the EU. This situation has led some member states to close their internal borders due to the alleged 'porosity' of the external borders. Specifically, in accordance with Article 25 *et seq.* of the Schengen Border Code, four EU member states – Austria, Germany, Sweden, and Denmark, plus Norway – now carry out border controls at their internal borders. These border controls were introduced at the beginning of the refugee crisis in autumn 2015 at the individual initiative of each state and, since May 2016, as an EU measure within the framework of the Recommendation of the Council of 12 May 2016. Border controls at internal borders are justified as a response to what is claimed to be 'a serious threat to public policy or internal security that was caused by the secondary movement of irregular migrants triggered by the se-

51 R. Mungianu, *Frontex and Non-Refoulement — The International Responsibility of the EU*, Cambridge, 2016, p. 222.

rious deficiencies in external border controls'[52]. Today, the number of migrants seeking asylum in the EU from third countries during the first quarter of 2016 has reached 287,100. The number increased by more than 50% in the first quarter of 2016 compared with the fourth quarter of 2015[53]. The focus on control of the EU's external borders has become paramount as a reaction to the refugee crisis, as shown by some of the new legislation and legislative proposals in asylum and border control issued by the European Commission in recent months, since, in the European Commission's view, 'the external borders remains the most important single point for establishing the stability of asylum and migration policy as a whole'[54].

A first telling example of the focus on external border control as response to the refugee crisis is the proposal to recast the Dublin Regulation of May 2016, which lays down the criteria and mechanisms for determining the member state responsible for examining an application for international protection lodged in one of the member states by a third-country national or a stateless person (hereinafter the Dublin IV Regulation Proposal). Among other new provisions, this proposal introduces an obligation for the first member state in which the application for international protection was lodged to assess the admissibility of the application on the ground that the applicant has arrived from a 'safe third country' or a 'first country of asylum'[55]. As Steve Peers has observed, this deflection rule transforms an option under the Asylum Procedure Directive into an obligation[56]. In particular, pursuant to Article 33 (2) of the Procedure Directive, 'Member

52 Council of the European Union, Council Implementing Decision setting out a Recommendation for temporary internal border control in exceptional circumstances putting the overall functioning of the Schengen area at risk 8835/16, SCH-EVAL 78, FRONT 204, COMIX 358, p. 4; Member States' notifications of the temporary reintroduction of border control at internal borders pursuant to Article 25 *et seq.* of the Schengen Border Code, accessed at http://ec.europa.eu/dgs/home-affairs/what-we-do/policies/borders-and-visas/schengen/reintroduction-border-control/index_en.htm on 30.09.2016.

53 Eurostat, "Asylum Quarterly Report, first quarter 2016", 2016, accessed at http://ec.europa.eu/eurostat/statistics-explained/index.php/Asylum_quarterly_report on 30.09.2016.

54 European Commission, Communication from the Commission to the European Parliament, the European Council and the Council: Managing the refugee crisis: immediate operational, budgetary and legal measures under the European Agenda on Migration (COM(2015) 490 final/2).

55 European Commission, Proposal for a Regulation of the European Parliament and of the Council establishing the criteria and mechanisms for determining the Member State responsible for examining an application for international protection lodged in one of the Member States by a third-country national or a stateless person (recast) (COM(2016) 279 final, 2016/0133(COD)), art. 3.

56 S. Peers, "The Orbanisation of EU Asylum Law: The Latest EU Asylum Proposal", *EU Law Analysis Blog*, May 2016 (2016b), accessed at http://eulawanalysis.blogspot.dk/2016/05/the-orbanisation-of-eu-asylum-law.html on 30.09.2016. Directive 2013/32/EU of the European Parliament and of the Council of 26 June 2013 on common procedures for granting and withdrawing international protection (recast) [2013] OJ L 180/60.

States *may* consider an application for international protection as inadmissible'. We recall from earlier sections that a compensatory rationale has shaped the development of the CEAS. This was particularly evident from the legislation establishing the member state responsible for assessing an asylum application and the transfer of responsibility to non-EU countries in connection with the Asylum Procedure Directive. The introduction of the above obligation in the Dublin IV Regulation Proposal reinforces the compensatory rationale that shapes the CEAS and emphasises its deflection character. Importantly, the introduction of the above obligation in the recast proposal is functional to accommodating a form of cooperation with third countries like that concluded between the EU and Turkey. Specifically, in the EU–Turkey agreement asylum applications are deemed inadmissible and protection seekers returned to Turkey on the ground that Turkey is a safe third country or first country of asylum. EU–Turkey cooperation on migration issues, coupled with the currently controversial and still incomplete process of visa liberalization for Turkish citizens entering the EU, is part of the process of advancing the EU's accession negotiations for Turkey[57].

A second relevant example is found within the package of proposals drawn up by the European Commission to secure Europe's external borders. The Regulation on the European Coast and Border Guard, replacing Frontex border agency, addresses the concerns over the 'protection' of the EU's external borders. Specifically, the Regulation entails a vulnerability assessment and a right to intervene on the part of the new Frontex Agency in those EU member states on the external borders whose border control capabilities are inadequate[58]. There are serious concerns with regard to the legality of the Agency's intervention under EU law where a member state is not compliant with the Agency Management Board's decision to remedy vulnerability in the control of that member state's external borders. In particular, an intervention by the Agency may constitute a violation of Articles 4 (2) (j) TEU and 72 TFEU, considered above[59]. This proposal is to be framed in an attempt to increase the supra-nationalisation of the control of the EU's external borders, which had already been planned as part of the establishment of Frontex border agency[60].

57 See European Commission, Press Release, "Six Principles for Further Developing EU-Turkey Cooperation in Tackling the Migration Crisis", 16 March 2016, IP/16/830.

58 European Commission, Proposal for a regulation of the European Parliament and of the Council on the European Border and Coast Guard and repealing Regulation (EC) No 2007/2004, Regulation (EC) No 863/2007 and Council Decision 2005/267/EC (COM(2015) 671 final 2015/0310 (COD)), art. 12 and 18.

59 See likewise Peers, 2016a, p. 85; J. Rijpma, *The Proposal for a European Border and Coast Guard: Evolution or Revolution in External Border Management?*, Study for the LIBE Committee, European Parliament, Policy Department C, PE 556.934, 2016, p. 18.

60 European Commission, Communication from the Commission to the Council and the European Parliament: Towards Integrated Management of the External Borders of the

B. The rights of individuals at risk

In this scenario of the reinvigorated deflection character of the response to the crisis, we point to two examples of proposals and measures adopted during the refugee crisis where there are concerns that the rights of the individual may be put at risk.

First, in the Dublin IV Regulation Proposal 'penalties' have been introduced for protection seekers if they do not lodge their application in the member state they entered irregularly or where they are legally[61]. The introduction of such 'penalties' aims at reducing secondary movements of asylum-seekers within the EU. Secondary movements have undermined the efficiency of the European asylum and border control system and, as explained above, have led some member states to reintroduce controls at their internal borders. In particular, non-compliance with this obligation to lodge an application as above removes the applicant's entitlement to the reception conditions under the Reception Conditions Directive, with the exception of emergency health care[62]. This rule raises serious concerns with respect to Articles 1 and 18 of the EU Charter of Fundamental Rights which, respectively, state the inviolability of human dignity and the right to asylum, in connection with the application of the Reception Conditions Directive. This legal instrument lays down standards for the reception of applicants for international protection within the European Union. Specifically, pursuant to its Article 3, the Directive applies to all third-country nationals and stateless persons who make an application for international protection in the territory of a member state, including at the borders, as long as they are allowed to remain on the territory as applicants. Article 2 specifies that 'applicant' means 'a third-country national or a stateless person who has made an application for international protection in respect of which a final decision has not yet been taken'. Therefore, the Reception Conditions Directive does not include any limitations as to the entitlement to the reception conditions set out in it, nor does it require the applicant to find herself in the member state she is required to be present in pursuant to the application of the Dublin rules in order to benefit from such reception conditions. This entitlement to the reception conditions applies within the timeframe which starts when the application has been made in the member state's territory, or at its

Member States of the European Union (COM(2002) 233 final). See MUNGIANU, 2016, p. 17.

61 Proposal for a regulation of the European Parliament and of the Council establishing the criteria and mechanisms for determining the Member State responsible for examining an application for international protection lodged in one of the Member States by a third-country national or a stateless person (recast) (COM(2016) 270 final 2016/0133 (COD)) (Dublin IV Regulation), art. 4.

62 Article 5(1) and (3) of the Dublin IV Regulation Proposal. Non-compliance also triggers the use of accelerated procedures in accordance with the Asylum Procedure Directive.

borders, until a final decision on the application has been taken. Further, by considering the content of the Reception Conditions Directive in its entirety, these provisions should be interpreted in light of the fact that 'the Directive respects the fundamental rights and observes the principles recognised in particular by the Charter of Fundamental Rights of the European Union. In particular, [it] seeks to ensure full respect for human dignity and to promote the application of Articles (...) 18 of the Charter and has to be implemented accordingly'[63]. Thus, implementation of the Directive, including 'all stages and types of procedures concerning applications for international protection',[64] must be conducted in compliance with the EU Charter. This interpretation of the rationale and rules of the Reception Conditions Directive was confirmed by the Court of Justice of the European Union in the *Cimade and Gisti* case[65]. The case concerns a reference for a preliminary ruling on the interpretation of Council Directive 2003/9/EC (today Directive 2013/33/EU, the Reception Conditions Directive). In the proceeding between the Cimade and the Group d'information et de soutien des immigrés (Gisti) on the one hand, and the Ministry of Interior of the French Republic on the other hand, the former seeks annulment of the circular of 3 November 2009 on the grounds that it is contrary to the objectives of the Reception Conditions Directive in so far as it excludes asylum-seekers from entitlement to a temporary tide-over allowance. Specifically, amongst other questions, the EU's Court of Justice was asked whether a member state to which an application for asylum has been made in its territory is obliged to grant the minimum conditions for the reception of asylum-seekers, pursuant to the Reception Conditions Directive, to an asylum-seeker in respect of whom it decides, under the Dublin rules, to call upon another member state, that responsible for examining her application for asylum, to take charge of or take back the person concerned. In other words, the Court was asked whether only the member state deemed responsible for the application according to the Dublin rules should provide health, education, welfare and accommodation under the Reception Conditions Directive, or whether this obligation also lies with the other member state where the applicant finds herself. The Court has pointed to the fact that (i) the Reception Conditions Directive provides only for a category of protection seekers, that is, all third-country nationals or stateless persons who make an application for asylum; and (ii) the Directive must be interpreted in light of the EU Charter, in particular Articles 1 and 18[66]. According to the above analysis, the European Commission's proposal for a Dublin IV Regulation leaving applicants without entitlement to reception condi-

63 Recital (35) of the Reception Conditions Directive.
64 Recital (8) of the Reception Conditions Directive.
65 ECJ, Fourth Chamber, Judgment of 27.09.2012 — Case C-179/11, *Cimade and GISTI*.
66 ECJ, Fourth Chamber, Judgment of 27.09.2012 — Case C-179/11, *Cimade and GISTI*, paras. 40-43, 50, 56.

tions, with the exception of emergency health care because they do not find themselves in the member state where they are required to be according to the Dublin rules is arguably at variance with the rationale and rules of the Reception Conditions Directive and the EU Charter. Other provisions of the Dublin IV Regulation Proposal that raise concerns regarding fundamental rights protection include the rules on remedies, the restrictions on the use of the clause allowing member states to renounce a transfer, i.e. the 'sovereignty clause', and the new criterion on unaccompanied minors[67].

Secondly, the cooperation established between the EU and Turkey under the November 2015 EU–Turkey Action Plan and the March 2016 EU–Turkey Statement, in order to curb the flow of migrants trying to reach EU territory, have raised concerns over violations of the fundamental rights of individuals. The legal framework for such cooperation is the bilateral readmission agreement between Greece and Turkey and the later EU–Turkey readmission agreement and the relevant provisions of the Asylum Procedures Directive concerning the concepts of 'first country of asylum' and 'safe third country'[68]. The cooperation entails the following: First, all asylum-seekers whose applications have been declared inadmissible may be returned from the Greek islands to Turkey. Declarations of inadmissibility must be made pursuant to the Asylum Procedures Directives. Article 33 of the Directive states that 'Member States may consider an application for international protection as inadmissible only if: (…) (b) a country which is not a Member State is considered as a first country of asylum for the applicant (…); (c) a country which is not a Member State is considered as a safe-third-country for the applicant (…).' Pursuant to Article 35 of the Asylum Procedures Directive, a first country of asylum is one where the applicant has been recognised as a refugee in that country or otherwise enjoys sufficient protection there, including protection from non-refoulement. Pursuant to Article 38 of the Asylum Procedures Directive, a safe-third country is one where the person seeking international protection will be treated in accordance with the fundamental rights principles under EU law and international law. In the case of irregular migrants, the return will be conducted on the basis of the EU–Turkey readmission agreement. Secondly, for every Syrian being returned to Turkey from the Greek

67 Respectively, Articles 28, 19(2), 8(2) and (4). See F. Maiani, *The Reform of the Dublin III Regulation*, Study for the LIBE Committee, European Parliament, Policy Department C, PE 571.360, 2016, p. 39 ff.; PEERS, 2016b; C. Hruschka, "Dublin is Dead! Long live Dublin! The 4 May 2016 Proposal of the European Commission", *EU Immigration and Asylum Law and Policy Blog*, May 2016, accessed at http://eumigrationlawblog.eu/dublin-is-dead-long-live-dublin-the-4-may-2016-proposal-of-the-european-commission/ on 30.9.2016.

68 Agreement between the European Union and the Republic of Turkey on the readmission of persons residing without authorisation [2014] OJ L 134/3. Articles 33, 35 and 38 of the Asylum Procedures Directive.

islands, another Syrian will be resettled to the EU from Turkey directly – the so-called 'one-for-one-scheme'. Such resettlement is conducted on the base of a voluntary arrangement by honouring the commitments entered into by the member states in the conclusions of the Representatives of Governments of Member States meeting within the Council on 20 July 2015[69]. According to the June Report on the Implementation of the EU–Turkey Statement (hereinafter the Report), since 20 April, when the return of irregular migrants and asylum-seekers started, 462 persons have been returned from Greece to Turkey. As for the resettlement of Syrians from Turkey to the EU, the Report states that, until June, 511 Syrians were resettled from Turkey to Sweden, Germany, Luxembourg, Italy, Lithuania and Portugal[70]. Different quarters have pointed to possible violations of fundamental rights in the context of the EU–Turkey cooperation[71]. Importantly, the Parliamentary Assembly of the Council of Europe considers that the EU–Turkey Agreement 'raises several serious human rights issues relating to both its substance and its implementation now and in the future'. These concern (i) the detention of asylum-seekers in the 'hotspot' on the Greek Aegean islands; (ii) the return of asylum-seekers to Turkey as a 'first country of asylum' or 'safe third country'; (iii) the inadequacies of the Greek asylum system when it comes to dealing with applications; (iv) the low level of resettlement of refugees from Turkey; and (v) delays in the provision of EU support to Greece and Turkey[72]. The concerns raised by the Council of Europe appear particularly striking when seen against the written assurance by the Commission that Turkey has taken all the necessary legislative and other measures to allow Greece to declare Turkey a

69 Council of the European Union, 3405th Council Meeting, 20 July 2015.

70 European Commission, Communication from the Commission to the European Parliament, the European Council and the Council – Second Report on the progress made in the implementation of the EU-Turkey Statement (COM(2016) 349 final, 2, 4, 8). Notably, according to the Report, before the Statement was implemented, an average of 1740 migrants crossed the Aegean Sea to reach the Greek islands every day. Since the implementation of the agreement, the average number is 47 migrants per day.

71 See, inter alia, E. Collett, *The Paradox of the EU-Turkey Refugee Deal*, Migration Policy Institute, March 2016, accessed at http://www.migrationpolicy.org/news/paradox-eu-turkey-refugee-deal on 30/9/2016; AMNESTY INTERNATIONAL, *No Safe Refuge — Asylum-seekers and Refugees Denied Effective Protection in Turkey*, 2016, accessed at https://www.amnesty.org/en/documents/eur44/3825/2016/en/ on 30.9.2016; Carrera / Guild, "EU-Turkey Plan for Handling Refugees is Fraught with Legal and Procedural Challenges", CEPS Commentary, March 2016, accessed at https://www.ceps.eu/publications/eu-turkey-plan-handling-refugees-fraught-legal-and-procedural-challenges on 30.9.2016; Council of Europe, 'The Situation of Refugees and Migrants under the EU-Turkey Agreement of 18 March 2016 [2016] resolution 2109.

72 Council of Europe, 'The Situation of Refugees and Migrants under the EU-Turkey Agreement of 18 March 2016 [2016] resolution 2109, 3.

safe third country or a safe country of origin[73]. In particular, three applications under Article 263 TFEU are currently seeking the annulment of the 'EU-Turkey statement' before the Court of Justice of the EU[74]. These applications are being brought on behalf of nationals of Pakistan and Afghanistan who are currently in refugee camps in Greece. They challenge the EU–Turkey Statement on the grounds that it constitutes an agreement entered into by the European Council with Turkey that produces a legal effect adversely affecting the applicant's rights and interests[75]. In the pleas, the applicants argue that the EU–Turkey statement is incompatible with the EU Charter of Fundamental Rights – Article 18 (right to asylum) and 19 (prohibition to return) – and is based on the unlawful conclusive assumption that Turkey is a safe country[76].

In sum, the response of the EU and its member states to the current refugee crisis seems to point towards a greater degree of deflection and a 'border protection rationale'. In this connection, the above analysis of some specific aspects of the Dublin IV Regulation Proposal and the EU–Turkey cooperation – measures which are a paramount response to the refugee crisis – shows that the rights of individuals protected under the EU Charter and international human rights instruments, i.e. the right to dignity, the right to asylum and the principle of non-refoulement, may be put in jeopardy.

IV. Conclusions

This article has shown how some measures within the EU response to the current refugee crisis adopted today find their roots in the creation of the internal market, since, from its inception, EU asylum law has been embedded in the process of

73 European Commission, Communication from the Commission to the European Parliament, the European Council and the Council: Next operational steps in EU-Turkey cooperation in the field of migration (COM(2016) 166 final).

74 Article 263 TFEU gives jurisdiction to the Court of Justice of the European Union to review the legality of, among others, acts of the European Council intended to produce legal effects vis-à-vis third parties.

75 It would go beyond the aims of this paper to look at the legal nature of the EU-Turkey Statement. For an analysis, see HEIJER / SPIJKERBOER, "Is the EU-Turkey Refugee and Migration Deal a Treaty?", *EU Law Analysis Blog*, April 2016, accessed at http://eulawanalysis.blogspot.dk/2016/04/is-eu-turkey-refugee-and-migration-deal.html on 30.9.2016.

76 Council of the European Union, information note, cases before the General Court of the European Union, T-192/16 *NF ./. European Council*, T-193/16 *NG ./. European Council*, T-257/16 *NM./.European Council*, LIMITE 9897/16, 7 June 2016, accessed through Statewatch. Notably, it has been reported that decisions by Appeal Committees in Greece have stopped deportations to Turkey on the asserted ground that Turkey is not a 'safe third country' for Syrian refugees. See PRO ASYL, *Appeals Committee on Lesbos stops deportations to Turkey*, May 2016, accessed at https://www.proasyl.de/en/pressrelease/appeals-committee-on-lesbos-stops-deportations-to-turkey/on 30.9.2016.

European integration. This move has made what it is today called the CEAS functional to the realization of the free movement area which is the EU today and the strengthening of the EU's external borders. The link examined in this article between the rules establishing the member states responsible for international protection applications – the Dublin rules – and the 'safe third country' policy well exemplifies the compensatory rationale that has characterized the system since its start. With the entry into force of the Treaty of Lisbon in 2009, the compensatory rationale is still present: the free movement of persons is still the paramount objective in the development of the Area of Freedom, Security and Justice, and measures on external border control, asylum and immigration must be adopted in this context. However, the legal framework concerning border control and asylum also contains more defined protection elements consisting of the possibility, not yet taken up by EU legislators, to harmonize the domestic asylum legislation more extensively, that is, the primary law obligation for the Union to comply with the principle of non-refoulement, the 1951 Refugee Convention and its 1967 Protocol, and the legally binding character of the EU Charter of Fundamental Rights. The (re)emergence of a deflection approach and a border protection rationale is evident from measures adopted as a response to the refugee crisis. The provisions of the Dublin IV Regulation Proposal, of the Regulation on the European Coast and Border Guard and of EU–Turkey cooperation are examples of this deflection response. In this connection, the article has also shown how some measures aimed at avoiding protection seekers' secondary movement within the EU and the return of protection seekers under the provisions of EU–Turkey cooperation may be at variance with the fundamental rights of individuals who are protected under international and EU law and should be looked at with scepticism.

Conventional rights of migrants in the Agreement between the European Union and Turkey of 18 March 2016

Michał Jackowski[*]

I. Introduction

On 18 March 2016, the European Union and Turkey concluded an Agreement concerning refugees' issues. This document has aroused considerable legal and political controversy. The Agreement is formulated as a statement, so its binding force is questionable. Therefore, there is no procedure for its approval nor can it be legally challenged as such. However, the individual elements of it – new Greek, Turkish and EU laws implementing it have to be approved at the relevant level, or implemented in individual cases. This is why the text of the Agreement is worth analysing if it complies with standards set up in the European Convention on Human Rights concerning migrant rights.

II. Conventional standards

A. General remarks

The European Convention on Human Rights was an act adopted in order to defend citizens, and not any human beings, against arbitrariness by the state[1]. It was not considered to protect the rights of migrants. For this reason, for many years, the migrants' applications have not been found with "merit" and they have been declared inadmissible. Analysis of the case law of the European Court of Human Rights leads to the conclusion that it overcomes barriers associated with such an interpretation of the Convention but with very small steps and in very specific areas.

The European Convention contains only two provisions regarding aliens. The first provision is Article 5 paragraph 1 point (f), providing rules of the lawful arrest or detention of a person when it is required to prevent his effecting an unauthorised entry into the country or of a person against whom action is being taken

* *Dr, WSB University in Poznań, Poland.*

1 M.-B. Dembour, "When Humans Become Migrants. Study of the European Court of Human Rights with an Inter-American Counterpoint", *Oxford University Press*, 2015, Chapter 1, Section 1, para. 1.

with a view to deportation or extradition. The second one is Article 16 of the Convention, which provides that nothing in Articles 10, 11 and 14 shall be regarded as preventing the High Contracting Parties from imposing restrictions on the political activity of aliens. This provision reveals the idea of the Convention, that 'the alien' is a human being who does not and should not have the same rights as a citizen[2]. Calls for the abolition of Article 16 have been expressed since the late 1970s[3]. The Article has almost never been relied upon by the ECtHR to restrict the rights of aliens. Only one judgment in case *Piermont./.France* of 1995 refers to it[4]. It is even doubtful that the alien clause was ever needed, since the Convention provides multiple avenues for restricting the rights of migrants. Notwithstanding, the clause reveals the spirit of the Convention. This is why despite the first notorious migration problems of 1960s and 70s (like the case of East African Asians of 1978, concerning the refusal of British authorities to allow British passport holders of Asian origin who were settled in East Africa to enter or remain in the UK)[5], it was 1985 when the ECtHR rendered its very first judgment in a migrant case. This was comparatively late – by then the Court had already been active for over 25 years and issued a number of important decisions creating a general human rights doctrine.

B. Article 8 – entry into the territory

The case *Abdulaziz, Cabales and Balkandali./.UK* was decided in 1985[6]. It should be beyond the scope of this paper because it is not related to rights of refugees and asylum-seekers. The applicants were immigration widows – women living in the UK for many years without their husbands because immigration rules prevented the latter from joining them. This judgment must be mentioned because the Court emphasised that "*as a matter of well-established international law and subject to its treaty obligations, a State has the right to control the entry of non-nationals into its territory. The duty imposed by Article 8 cannot be considered as extending to a general obligation on the part of a Contracting State to respect the choice by married couples of the country of their matrimonial residence and to accept the non-national spouses for settlement in that country*". The

2 Ibidem, Chapter 1, Section 2, para. 2.

3 Parliamentary Assembly of the Council of Europe (PACE) Recommendation no. 799 (1977) and no. 1500 (2001).

4 ECHR, Judgement of 27.04.1995, *Piermont./.France* (Application no. 15773/89; 15774/89).

5 ECHR, Decision of 06.03.1978, *East African Asians I, SamjiMaji Patel and Others./.UK* (Application no. 4626/70) and others.

6 ECHR, Judgment of 28.05.1985, *Abdulaziz, Cabales and Balkandali./.UK* (Application no. 9214/80, 9473/81, 9474/81).

Court has repeated this view in a number of decisions. One may find different opinions, but they regard extreme cases, concerning the family reunification demanded by very young children or even infants[7]. Essentially, the Court still takes a position that the State is in full control over access to its territory. It was confirmed in one of the latest judgments given in case *Biao*[8].

C. Article 8 – deportation from the territory

The case *Berrehab./.the Netherlands*, (Application No. 10730/84, judgment of 21 June 1988) was the first one concerning the expulsion and the first in which the Court held that the removal of an alien from the territory of the country constitutes a breach of Article 8 of the Convention[9]. It is worth mentioning, however, that before the judgment was rendered, 90 previous complaints regarding the expulsion were deemed inadmissible. The earliest came in 1959, indicating a very long mode of operation of the Strasbourg system, before the judgment on *Berrehab* was delivered.

This case also does not directly concern the subject of this report, as it refers to the issue of second-generation migrants. However, it is worth mentioning because in the reasoning part of the judgment and of following judgments adjudicating a violation of Article 8 by deportation of such persons, the Court has not adopted or accepted the principle that a long-settled migrant should, for the purpose of considering deportation, be treated like a national and thus not be considered deportable. On the contrary – outcomes depended on the balancing performed by the Strasbourg Court on a case by case basis, taking into account first 8 and later 10 established criteria when determining whether deportation violates the Convention. Since 1996, there have been numerous verdicts of non-violation that allowed considering the case law on these matters as "a lottery for national authorities and a source of embarrassment for the Court"[10].

It should be noted that in a recent judgment given by the Grand Chamber in the case *Uner./.the Netherlands*, the Court reaffirmed that States are entitled, as a matter of international law and subject to their treaty obligations, to control the entry of aliens into their territory and their residence there. The Convention does not guarantee the right of an alien to enter or to reside in a particular country, and

7 ECHR, Judgment of 21.12.20001, *Sen./.the Netherlands* (Application no. 31465/96); Judgment of 01.12.2005, *Tuquabo-Tekle and others./.the Netherlands* (Application no. 60665/00).

8 ECHR, Judgment of 25.03.2014, *Biao./.Denmark* (Application no. 38590/10).

9 ECHR, Judgment of 21.06.1988, *Berrehab./.the Netherlands* (Application no. 10730/84).

10 ECHR, Dissenting opinion of Judge Martens of 24.04.1996, *Boughanemi./.France* (Application no. 22070/93).

Contracting States have the power to expel an alien convicted of criminal offenses[11].

D. Article 3 and its application in aliens' cases

In *Soering./.UK* the Court acknowledged that the obligation under Article 3 of the European Convention on Human Rights prohibits sending a person to a place where she can be subjected to torture or inhuman or degrading treatment or punishment[12]. The ruling was immediately adopted in matters concerning failed asylum seekers and recognised refugees, prohibiting States from deporting them to a place where they might be at risk of encountering conditions proscribed by Article 3. It is found to be one of the leading cases of the ECtHR and remains a founding authority and inescapable reference. In the case of *Cruz Varas* the above-mentioned view taken in the *Soering* case was extended to persons who were not granted asylum[13]. Also, failed asylum-seekers shall be protected under the Article 3.

Over the years, however, it was disputed who is responsible for demonstrating the applicability of inhuman treatment against the applicant. In the case of *Cruz Varas* the Strasbourg Court sided with the State, considering the applicant's explanations as doubtful and unsubstantiated. The ruling is considered to be the first seed of tendency not to believe complainants, regarding the situation in which they find themselves, even when they have no real possibility of proving their allegations. Another tendency was the assessment of the possible violation of Article 3 *ex nunc*, i.e. the Court assesses the probability of the risk of inhuman treatment at the time of the consideration of the case. However, later on, since the *Saadi./.UK* judgment, it was assumed that the burden of proof lies with the State when the applicant's case is arguable[14].

In *Vilvarajah and others./.UK*, the European Court of Human Rights stressed that "*in determining whether State's responsibility is in fact engaged in any particular case, a balance is to be struck between the demands of the general interest of the community and the requirements of the protection of the individual's fundamental rights. The consequences of finding a breach of Article 3 in the present case would be that all persons in similar situations, facing random risks on account of civil turmoil in the State in which they lived, would be entitled not to be removed, thereby permitting the entry of a potentially very large class of*

11 ECHR, Judgment of 18.10.2006, *Uner./.the Netherlands* (Application no. 46410/99).

12 ECHR, Judgment of 03.06.1988, *Soering./.UK* (Application no. 14038/88).

13 ECHR, Judgment of 30.03.1991, *Cruz Varas, Bustamento Lazo, Cruz./.Sweden* (Application no. 15576/89).

14 ECHR, Judgment of 29.01.2008, *Saadi./.UK* (Application no. 13229/03).

people with the attendant serious social and economic consequences". The applicant should demonstrate "special distinguishing factors" indicating why he would be at risk of ill-treatment upon return[15].

Another important view was taken in several subsequent judgments (*Chahal./.UK, Saadi./.Italy, Ramzy./.the Netherlands*). The Court assumed that the prohibition of torture is absolute and cannot be abolished in connection with the war on terror[16].

Finally the application of Article 3 was examined in last two cases related to refugees' rights. In *Hirsi Jamaa./.Italy* the Court observed that:

- there are two different aspects of Article 3: the risk, that the applicants would suffer inhuman treatment in the country of deportation (Libya) and the danger of being returned to their respective countries of origin (Eritrea or Somalia);
- the Court must examine the foreseeable consequences of the removal of an applicant to the receiving country in the light of the general situation there as well as his personal circumstances;
- information contained in reports from independent human rights protection associations (like AI) or governmental sources are vital;
- Article 3 may be applied also where the danger emanates from persons who are not public officials, when the risk is real and the state is not able to obviate the risk by providing appropriate protection;
- when assessing if there is a violation of Article 3, the Court must observe both the legislation guaranteeing respect for fundamental rights and the practices resorted to or tolerated by the authorities (if they are contrary to the principles of the Convention);
- it is the Contracting State's obligation to examine if the applicant should be faced with a situation of human rights violation after being returned[17].

Furthermore in *Khlaifia and others./.Italy*, the Court added that when examining a violation of Article 3 it has to take into account the conditions of the alien's detention in the territory of Italy, and their cumulative effects, including overcrowding, respect of privacy, ventilation, access to natural air and light, quality of hearing and basic hygiene requirements. A general situation resulting from organisational and logistical difficulties regarding exceptional waves of immigration, which even the Court characterized as a state of emergency, must not be underestimated. It cannot, however, exempt the respondent State from its obligation to guarantee conditions that are compatible with respect for human dignity to all

15 ECHR, Judgment of 30.10.1991, *Vilvarajah, Skandarajah and others./.UK* (Application no. 13163, 13164, 13165, 13447, 13448/87)

16 ECHR, Judgment of 15.11.1996, *Chahal./.UK* (Application no. 22414/93); Judgment of 28.02.2008, *Saadi./.Italy* (Application no. 37201/06); Judgment of 20.07.2010, *Ramzy./.the Netherlands* (Application no. 25424/05).

17 ECHR, Judgment of 23.02.2012, *Hirsi-Jamaa./.Italy* (Application no. 27765/09).

individuals who find themselves deprived of liberty. It was stressed again that no derogation of Article 3 is possible[18].

E. Articles 6 & 8 – complaints inadmissible

It is noted that in the aforementioned *Cruz Varas* judgment, the Court found no violation of Article 3 of the Convention, but also reiterated that Article 8 of the Convention does not guarantee the rights of refugee families to reunite in a country where one spouse lives and that the expulsion from the country, which constitutes a violation of Article 3, is without prejudice to Article 8 of the Convention. The fact that the Court found a violation of Article 8 only in exceptional cases, such as that of *Tabitha*, when a five-year-old child was detached from the family[19] or *Popov*, where a three-year-old one and an infant were detained[20], shows how strictly Article 8 is interpreted in migrant cases.

In the *Cruz Varas* case the ECtHR appealed to previous views of the European Commission of Human Rights that a complaint under Article 6 is inadmissible with regard to immigration proceedings. The Court stressed, however, that the decision, whether an alien should be able to stay in the country is a discretionary act of a public authority, which falls outside the scope of Article 6. This view was adopted by the Court in several decisions. The only exception is the preliminary decision of the composition of the Chamber in the *Maaouia* case that decided to adjudicate on the violation of Article 6, which, however, has been overruled by the judgment of the Grand Chamber[21]. Because of this exception, a change of the position taken by the ECtHR in this matter is highly awaited. It is emphasized, among others, that Article 6 of the Convention should be applied in migrant cases pursuant to Article 47 Charter of Fundamental Rights of the European Union[22].

18 ECHR, Judgment of 01.09.2015, *Khlaifia and others./.Italy* (Application no. 16483/12).

19 ECHR, Judgment of 12.10.2006, *Mubilanzila Mayeka and Kaniki Mitunga./.Belgium* (Application no. 13178/03).

20 ECHR, Judgment of 19.01.2012, *Popov./.France* (Application no. 39472/07, 39474/07).

21 ECHR, Judgment of 05.10.2000, *Maaouia./.France* (Application no. 39652/98).

22 F. Meyler / S. Woodhouse, "Changing the immigration rules and withdrawing the 'currency' of legal aid: the impact of LASPO 2012 on migrants and their families", *Journal Of Social Welfare And Family Law*, Vol. 35, Iss. 1, 2013.

F. Article 5 and immigration detention

There are two leading cases concerning immigration detentions. The first one is the above-mentioned *Chahal./.UK*. A Sikh complainant questioned his detention and deportation. The Court found a violation of Article 3. In addition, however, he raised the problem of violation of Article 5 (1) (f). He argued that the detention pending deportation had an excessive duration. The Court found, however, that the detention related to the deportation does not have to meet the test of proportionality. Each detention is justified only if the action is taken with a view to deportation. The ruling was criticized by practitioners of law. They mention that all the exceptions to the right of personal liberty inscribed in Article 5 are subject to the necessity test. The detention is justified only if other, less severe measures have been considered and found to be insufficient to achieve the public or individual interest. There is no reason to apply revised criteria to migrants, if they are applied with no doubts to alcoholics, people of unsound mind or vagrants.

In the case of *Saadi./.UK*, the Court recapitulated a full discussion on the meaning to be attributed to the words "detention of a person to prevent his effecting an unauthorised entry into the country". The Court reached the conclusion that immigration detentions are not subject to a necessity test. In this particular case it was not found arbitrary since:
- the authorities acted in good faith;
- the detention was closely connected to the purpose of preventing unauthorised entry;
- conditions of detention were relatively relaxed;
- the length of detention had not exceeded that reasonably required period.

The *Saadi* judgment was criticised by both PACE and Committee of Ministers of CE.

So the view was slightly changed in the recent and above-mentioned judgment *Khlaifia./.Italy*. The Court stated that Article 5 (1) (f) does not require the detention to be reasonably considered necessary. However, any deprivation of liberty under this provision will be justified as long as deportation or extradition proceedings are in progress. If they are not prosecuted with due diligence, the detention will cease to be permissible. Additionally, the detention must be lawful – so it should be imposed in accordance with the purpose of Article 5, i.e. to protect the individual from arbitrariness. The law on detention must also be compatible with the rule of law, by clearly defining conditions of detention and being foreseeable. Finally, the Court observed, that it is justified where other, less severe measures have been considered and found to be insufficient to safeguard the individual or public interest. So in fact, it balanced interests and referred to proportionality.

G. Article 13 in cases concerning asylum proceedings

A leading case concerning asylum proceedings and their quality is the case of *M.S.S../.Belgium and Greece*[23]. The Court examined a complaint of a refugee from Kabul, who applied for asylum in Belgium. In the course of the investigation of the asylum motion it was established that the first EU country, which he had entered, was Greece. So the applicant was expelled to this country in accordance with the Dublin II Regulation. In Greece, his application remained unrecognized.

The complainant questioned the automatism of the transfer from Belgium to Greece as a country where asylum procedures were defective, as well as the detention conditions in a refugee camp in Greece and the conditions of his living as a homeless in a Greek park. The Court found that:

- asylum-seekers should not be detained for a long period of time and detention should not be made in inhuman and degrading conditions; meanwhile, the conditions provided in the refugee detention places in Greece were reported to violate the prohibition of inhuman treatment;
- Greece is also responsible for the living conditions of the applicant as a homeless person, due to the fact that Greece did not perform its obligations as a receiving country under European law;
- there had been a violation of Article 13 – despite of the existence of the Greek asylum procedures, these procedures in practice do not ensure an actual examination of the applicant's motion, in particular, his personal risk of being treated or punished contrary to Article 3 after being expelled to Afghanistan;
- there are problems with the quantity of refugees' motions, with the lack of translators and trained officers, with the absence of legal aid and also with shortcomings of the procedure,
- Belgium violated the Convention – the authorities should examine the asylum motion thoroughly and must not expel the applicant automatically even within the European Union; the mutual trust rule must not be adopted unquestionably;
- it was stressed again, that the migration crisis cannot justify the violation of the Articles 3 and 13.

After the *M.S.S.* verdict there was a series of judgments confirming this view and finding violations of Articles 3 and 13 of the Convention in refugee cases. Most of them concern Turkey, as a country that was not able to examine fundamental issues relating to the complainants' concerns and individual conditions.

23 ECHR, Judgment of 21.01.2011, *M.S.S../.Belgium and Greece* (Application no. 30696/09).

H. Article 4 of Protocol no. 4 and the prohibition of collective expulsion

Article 4 of Protocol no. 4 prohibits collective expulsion of aliens. Collective expulsion is any measure of the competent authority compelling aliens as a group to leave the country, except where such a measure is taken after and on the basis of a reasonable and objective examination of the particular cases of each individual alien of the group. Its purpose is to prevent States from removing certain aliens without examining their personal circumstances and without enabling them to put forward their arguments against the measure taken by the authority. The interpretation of this provision was made in two above-mentioned recent judgments *Hirsi Jamaa* and *Khlaifia.*

In case *Hirsi Jamaa./.Italy* the Court observed that the transfer of all the applicants to Libya was carried out without any form of examination of each applicant's individual situation. They were not subjected to any identification procedure. The personnel were not trained to conduct individual interviews and were not assisted by interpreters or legal advisors. This made the removal collective.

In the *Khlaifia* case the situation was different. The applicants were subjected to an identification procedure. The Court found it insufficient. A number of factors led to the conclusion that the expulsion was in fact collective. The refusal-of-entry orders did not contain any reference to the personal situations of the applicants. The Government failed to produce any document capable of proving that individual interviews had taken place prior to issuance of the orders. Having regard to the foregoing, the Court ruled that the expulsion was of collective nature, in breach of Article 4 of Protocol no. 4.

II. Summary

Despite the fact that, according to the established view of the European Court of Human Rights, States are entitled to control the entry of aliens into their territory and their residence there, and the Convention does not guarantee the right of an alien to enter or to reside in a particular country, refugees and asylum-seekers are protected by:

- Article 3 of the Convention prohibiting deportation to the country where they might be at risk of encountering conditions proscribed by Article 3 or may be returned to such a place;
- Article 13 requiring that any allegations concerning violation of Article 3 should be examined under scrutiny;

- Article 4 of Protocol no. 4 prohibiting collective expulsion, also when expulsion is formally individual but collective in fact; the provision requires also assessing individual situation of all the refugees.

According to ECtHR case-law, in particular circumstances refugees may seek also protection in:

- Article 8, especially when a case concerns very young children;
- Article 5 (1) (f) – the recent judgment in the *Khlaifia* case requires that any law on the detention of refugees must be compatible with the rule of law, by clearly defining conditions of detention and being foreseeable. Detention is justified where other, less severe measures have been considered and found to be insufficient to safeguard an individual or public interest.

Whereas a complaint based on Article 6 should be found inadmissible, however the doctrine of law awaits a change of this view.

III. EU-Turkey Agreement – analysis

A. Article 4 of Protocol no. 4

According to the first sentence of paragraph 1 of the Agreement "all new irregular migrants crossing from Turkey into Greek islands as from 20 March 2016 will be returned to Turkey". This sentence may be interpreted as an obvious breach of Article 4 of Protocol no. 4. It contradicts the prohibition of collective expulsion. As it was mentioned, the Protocol requires, if the removal of a group of aliens is performed, the measure to be taken after and on the basis of a reasonable and objective examination of the particular cases of each individual alien of the group. Even when the expulsion is completed after the examination of each member of the group, the authorities must examine in fact the individual situation of everyone.

However the rest of the provision changes this intention. It provides that:

- each return shall take place in full compliance with EU and international law, thus excluding any kind of collective expulsion;
- all migrants will be protected in accordance with the relevant international standards and in respect of the principle of non-refoulement;
- migrants arriving in the Greek islands will be duly registered and any application for asylum will be processed individually by the Greek authorities in accordance with the Asylum Procedures Directive 2013/32/EU, in cooperation with UNHCR;

- migrants not applying for asylum or whose application has been considered to be unfounded or inadmissible in accordance with the said Directive will be returned to Turkey;
- migrants who have been returned to Turkey will be protected in accordance with the international standards concerning the treatment of refugees and in conformity with the principle of non-refoulement.

All these rules must be implemented. Otherwise migrants' expulsions from Greece to Turkey shall be called collective and thus, they would be violating the Protocol.

B. Article 3 and 13 – general remarks

Firstly, paragraph 1 provides that the Agreement is a temporary and extraordinary measure, which is necessary to end the human suffering and restore public order. However, it is not explained how interim it is and when its binding force will cease. It must be emphasized that Article 3 of the European Convention should be applied to the expulsion of refugees from Greece to Turkey. According to the European Court of Human Rights' view it must not be limited by any temporary measures, even in a case of such a state of emergency as it was observed in Greek islands in 2015 and 2016.

Secondly, from the Agreement between the EU and Turkey it is clear that the European Asylum Procedure Directive will apply to those who reach the Greek islands. However, it is not applicable to international or Turkish waters. It seems that those intercepted before they reach the Greek waters, are to be automatically returned[24]. This may violate the European Convention as it was decided in the *Hirsi Jamaa* case.

Thirdly, the Agreement is quite clear about migrants who apply for asylum. Their motions are to be processed individually with scrutiny. It must be noted that in the *M.S.S.* case it was decided that Greek asylum procedures violate Article 13 of the Convention. To ensure full respect of EU and international law, Greek law was amended to set up the new Appeal Authority and the new Appeal Committees responsible for the judicial review of decisions on applications for international protection taken by the Greek Asylum Service. However, the EU itself shows significant shortcomings of staff to ensure the migrants' rights, which are constantly replenished to strengthen the registration and asylum process with

24 Communication from the Commission to the European Parliament, the European Council and the Council, Second Report on the progress made in the implementation of the EU-Turkey Statement, 15.06.2016, COM(2016) 349 final.

additional human resources, better IT infrastructure, increased availability of interpreters and better access to information[25].

C. Article 3 – Turkey as a safe third country or first country of asylum

The most doubtful is the part of paragraph 1 that provides the return to Turkey of all irregular migrants and asylum seekers whose asylum applications have been declared inadmissible. According to the Directive 2013/32 (rAPD) the application is "inadmissible" when it has not been rejected on the merits, but on the grounds that Turkey is either a 'first country of asylum' or 'safe third country'.

Article 38 rAPD stipulates that Member States may apply the safe third country concept only when the competent authorities are satisfied that a person seeking international protection will be treated in accordance with certain principles in the third country concerned. These principles, which are cumulative, are the following:

1. life and liberty are not threatened on account of race, religion, nationality, membership of a particular social group or political opinion;
2. there is no risk of serious harm;
3. the principle of non-refoulement in accordance with the 1951 Geneva Convention is respected;
4. the prohibition of removal, in violation of the right to freedom from torture and cruel, inhuman or degrading treatment as laid down in international law, is respected; and
5. the possibility exists to request refugee status and, if found to be a refugee, to receive protection;
6. the existence of national law requiring a connection between the applicant and the third country concerned, including the admittance to the territory of the country concerned and reasonableness for the applicant to go to that country and apply for asylum there.

And Article 35 stipulates that Member States may apply the first country of asylum concept with respect to a particular applicant only if:

1. the applicant has been recognised as a refugee in that country and he or she can avail himself/herself of that protection or;
2. the applicant enjoys otherwise sufficient protection in that country, including respect for the principle of non-refoulement; and
3. he or she will be readmitted to that country.

25 Communication from the Commission to the European Parliament, the European Council and the Council, Second Report on the progress made in the implementation of the EU-Turkey Statement, 15.06.2016, COM(2016) 349 final.

When applying both concepts, all the basic principles and guarantees laid down in the rAPD must be respected. National authorities are obliged to take a decision after an appropriate examination of a claim, comprising of an individual, objective and impartial assessment. Contingent on this are information duties incumbent on the Member States concerning the proposed country of return as well as communicative guarantees, which stem from the right to a personal interview before the decision is taken.

It must be noted that since March 2016 Turkish authorities have taken steps in order to introduce a fair and efficient asylum system. However, this has not been achieved so far. The asylum system in Turkey is characterized by multiple deficiencies, including:

– its dual structure of asylum for non-Europeans (the Law on Foreigners and International Protection which is an international protection procedure and the Temporary Protection Regime for Syrians and Palestinians);
– maintenance of a "geographical limitation" to the 1951 Refugee Convention (Turkey considers itself not to be bound by the Convention's obligations regarding refugees originating from non-European countries);
– lack of registration of asylum applications;
– - routine push-backs and lack of procedural safeguards during the asylum procedure and access to effective remedies in law and in practice;
– institutional problems and lack of staffing combined with lack of access to legal assistance result in many asylum seekers currently having no access to an asylum procedure;
– lack of access to legal information and legal aid means that essential safeguards that should be afforded to those in need of protection during the procedure in Turkey remain inaccessible to them in practice;
– reception conditions are significantly lacking and do not meet needs, especially given the over-burdening of the Turkish reception and asylum system. The lack of sanitary conditions, food and medical care result in many asylum seekers and refugees facing the risk of being subjected to inhuman and degrading treatment;
– no meaningful capacity in Turkey for permanent independent monitoring of migration and border control management practices of Turkish authorities. In particular with regard to Turkey's extensive land borders in the south and east and the increasing number of detention centres that are being used and established by the Turkish authorities. This means that present practices of immigration and border authorities remain outside any meaningful and independent scrutiny;
– despite recent legislative changes improving access to the labour market, access to health care and education for Syrian refugees granted temporary pro-

tection, there remains a huge gap between what is stipulated in the law and access to such rights in practice.

The analysis of the current legal framework for international protection in Turkey and of the available evidence of gaps in asylum seekers' and refugees' access to human rights, absence of effective access to procedural guarantees during the asylum procedure, and documented cases of refoulement, does not allow for the conclusion that Turkey meets the criteria laid down in EU law. Migrants' returns to Turkey according to the Agreement of March 2016 violate Articles 3 and 13 of the Convention[26].

IV. Conclusions

1. Despite the fact that the European Convention of Human Rights is not an act which aims at protecting aliens, conventional standards for the protection of refugees and asylum-seekers have been developed.
2. The EU-Turkey Agreement violates the conventional standards and it must be considered as a bypass of the Convention.
3. A lot of steps are to be taken both by Greece and Turkey to adjust to the conventional standards described in this report[27].

26 ECRE, *Memorandum to the European Council Meeting 17-18 March 2016. Time to save the right to asylum*, Brussels, 11 March 2016, Retrieved from: http://www.ecre.org/wp-content/uploads/2016/03/ecre-memorandum-time-to-save-the-right-to-asylum-11-march-2016.pdf; ECRE, ECRE strongly opposes legitimising push-backs by declaring Turkey a "safe third country", January 2016, Retrieved from: http://www.ecre.org/ecre-strongly-opposes-legitimising-push-backs-by-declaring-turkey-a-safe-third-country/; UNHCR, Legal considerations on the return of asylum-seekers and refugees from Greece to Turkey as part of the EU-Turkey Cooperation in Tackling the Migration Crisis under the safe third country and first country of asylum concept, 23 March 2016, Retrieved from: http://www.unhcr.org/56f3ec5a9.pdf; The DCR/ECRE desk research on application of a safe third country and a first country of asylum concepts to Turkey, May 2016, Retrieved from: http://www.ecre.org/wp-content/uploads/2016/07/DCR-and-ECRE-Desk-Research-on-application-of-a-safe-third-country-and-a-first-country-of-asylum-concepts-to-Turkey_May-2016.pdf.

27 PACE, *The situation of refugees and migrants under the EU-Turkey Agreement of 18 March 2016, Resolution 2109*, 2016, 1, Retrieved from: http://assembly.coe.int/nw/xml/XRef/Xref-XML2HTML-en.asp?fileid=22738.

Migration: Neue Herausforderungen für Europa, für die Staatssouveränität und für den sozialen Rechtsstaat

Migration: New challenges for Europe, for State Sovereignty and for the Rule of Law and the Welfare State

Migrations : Nouveaux défis pour l'Europe, la souveraineté de l'État et l'État de droit social

Erste Sitzung – First Session – Première Séance

Vorsitz – Chair – Présidence :

Egils Levits

Die Flüchtlingskrise als Herausforderung für das Konzept einer supranationalen „Integration durch Recht"

*Daniel Thym**

I. Einleitung

Grenzen erleben derzeit eine Renaissance, innerhalb der Europäischen Union, ebenso wie im Verhältnis zu den Nachbarstaaten. Für das Gemeinsame Europäische Asylsystem ist diese Entwicklung kritisch, weil mit der aktuellen Neukonfiguration zugleich eine rechtspolitische Neuausrichtung einhergeht, die auch in einem Rückschritt münden kann. Dass hierbei die Grenzen im Zentrum der Aufmerksamkeit stehen, ist kein Zufall: Individuelle und kollektive Identitätskonstruktion leben von symbolischer Zuspitzung, für die sich Grenzregime eignen, weil sie in unser kulturelles Gedächtnis eingeschrieben sind[1]. Landkarten lassen die Staatsgrenzen als gleichsam natürliche Ordnungsstruktur erscheinen, obgleich sie doch immer auch ein Kulturkonstrukt sind[2]. Eben diese Symbolkraft nutzte immer auch die Europäische Union, wenn die Abschaffung der Binnengrenzkontrollen im Schengen-Raum stellvertretend für die Überwindung des geschlossenen Nationalstaats steht[3]. Mit der Reform des Asylsystems ist damit auch die Frage aufgeworfen, welche Rolle die Mitgliedstaaten in der Union künftig spielen.

Ein näherer Blick auf das Völkerrecht zeigt, wie wichtig die Staatsgrenzen und eine über diese hinausgreifende Kooperation für die Verwirklichung des internationalen Flüchtlingsrechts sind, speziell in sog. Massenzufluchtsituationen (II.). Eine solche wirkungsvolle Zusammenarbeit wird innerhalb Europas freilich durch eine Reihe von Strukturdefiziten untergraben, die bereits seit Langem sichtbar waren und sich während der Krise des Jahres 2015/16 zuspitzten (III.). Ihre Identifikation verknüpft die Entwicklung des GEAS mit allgemeinen Debatten über die Leistungsfähigkeit der hergebrachten supranationalen Integrations-

* *Professor für Öffentliches Recht, Europa- und Völkerrecht und geschäftsführender Direktor des Forschungszentrums Ausländer- & Asylrecht an der Universität Konstanz.*

1 Vgl. R. Smend, „Verfassungsrecht" (1928), in: ders., *Staatsrechtliche Abhandlungen*, Berlin, 1994 (3. Auflage), S. 119 (169-170); und J. Torpey, *The Invention of the Passport,* Cambridge, 2000.

2 Klassisch G. Simmel, „Soziologie des Raumes", *Jahrbuch für Gesetzgebung, Verwaltung und Volkswirtschaft im Deutschen Reich n.F.* 27, 1903, S. 27-71.

3 Siehe C. Blumann, „Rapport introductif général", in: ders. (Hrsg.) *Les frontières de l'Union européenne*, Brüssel, 2013, S. 1, 3-6; und U. Di Fabio, *Der Verfassungsstaat in der Weltgesellschaft*, Tübingen, 2001, S. 55-61.

methode, die in der Flüchtlingspolitik an ihre Grenzen stößt (IV.). Erschwert wird eine Reform der Governance-Strukturen durch die brüchige Legitimationsgrundlage der supranationalen Politik, von der unklar ist, ob sie einen überlappenden Konsens über die europäische Rolle im Flüchtlingsschutz angesichts populistischer Herausforderungen zu entwickeln vermag (V.).

II. Die Kooperationslücke im Flüchtlingsvölkerrecht

Das internationale Flüchtlingsrecht, wie wir es heute kennen, entstand nach dem Zweiten Weltkrieg in einer Zeit, die von den Grundsätzen der Staatensouveränität und der Nichteinmischung in die inneren Angelegenheiten anderer Staaten geprägt war. Es ist dies ein Grund, warum die Genfer Flüchtlingskonvention aus dem Jahr 1951 sich darauf konzentrierte, den Flüchtlingsschutz in den Zielstaaten zu regeln, indem es diesen verbot, eine Person in einen Staat zurückzuführen, wo eine begründete Furcht vor Verfolgung bestünde. Bis heute zeugt das Refoulement-Verbot von der territorialen Radizierung eines Flüchtlingsrechts, das zur Reiseroute (II.A.) und der zwischenstaatlichen Zusammenarbeit weitgehend schweigt (II.B.). Dieses Schweigen erklärt, warum die Suche nach kooperativen Ansätzen gerade in Massenfluchtsituationen zentral ist.

A. Zugang zum Territorium und anderweitiger Schutz

Die prominente Stellung der Menschenrechte und der Genfer Flüchtlingskonvention in der aktuellen Debatte täuscht bisweilen darüber hinweg, dass die Staatsgrenzen im Flüchtlingsvölkerrecht traditionell eine große Rolle spielten[4]. Die Definition des Flüchtlingsbegriffs setzt bis heute ein Scheitern der Beziehung eines Bürgers zum Heimatstaat voraus und bekräftigt damit konzeptuell die vorrangige Verantwortung der Staaten zur Gewährleistung eines sicheren Lebens[5]. Bewusst hatten die Vertragsstaaten im Jahr 1951 zudem nicht einmal einen Aufnahmeanspruch an den Grenzen gewähren wollen[6]. Selbst der häufig zitierte Artikel 14 der Allgemeinen Erklärung der Menschenrechte wurde ungeachtet der

4 Instruktiv E. HADDAD, *The Refugee in International Society*, Cambridge, 2008, Kap. 5 f.

5 Näher N. SOGUK, *States and Stranger. Refugees and Displacements of Statecraft*, Minnesota, 1999, Kap. 4; und die klassische Position von H. ARENDT, *The Origins of Totalitarianism*, San Diego, 1951, Kap. 9.

6 Zur Entstehungsgeschichte insbes. N. ROBINSON, *Convention Relating to the Status of Refugees. Its History, Contents and Interpretation*, World Jewish Congress, 1953, S. 163; die Konvention wurde vor dem Hintergrund der Massenfluchtbewegungen mehrerer Millionen Menschen vor, während und nach dem 2. Weltkrieg verfasst.

fehlenden Rechtsverbindlichkeit bewusst so formuliert, dass Flüchtlinge ein staatliches Asylrecht beanspruchen dürfen, ohne dass die Staaten eine entsprechende Asylgarantie einzurichten verpflichtet wurden[7]. Dies änderte sich erst schrittweise. Unstreitig umfasst das Refoulement-Verbot heute auch ein Verbot, einen Flüchtling an den jeweiligen Staatsgrenzen in ein Verfolgerland zurückzuweisen[8]. Es widerstrebt dem Schutzgedanken des Asylrechts, eine Person durch eine Abweisung an den Grenzen der Verfolgung preiszugeben[9].

Dennoch wurde dadurch kein grenzenloses Schutzgebot begründet, weil zwei zentrale Einschränkungen fortbestehen. Erstens bleibt das Refoulement-Verbot territorial gebunden. Es gilt nur für diejenigen, die eine Staatsgrenze erreichen: Das Völkergewohnheitsrecht kennt kein Recht auf sichere Einreise, etwa in Form humanitärer Visa. Gewiss hinterfragen Literaturstimmen diese Annahme im Licht der Menschenrechte[10], aber die Staatenpraxis und Gerichtsurteile tragen eine solche Ausweitung nicht. Während der US Supreme Court und der australische High Court eine restriktive Linie vertreten[11], erstreckte der EGMR das Refoulement-Verbot nach Artikel 3 EMRK auf extraterritoriale Grenzkontrollen, soweit eine Person sich unter der effektiven Kontrolle der Vertragsstaaten befindet, etwa auf einem Schiff der Küstenwache[12] – ohne vorbeugende Migrationskontrollen mittels Visaanforderungen oder Unterstützung für Drittstaaten zu verbieten[13]. Es mag zynisch klingen, aber Flüchtlinge können das Refoulement-Verbot erst geltend machen, wenn sie ein sicheres Land erreicht haben: Es gibt keine umfassende Rechtsgarantie auf freie Reise in ein sicheres Land[14].

7 Vgl. die Kritik von H. Lauterpacht, „The Universal Declaration of Human Rights“, *British Yearbook of International Law* 25, 1948, S. 354 (373 f).

8 Näher G. S. Goodwin-Gill / J. McAdam, *The Refugee in International Law*, Oxford, 2007 (3. Auflage), S. 306-308; es ist streitig, ob es eine Ausnahme bei vorrangigen nationale Sicherheitsinteressen oder zum Schutze der Bevölkerung gibt, siehe J. C. Hathaway, *The Rights of Refugees under International Law*, Cambridge, 2005, S. 360.

9 Die nachfolgenden Ausführungen beruhen teilweise auf K. Hailbronner / D. Thym, „Grenzenloses Asylrecht? Die Flüchtlingskrise als Problem europäischer Rechtsintegration“, *Juristenzeitung* 2016, S. 753 (754 f).

10 Exemplarisch Th. Spijkerboer, „Stretching the Limits“, in: M. Maes et al. (Hrsg.) *External Dimensions of EU Migration and Asylum Law and Policy*, Brüssel, 2011, S. 387 (394-402).

11 Siehe B. Ryan, „What Role for Legal Guarantees“, in: ders. / V. Mitsilegas (Hrsg.) *Extraterritorial Immigration Control*, Leiden u.a., 2010, S. 3 (22-34).

12 Siehe EGMR, Urteil vom 23.02.2012, *Hirsi Jamaa et al../.Italien* (Beschwerde-Nr. 27765/09), Ziff. 70-82; zur Frage, wie eine effektive Kontrolle ausgestaltet sein muss, um die Schwelle des Artikel 1 EMRK zu überwinden, siehe M. den Heijer, „Reflections on Refoulement and Collective Expulsion in the Hirsi Case“, *IJRL* 25, 2013, S. 265 (271-275).

13 Vgl. Th. Gammeltoft-Hansen / J. C. Hathaway, „Non-Refoulement in a World of Cooperative Deterrence“, *Col. J. of Transnational L.* 53, 2015, S. 235-284.

14 Zu Artikel 31 GFK nachfolgend Fn. 20; weitergehende Überlegungen bei N. Markard, „The Right to Leave by Sea: Legal Limits on EU Migration Control by Third Countries“, *European Journal of International Law* 27, 2016, S. 591-616.

Selbstverständlich dürfen die Staaten legale Zugangswege eröffnen, etwa in Form von Resettlement-Programmen, die mittels Kontingenten gerade auch die besonders Schutzbedürftigen erreichen und damit wirksam schützen können[15]. Als Vorbild können insofern die USA, Kanada und auch Australien dienen, die traditionell einen Großteil der Flüchtlinge über gesteuerte Aufnahmeprogramme ins Land holen[16]. Tatsächlich stellte auch die EU kürzlich bis zu 50.000 Plätze zum Resettlement aus der Türkei und andernorts zur Verfügung[17]. Allerdings wird die Bereitschaft für eine solche proaktive Aufnahme politisch immer auch davon abhängen, ob die unkontrollierte Asylzuwanderung in halbwegs geordneten Bahnen verläuft. Es ist dies ein wichtiger Unterschied zwischen Europa und Nordamerika, wo nur wenige Asylbewerber ihren Antrag an der Grenze stellen.

Zweitens gewinnt eine andere Ausprägung der territorialen Grundstruktur der Flüchtlingskonvention an Bedeutung, wenn Asylbewerber ihren Antrag an der Grenze stellen. Das Flüchtlingsvölkerrecht verbietet mit dem Refoulement-Verbot zwar eine Zurückweisung nur in Verfolgerstaaten, also etwa die hypothetische Abschiebung von Regimegegnern in den Iran. Eine freie Wahl des Asyllandes kennt das Flüchtlingsvölkerrecht jedoch nicht[18]. Flüchtlinge dürfen in jedem Staat um Asyl nachsuchen, aber die Staaten können die Antragsteller auf anderweitige Schutzoptionen verweisen (*protection elsewhere*). Diesbezügliche Regeln zu ersten Asylstaaten und sicheren Drittstaaten fanden seit den 1980er-Jahren eine Verbreitung[19].

Diese Ausführungen mögen abstrakt erscheinen, aber sie unterstreichen, wie wichtig die zwischenstaatliche Zusammenarbeit für einen wirkungsvollen Flüchtlingsschutz ist, für den die Beachtung der Genfer Konvention eine notwendige, nicht jedoch eine hinreichende Bedingung ist, weil diese aus den genannten Gründen kein spezielles Politikdesign vorgibt: Es ist zulässig, die Migrationsbewegungen indirekt zu steuern und Flüchtlinge auf anderweitigen Schutz zu ver-

15 Für politische Gestaltungsoptionen siehe Europäisches Parlament, Working Document on Developing Safe and Lawful Routes for Asylum Seekers and Refugees into the EU, EP-Dok. PE564.908v 01-00 vom 15. Juli 2015.

16 Im Überblick J. Van Selm, „Refugee Settlement", in: E. Fiddian-Qasmiyeh et al. (Hrsg.) *The Oxford Handbook of Refugee and Forced Migration Studies*, Oxford, 2014, S. 512-524.

17 So der Vorschlag der Kommission, KOM(2015) 3560 vom 8. Juni 2015, die mitgliedstaatlichen Quoten nach Rats-Dok. 11130/15 vom 22. Juli 2015 sowie den Vorschlag der Kommission, C(2015) 9490 vom 15. Dezember 2015 zur Aufnahme aus der Türkei.

18 Siehe die rechtliche Analyse von Hathaway (Fn. 8), S. 307-335; sowie die normative Einschätzung von M. J. Gibney, „Engineered Regionalism, Forced Migration and Justice between States", in: Kneebone / Rawlings-Sanei (Hrsg.) *New Regionalism and Asylum Seekers*, New York u.a., 2007, S. 57-78.

19 Siehe die historische Rückschau von A. Hurwitz, *The Collective Responsibility of States to Protect Refugees*, Oxford, 2009, S. 46-66; sowie bekräftigend UNHCR Executive Committee, Res. Nr. 58 (XL) vom 13. Oktober 1989; zur deutschen Grundgesetz-Änderung siehe BVerfGE 94, 49 ff. und BVerfGE 94, 115 ff.

weisen. Aus diesem Grund benötigt die EU ein intern und extern abgestimmtes Schutzregime, das in der Praxis funktioniert und auf einem Grundkonsens der Staaten über ihre jeweilige Verantwortung beruht. Ein solcher Schritt verlangt von uns, über die Vorgaben der GFK hinauszuschauen und den Blick auf praxistaugliche Kooperationsmechanismen sowie eine legitime Entscheidungsfindung zu richten, ohne die die Flüchtlingskrise nicht nachhaltig überwunden werden kann.

B. Die Herausforderung der internationalen Zusammenarbeit

Während das Flüchtlingsvölkerrecht die Schutzgewährung durch die Zielstaaten regelt, enthält es Vorgaben zur Reiseroute und zur zwischenstaatlichen Zusammenarbeit allenfalls am Rande[20]. So heißt es in der Präambel der Genfer Konvention, dass sich speziell in Massenfluchtsituationen „nicht zumutbare schwere Belastungen für einzelne Länder ergeben“ können und eine „befriedigende Lösung“ unter diesen Umständen „ohne internationale Zusammenarbeit nicht erreicht werden kann.“ Aber die Konvention verzichtet darauf, einen Rechtsrahmen oder institutionelle Vorkehrungen für eine geordnete Kooperation vorzugeben. Gewiss hat UNHCR dieses Defizit immer zu einem gewissen Maße ausgeglichen, vor allem was humanitäre Hilfe im globalen Süden anbelangt, aber UNHCR schaffte es nie, einen wirkungsvollen Verantwortungsteilungsmechanismus zu errichten, der den Interessen westlicher Staaten widersprochen hätte[21]. Der Versuch, dieses Defizit mittels der „Convention Plus Initiative“[22] zu überwinden war vor einem Jahrzehnt ebenso wenig erfolgreich wie der UN-Dialog im September 2016[23]. Dies hat zur Folge, dass politische Macht und Interessen die Zusammenarbeit bis heute vielfach prägen und häufig scheitern lassen[24].

Die Abwesenheit wirksamer Kooperationsformen ist eine zentrale Herausforderung für das europäische Asylsystem der Gegenwart, innereuropäisch ebenso wie gegenüber Drittstaaten. Diesbezügliche Fragestellungen können aus rechtsdogmatischen, theoretischen oder politischen Blickwinkeln diskutiert werden. So

20 Artikel 31 der Genfer Konvention verbietet dem Wortlaut nach die Verhängung von Strafen nur für diejenigen, die „unmittelbar“ aus einem Gebiet kommen, wo ihnen Verfolgung drohte – und garantiert damit keine allgemeine Reisefreiheit.

21 Näher G. LOESCHER, *UNHCR in World Politics. The Perilous Path*, Oxford, 2001.

22 Zur zugrunde liegenden Idee E. FELLER, „Asylum, Migration and Refugee Protection“, *IJRL* 18, 2006, S. 509 (525-536).

23 Die UN-Generalversammlung, New York Declaration for Refugees and Migrants, UN doc. A/71/L.1 vom 19. September 2016, Rdnr. 68 ff. bekräftigt den Wunsch nach Kooperation und Resettlement, enthält jedoch wenig konkrete Verpflichtungen, die auch der „Compact“ nicht enthalten dürfte, der in den kommenden Monaten näher erörtert werden soll.

24 Ausführlich A. BETTS, „International Cooperation in the Refugee Regime“, in: DERS. / LOESCHER (Hrsg.) *Refugees in International Relations*, Oxford, 2010, S. 53-84.

begründen das Dublin-System sowie das EU-Türkei-Arrangement vielfältige rechtsdogmatische Probleme, die im Lichte der Genfer Flüchtlingskonvention, des EU-Sekundärrechts sowie der Menschenrechte analysiert werden können. Ein Beispiel: Die Einstufung der Türkei als sicherer Drittstaat in der jüngeren griechischen Asylpraxis und hierauf gründende Gerichtsurteile zu Entscheidungen in den Hotspots[25]. Derartige Fragestellungen sind zentral und dennoch verlangt ein zukunftsfähiges GEAS mehr: die Errichtung eines Regimes, das rechtliche Vorgaben respektiert *und* zugleich die zwischenstaatliche Kooperation fördert.

Theoretische Debatten zum Flüchtlingsrecht betreffen zumeist die Reichweite des Schutzkonzepts[26]. Die kategorische Gegenüberstellung offener und geschlossener Grenzen betrifft die freiwillige Migration für wirtschaftliche und andere Zwecke und findet im Flüchtlingskontext keine Entsprechung[27]. Wenige Autoren beschäftigen sich mit den theoretischen Grundlagen der zwischenstaatlichen Zusammenarbeit und bekräftigen, so sie dies tun, zumeist allgemein, dass eine Zusammenarbeit aufgrund einer fairen Aufgabenteilung normativ wünschenswert sei[28]. Doch selbst ein solcher theoretischer Grundkonsens beseitigt nicht die Herausforderung, *wie* ein kooperatives und wirksames Regime errichtet werden soll.

Aus der Perspektive der internationalen Beziehungen ist es eine komplexe Herausforderung, die Staaten davon zu überzeugen, ihr Bekenntnis zum Flüchtlingsschutz in konkreten Situationen zu erneuern und miteinander zu kooperieren; es handelt sich um ein klassisches Problem kollektiven Handelns im Sinn der politischen Ökonomie[29]. In den letzten Jahren ging das Interesse der westlichen Staaten an einem Flüchtlingsschutz auf ihrem Staatsgebiet merklich zurück, nachdem in der Nachkriegszeit und während des Kalten Kriegs die Unterstüt-

25 Im Mai 2015 erklärten griechische Beschwerdekammern in der Besetzung mit 2 Vertretern von NGOs oder UNHCR sowie einem Berufsrichter diese Praxis für illegal, worauf der griechische Staat mit einer geänderten Besetzung reagierte; näher Europäischer Flüchtlingsrat (ECRE), *The Implementation of the Hotspots in Italy and Greece. A study*, 2016.

26 Siehe A. E. Shacknove, „Who is a Refugee“, *Ethics* 95, 1985, S. 274-284; sowie M. Price, *Rethinking Asylum. History, Purpose and Limits*, Cambridge, 2009.

27 Insbesondere ist die grundsätzliche Befürwortung von Flüchtlingsschutz durch diejenigen bemerkenswert, die eigentlich die Idee offener Grenzen ablehnen; zustimmend etwa M. Walzer, *Spheres of Justice*, New York, 1983, S. 48-51; und D. Miller, *National Responsibility and Global Justice*, Oxford, 2007, S. 224-228; der Gedanke möglicher Obergrenzen stützt sich zumeist auf Bedenken im Lichte grundlegender Staatsinteressen.

28 Siehe J. H. Carens, *The Ethics of Immigration*, Oxford, 2013, S. 206-217; sowie M. J. Gibney, „Refugees and Justice between States“, *European Journal of Political Theory* 14, 2015, S. 448-463; mögliche staatliche Beiträge betreffen sowohl den (reaktiven) Schutz von Flüchtlingen sowie den (präventiven) Kampf gegen die Fluchtursachen; näher A. Hurrell, „Refugees, International Society, and Global Order“, in: Betts / Loescher (Fn. 24), S. 85 (93-96); sowie Carens, ebd., S. 202.

29 Näher A. Betts, „Public Good Theory and the Provision of Refugee Protection“, *Journal of Refugee Studies* 16, 2008, S. 274-296.

zung noch groß gewesen war, weil der Flüchtlingsschutz auch ein Mittel zur Stabilisierung der europäischen Staaten sowie der Kritik am Kommunismus war[30]. Demgegenüber bevorzugen die westlichen Staaten heute den Schutz speziell von Flüchtlingen aus Afrika und Asien vor Ort gegenüber der Einreise nach Westeuropa[31], was auch daran liegen dürfte, dass Flüchtlinge aus diesen Regionen früher in den Nachbarstaaten blieben, anstatt in die westlichen Länder weiterzureisen[32].

Es ist das Versprechen der europäischen Asylpolitik, diese Leerstelle des Flüchtlingsvölkerrechts zur zwischenstaatlichen Zusammenarbeit jedenfalls innerhalb Europas zu schließen, indem sie „eine gemeinsame Politik in den Bereichen Asyl, Einwanderung und Kontrollen an den Außengrenzen [entwickelt], die sich auf die Solidarität der Mitgliedstaaten gründet und gegenüber Drittstaatsangehörigen angemessen ist."[33] Um dies zu gewährleisten, wurden in den vergangenen Jahren zahlreiche Sekundärrechtsakte zum Asylverfahren und Grenzkontrollen angenommen, die über 200 Seiten im Amtsblatt umfassen[34]. Der hohe Detailliertheitsgrad konnte freilich die krisenhafte Zuspitzung nicht verhindern.

III. Strukturdefizite des europäischen Asylsystems

Es dürfte allgemein bekannt sein, dass das europäische Asylsystem von nachhaltigen Defiziten geplagt wird. Gewiss gibt es auch in anderen Rechtsbereichen immer wieder Implementationsdefizite, die jedoch selten derart ausgeprägt sind, wie die vielfältigen und teils bereits seit Jahren bestehenden Probleme des europäischen Asylsystems (III.A.), die anzeigen, dass das GEAS ein strukturelles Integrationsproblem besitzt, das die Gestaltung der sekundärrechtlichen Regeln ebenso betrifft wie deren Umsetzung (III.B.)[35].

30 Instruktiv G. S. Goodwin-Gill, „The Politics of Refugee Protection", *Refugee Survey Quarterly* 27 (2008), S. 8 (13-22); sowie Gammeltoft-Hansen / Hathaway (Fn. 13), S. 237-243.

31 Der Erfolg von UNHCR in den 1970er-, 1980er- und 1990er-Jahren kann auch dadurch erklärt werden, dass die westlichen Staaten UNHCR als ein Instrument betrachteten, um die Flüchtlingskrisen in Afrika und Asien humanitär zu lösen bzw. abzumildern, ohne dass damit eine Aufnahmebereitschaft in Europa einher ging; vgl. A. Betts, *Protection by Persuasion. International Cooperation in the Refugee Regime*, Cornell, 2009.

32 In der Nachkriegszeit gab es sehr viele Fluchtsituationen in Afrika und Asien, etwa infolge von Krieg zwischen Israelis und Arabern, aber auch in Afrika, auf dem indischen Subkontinent oder in Afghanistan, ohne dass, anders als heute, die Flüchtlinge aus diesen Regionen im nennenswerten Umfang nach Europa gekommen wären.

33 Artikel 67(2) AEUV.

34 Zum Inhalt von 20 Sekundärrechtsakten aus den Bereichen Grenzkontrollen, Migration und Asyl siehe K. Hailbronner / D. Thym (Hrsg.) *EU Immigration and Asylum Law. Commentary*, München u. a., 2016 (2. Auflage).

35 Dieser Abschnitt beruht auf Hailbronner / Thym (Fn. 9), S. 758-760.

A. Ein Überblick über die Defizite an den Außen- und Innengrenzen

Das europäische Primärrecht lässt keine Zweifel, dass „die wirksame Überwachung des Grenzübertritts an den Außengrenzen sichergestellt werden soll“[36] und zugleich die „Einhaltung des Grundsatzes der Nicht-Zurückweisung gewährleistet werden soll.“[37] Nähere Vorgaben finden sich im Schengener Grenzkodex, der vorschreibt, dass an den Außengrenzen alle Personen zu kontrollieren und gegebenenfalls zurückzuweisen sind, wenn sie die detaillierten Einreisevoraussetzungen nicht erfüllen[38]. Asylbewerber müssen allerdings die Möglichkeit haben, bei der Einreise einen Asylantrag zu stellen, der für den Grenzstaat eine ganze Reihe von Registrierungs- und Verfahrenspflichten bis hin zur Unterbringung und Verpflegung mit sich bringt[39]. All dies funktioniert speziell in Griechenland seit Jahren schlecht, weshalb der EGMR das griechische Asylsystem schon 2011 als konventionswidrig einstufte[40]. Anfang 2016 aktivierten die Kommission und der Rat den Korrekturmechanismus aufgrund des Schengener Grenzkodex wegen nachhaltiger Vollzugsmängel im griechischen Außengrenzkontrollsystem[41]. Strukturelle Gründe hierfür werden später diskutiert.

Doch nicht nur in Griechenland bestehen Defizite. Seit Jahren beschweren sich andere Mitgliedstaaten und, seit kurzem, auch die Kommission über Defizite in Italien bei der Registrierung und Unterbringung von Asylbewerbern, speziell von Familien mit kleinen Kindern[42]. Nichtregierungsorganisationen und nationale Gerichte beklagen ähnliche Defizite insbesondere in Ungarn oder Bulgarien[43]. Zahlreiche Missstände, von denen die breitere Öffentlichkeit erst im Jahr 2015/16 erfuhr, wurden in Expertenkreisen bereits seit Jahren diskutiert – die, ebenso wie die Versuche, den Schengen-Raum per Boot zu erreichen, keine neue Erscheinung sind. Spanien, Italien und Malta standen in den vergangenen zehn Jahren wiederholt im Zentrum der Aufmerksamkeit[44]. Der arabische Frühling und der Bürgerkrieg in Libyen verursachten sodann einen erneuten Anstieg der Zugangszahlen, vor allem nach Italien; nach schrecklichen Unglücksfällen wur-

36 Artikel 77 Abs. 1 Buchst. b AEUV.
37 Artikel 78 Abs. 1 AEUV.
38 Vgl. Artikel 5-13 Verordnung (EU) Nr. 562/2006 (Schengener Grenzkodex).
39 Näher Artikel 3(1) Asyl-Verfahrens-Richtlinie 2013/32/EU i.V.m. der Asyl-Aufnahme-Richtlinie 2013/33/EU sowie die Eurodac-Verordnung (EU) Nr. 603/2013.
40 Siehe EGMR, Urteil vom 21.01.2011, *M.S.S../.Belgien & Griechenland* (Beschwerde Nr. 30696/09), obwohl sich die Situation in der Zwischenzeit gebessert hat.
41 Siehe den Durchführungsbeschluss des Rates, Rats-Dok. 8835/16 vom 12. Mai 2016 aufgrund von Artikel 19a Schengener Grenzkodex i.d.F. d. Verordnung (EU) Nr. 1051/2013.
42 So EGMR, Urteil vom 4.11.2014, *Tarakhel./.Schweiz* (Beschwerde Nr. 29217/12); sowie die Pressemitteilung der Kommission, IP/15/6276 vom 10. Dezember 2015.
43 Siehe die Zusammenfassung des Europäischen Flüchtlingsrats (ECRE), *Dublin II Verordnung: Lives on hold,* Februar 2013.
44 Siehe die Mitteilung der Kommission, KOM(2006) 733 vom 30. November 2006.

den mehrere Rettungsoperationen eingerichtet[45]. Die östliche Mittelmeerroute zwischen Griechenland und Türkei gewann erst im Sommer 2015 an Bedeutung.

Aus der Perspektive des Sekundärrechts obliegt den Außengrenzstaaten die Pflicht, bei Personen, die die Einreisevoraussetzungen nicht erfüllen, entweder ein Asylverfahren durchzuführen oder eine Rückführung einzuleiten[46]. In der Praxis wurde dies jedoch nur halbherzig durchgeführt und stattdessen die irreguläre Weiterreise in andere Mitgliedstaaten teils toleriert und teils offiziell gefördert[47]. Im Herbst 2015 verselbständigte sich diese Praxis, die der Europäische Rat als „Politik des Durchwinkens" kritisierte[48]. Diese faktische Reisefreiheit war und ist aus Sicht des geltenden Sekundärrechts rechtswidrig, weil die Abschaffung der Binnengrenzkontrollen nicht bedeutet, dass Drittstaatsangehörige eine rechtliche Reisefreiheit genössen. Binnengrenzen dürfen nur dann überschritten werden, wenn die Voraussetzungen der Artikel 19-24 Schengener Durchführungsübereinkommen erfüllt sind[49]. Demgemäß genießen Flüchtlinge eine Reisefreiheit erst nach einer Anerkennung aufgrund (restriktiver) rechtlicher Vorgaben[50].

Sobald es ein Ausländer nach der irregulären Reise durch bis zu einem halben Dutzend anderer EU-Staaten nach Deutschland, Schweden oder in die Niederlande schafft, kann er dort einen Asylantrag stellen, da das harmonisierte EU-Asylrecht auf nationalen Asylanträgen aufbaut und eine mehrfache Antragstellung (noch) gestattet[51]. Gewiss wurde das Dublin-System errichtet, um eine irreguläre

45 Zur sogenannten „Task Force Mediterranean" die Mitteilung der Kommission, KOM(2013) 869 vom 4. Dezember 2013.

46 Siehe Editorial Comments, „From Eurocrisis to Asylum and Migration Crisis", *CML Rev.* 52, 2015, S. 1437 (1444-1447); sowie EuGH, Urteil vom 15.02.2016 – Rs. C-601/15 PPU, *N*, ECLI:EU:C:2016:84, Rdnr. 75 f.

47 Vgl. den Streit zwischen *Silvio Berlusconi* und *Nicolas Sarkozy* zur Situation an der gemeinsamen Grenze in Ventimiglia im Jahr 2011 oder die Kritik der deutschen Bundesregierung, Antwort auf eine parlamentarische Anfrage, BT-Drs. 17/14432 vom 24. Juli 2013.

48 Europäischer Rat, Schlussfolgerungen, EUCO doc. 1/16 vom 19. Februar 2016, Nr. 8(d).

49 In der Fassung von Verordnung (EU) No. 265/2010; siehe zudem Artikel 8 Abs. 1 Richtlinie 2013/32/EU und Artikel 7 Richtlinie 2013/33/EU; die Abwesenheit einer Reisefreiheit bekräftigen Artikel 7 Abs. 1 sowie Artikel 5, 9 des Kommissionsvorschlags für eine Asyl-Verfahrens-Verordnung, KOM(2016) 467 vom 13. Juli 2016, sowie für einen Artikel 29 einer Asyl-Qualifikations-Verordnung, KOM(2016) 466 vom 13. Juli 2016.

50 Freizügigkeit bis zu drei Monaten nach Maßgabe der aktuellen Fassung von Artikel 19-24 SDÜ haben Personen mit einer „Aufenthaltserlaubnis" im Sinne des Artikel 2 Nr. 16 Schengener Grenzkodex-Verordnung (EU) 2016/399 – unter Einschluss von international Schutzberechtigten *nach* der Anerkennung; das Aufenthaltsrecht *während* der Prüfung des Asylantrags gilt nach Artikel 8(1) Richtlinie 2013/32/EU und Artikel 7 Richtlinie 2013/33/EU nur für den jeweiligen Mitgliedsstaat; eine Freizügigkeit für länger als drei Monate nebst der Option einer Arbeitsaufnahme erlangen anerkannte Flüchtlinge mit dem Erwerb einer Daueraufenthaltserlaubnis nach Maßgabe der Richtlinie 2003/109/EC i.d.F. der Richtlinie 2011/51/EU oder aufgrund des nationalen Rechts des jeweiligen Zielstaats.

51 Vgl. Artikel 3 Abs. 1 Richtlinie 2013/32/EU sowie Artikel 3(1) Dublin III Verordnung (EU) Nr. 604/2013.

Sekundärmigration zu verhindern[52], aber seine Wirksamkeit bleibt derzeit noch von transnationalen Überstellungsverfahren abhängig, die von Anfang an überaus schlecht funktioniert hatten[53], wobei auch die zwischenzeitliche Effizienzsteigerung durch das Fingerabdrucksystem Eurodac längst nicht dazu führte, dass alle Defizite beseitigt worden wären[54]. Zuletzt verlor das Dublin-System immer mehr Bedeutung: Für das Jahr 2015 zeigt die Statistik, dass schon vor der krisenhaften Zuspitzung im Herbst die Überstellungen nach Süd- und Südosteuropa selbst dann scheiterten, wenn die Länder der Rücknahme zugestimmt hatten[55].

Für diesen Missstand sind nicht allein die Länder im Süden und Osten des Kontinents verantwortlich. Auch das deutsche Bundesamt für Migration und Flüchtlinge unterminierte das Gesamtsystem, als es am 25. August 2015 per Twitter mitteilte, dass Dublin-Verfahren für Syrer „faktisch nicht weiter verfolgt"[56] werden und öffentlich die Dublin-III-Verordnung desavouierte[57], die *Angela Merkel* in einer späteren Rede vor dem Europäischen Parlament für „obsolet"[58] erklärte. Anfang September 2015 vereinbarten die Regierungschefs von Deutschland und Österreich, dass Asylbewerber, die sich zu Fuß auf den Weg gemacht hatten, in Ungarn abgeholt würden, was in den deutschen Medien in Anlehnung an den Fall der Berliner Mauer als „Grenzöffnung" gefeiert wurde[59]. Ebenso wie im Jahr 1989 war das internationale Medieninteresse massiv: Die „Willkommenskultur" ergänzte den „Blitzkrieg" als Neologismus deutschen Ursprungs im Englischen. Ethnographische Studien zeigen, dass solche Ereignisse durchaus den Umfang und die Zielrichtung von Migrationsbewegungen beeinflussen können[60]. Alles weitere gehört zur Zeitgeschichte: Die „Balkan-Route" wurde zum Inbegriff für den faktischen Kollaps des Dublin-Systems.

52 So EuGH, Urteil vom 17.03.2016 – Rs. C-695/15 PPU, *Mirza,* ECLI :EU:C:2016:188, Rdnr. 52.

53 Siehe den Kommissionsbericht, SEC(2001) 756 vom 13. Juni 2001; sowie K. Hailbronner / C. Thiery, „Schengen II and Dublin", *CML Rev.* 34, 1997, S. 957 (979-988).

54 Näher Ph. de Bruycker et al., Setting up a Common European Asylum System, Study for the European Parliament, Doc. PE 425.622, August 2010, S. 157-162.

55 Statistische Daten in BT-Drs. 18/7625 vom 22. Februar 2016, S. 52-55; anekdotische Hinweise zeigen, dass die meisten Rücküberstellungszusagen auf einer Inaktivität des Zielstaats nach Artikel 22 Abs. 4 Dublin-III-Verordnung (EU) Nr. 604/2013 beruhten.

56 Vgl. „Die Geschichte eines Tweets", The Huffington Post vom 19. September 2015.

57 Ob die massenhafte Aktivierung des als Ausnahmeklausel gedachten Selbsteintrittsrechts nach Artikel 17 Verordnung (EU) Nr. 604/2013 mit den europäischen Vorgaben übereinstimmt, erscheint zweifelhaft; näher M. Wendel, „Asylrechtlicher Selbsteintritt und Flüchtlingskrise", *Juristenzeitung* 2016, S. 332-341.

58 Angela Merkel, Ansprache vor dem Europäischen Parlament, 7. Oktober 2015.

59 So der Titel des ARD-Brennpunkts vom 5. September 2015, online unter https://www.tagesschau.de/inland/brennpunkt-fluechtlinge-109.html.

60 Ethnographische Studien zeigen, dass Flüchtlingsbewegungen häufig auf unsicherer Informationsrundlage und spontanen Entscheidungen beruhen – und nicht auf rationalen und aufwendigen Kosten-Nutzen-Analysen; siehe J. Schapendonk, „Turbulent Trajectories",

B. Sieben strukturelle Krisenursachen

Nach meiner Beobachtung gibt es nicht weniger als sieben strukturelle Krisenursachen.

Erstens besitzen die Zuständigkeitsregeln des Dublin-Systems eine Schlagseite, die ursprünglich zu Lasten von Deutschland gewirkt hatte[61], heute jedoch eine offensichtliche Benachteiligung der Grenzstaaten im Süden und Osten des Kontinents bewirkt. Aufgrund der langjährigen Vollzugsdefizite kam es hierzu in der Praxis zwar selten, weil die meisten Asylanträge immer andernorts gestellt wurden[62], aber dennoch bewirkten die Regeln, dass die Grenzstaaten im Süden und Osten keinen Anreiz zur Kooperation sehen.

Zweitens plagt das europäische Asylsystem ein Solidaritätsdefizit. Gewiss normiert Artikel 80 AEUV, dass für die Migrationspolitik „der Grundsatz der Solidarität und der gerechten Aufteilung der Verantwortlichkeiten unter den Mitgliedstaaten [gilt]“, stellt jedoch zugleich klar, dass deren Verwirklichung im Regelfall dem politischen Prozess überantwortet bleibt[63] – und der EU-Gesetzgeber hat bisher wenig geliefert, mit Ausnahme gewisser finanzieller und operativer Hilfen[64]. Speziell das Dublin-System umfasste vor Annahme der Relokationsbeschlüsse im Sommer 2015 keinen temporären oder dauerhaften Solidaritätsmechanismus[65].

Drittens haben viele Länder im Süden und Osten der EU schlicht keine administrative Erfahrung als Asylzielstaaten. Tragfähige Asylsysteme für höhere Antragszahlen hat es in Griechenland und Italien nie gegeben, auch weil dort eine größere Anzahl an Asylanträgen erst in der jüngeren Vergangenheit gestellt wur-

Societies 2, 2012, S. 27-41; sowie A. Scholz, „Warum Deutschland?“, BAMF Forschungsbericht Nr. 19, September 2013.

61 Die Residualzuständigkeit des Ersteinreisestaats nach Artikel 6 f. Dubliner Konvention vom 15. Juni 1990 (OJ 1997 C 254/1) und Artikel 30 Abs. 1 Buchst. e Schengener Durchführungsübereinkommen vom 16. September 1990 (OJ 2000 L 239/13) betraf Anfang der 1990er-Jahre vor allem Deutschland, weil damals die meisten Asylsuchenden über Osteuropa kamen (Österreich, Ungarn und andere Länder der Region waren damals noch keine EU-Mitglieder); siehe auch G. Noll, *Negotiating Asylum*, Leiden u.a., 2000, S. 263-352.

62 Hierzu bereits Fn. 53; und zur Situation vor drei Jahren D. Thym et al., „Germany's Domestic „Königstein Quota System“ and EU Asylum Policy“, *Verfassungsblog.de* vom 11.11.2013.

63 Artikel 80 AEUV verlangt von den EU-Institutionen, „immer wenn dies erforderlich ist“, über „entsprechende Maßnahmen“ (*appropriate measures*) zu entscheiden und gewährt damit einen weiten Einschätzungsspielraum; näher K. Hailbronner / D. Thym, „Legal Framework for Asylum Policy“, in: dies. (Hrsg.) *EU Immigration and Asylum Law. Commentary*, München u.a., 2016 (2. Auflage), Rdnr. 41-44; und J. Bast, „Solidarität im europäischen Einwanderungs- und Asylrecht“, in: Knodt / Tews (Hrsg.) *Solidarität in der EU*, Baden-Baden, 2014, S. 143 (145-147).

64 Siehe R. Bieber / F. Maiani, „Sans solidarité point d'Union européenne“, *Revue trimestrielle de droit européen* 48, 2012, S. 295 (316-319); sowie Bast (Fn. 63), S. 149-151.

65 Zu den neuen Beschlüssen siehe Fn. 100 und begleitender Text.

de[66]. Zudem scheint in einigen Mitgliedstaaten der politische Wille zu fehlen, funktionsfähige Asylsysteme einzurichten, was verschiedene Gründe hat, zu denen auch die asymmetrischen Zuständigkeitsregeln des Dublin-Systems gehören[67]. Die gesetzgeberischen Aktivitäten in Straßburg und Brüssel wurden in einigen Mitgliedstaaten nicht in eine entsprechende Verwaltungspraxis vor Ort überführt.

Viertens haben die Staaten ganz allgemein immer nur begrenzte Möglichkeiten, die Migration zu steuern, weil sie auf viele Faktoren, die grenzüberschreitende Personenbewegungen beeinflussen, keinen Einfluss haben[68]. Gewiss haben staatliche Maßnahmen einen Einfluss auf die Zielrichtung und das Ausmaß von Migrationsströmen, aber die Kontrolle wird nie vollständig sein[69]. Der Grad der Steuerungsfähigkeit ist schwer zu messen und wird immer kontextabhängig sein[70]. Migranten entwickeln Ausweichstrategien, indem sie etwa Fingerabdrücke verweigern oder über das schwächste Glied der Kontrollkette einreisen – ebenso wie die Staaten ihre Kontrollmaßnahmen anpassen, um irreguläre Grenzübertritte zu erschweren[71]. Zudem werden die westlichen Demokratien aufgrund ihres normativen Selbstbilds vor übermäßig repressiven Maßnahmen zurückschrecken[72]. Dennoch zeigen die Schließung der Balkanroute sowie die EU-Türkei-Kooperation, dass die Staaten über Einfluss verfügen: Die Zahl der Ankünfte auf den griechischen Inseln fiel in der ersten Jahreshälfte 2016 drastisch[73].

66 Näher R. BYRNE et al., *New Asylum Countries?*, Den Haag, 2002.

67 A. TRIANDAFYLLIDOU, „Greek Migration Policy in the 2010s", *Journal of European Integration* 36,2014, S. 409 (419-422) zeigt den politischen Widerstand gegen das Dublin-System in der innergriechischen Asyldebatte.

68 Siehe E. R. THIELEMANN, „How Effective are National and EU Policies in the Area of Forced Migration?", *Refugee Survey Quarterly* 31, 2012, S. 21 (25-28).

69 M. DEN HEIJER et al., „Coercion, Prohibition, and Great Expectations", *CML Rev.* 53, 2016, S. 607, 615-618 behaupten, dass die Migration generell nicht kontrolliert werden könne – eine Hypothese, die einer der Autoren in einem früheren Beitrag als Strategie zur Kritik restriktiver Asyl- und Einwanderungspolitiken identifiziert hatte; vgl. Th. SPIJKERBOER, „A Distributive Approach to Migration Law", in: PIERIK / WERNER (Hrsg.) *Cosmopolitanism in Context,* Cambridge, 2010, S. 249 (270).

70 Näher J. F. HOLLIFIELD / T. K. WONG, „The Politics of International Migration", in: BRETTELL / HOLLIFIELD (Hrsg.) *Migration Theory. Talking Across Disciplines*, London, 2015 (3. Auflage), S. 227 (242-252).

71 Allgemein R. KOSLOWSKI, „Economic Globalization, Human Smuggling, and Global Governance", in: D. KYLE / DERS. (Hrsg.) *Global Human Smuggling,* Baltimore, 2011 (2. Auflage), S. 337-358.

72 Begriffsprägend zum „liberalen Paradoxon" siehe J. F. HOLLIFIELD, *Immigrants, Markets and States,* Harvard, 1992, S. 27-30; ein Beispiel hierfür ist die Ausweitung von Such- und Rettungskapazitäten im Mittelmeer nach Jahren relativer Untätigkeit.

73 Siehe die regelmäßig aktualisierte UNHCR-Datenbank unter http://data.unhcr.org/mediterranean/country.php?id=83 (letzter Zugriff am 17. Dezember 2016); Ankünfte in Italien stagnierten 2016 auf den (hohen) monatlichen Level des Jahres 2015 und überschritten diese erst im Oktober und November 2016; die meisten Personen, die über die zentrale Mittelmeerroute einreisten, kamen aus Afrika südlich der Sahara, d.h. es gab keine nennenswerte

Fünftens wurde das europäische Asylrecht in einer Phase des „schönen Wetters“ entwickelt, als sinkende Flüchtlingszahlen den Eindruck hinterließen, dass ein möglichst umfassender Schutz durch komplexe Verfahrensvorschriften und ausgeweitete Schutzgründe erreicht werden könne[74] – nachdem man unter dem Eindruck der Bürgerkriege im ehemaligen Jugoslawien mittels der Massenzustroms-Richtlinie ursprünglich einen generellen Ansatz verfolgt hatte, der auf pauschalisierte Anerkennungen für eine begrenzte Zeit setzte[75]. Die Ereignisse in den Jahren 2015/16 zeigten, dass in Stresssituationen selbst leistungsfähige Verwaltungen wie die deutsche oder schwedische die vielen Detailvorgaben nur schwer umsetzen können[76]. Es erweist sich insofern als Problem, dass das Sekundärrecht faktisch schwer abgeändert werden kann, was sich aktuell an den langwierigen Debatten um die Reform der Dublin-Verordnung und des Asyl-Acquis zeigt.

Sechstens befindet sich die europäische Asylpolitik in einem ideellen Dilemma, weil sich das Selbstverständnis der Europäischen Union aus der Überwindung des geschlossenen Nationalstaats und der innereuropäischen Grenzen speist und dies Modell infolge wiederholter Erweiterungsrunden auf immer mehr Länder erstreckt wurde. Dies bedeutet nicht, dass es ein konzeptioneller und integrationstheoretischer Widerspruch wäre, wenn die EU nunmehr im Interesse ihrer Mitglieder den Außengrenzschutz forciert und die Migrationssteuerung verbessern möchte[77], der die Kritik an der „Festung Europa“ seit Langem widerspricht[78]. Gerade den supranationalen Organen in Brüssel und Straßburg fällt der Umgang mit derartigen Fragen schwer, weil sie sich traditionell als überstaatli-

Verlagerung von Migrationsbewegungen von Syrern, Irakern oder Afghanen aus dem östlichen in das zentrale Mittelmeer.

74 Siehe K. Hailbronner, Asyl in Europa – wenn, wie, wann, wo?, *Frankfurter Allgemeine Zeitung* vom 12. Oktober 2015, S. 6; und B. Bertrand, „De quelques paradoxes de la directive procédures“, *Revue trimestrielle de droit européen*, 2016, S. 21-34.

75 Zum Konzept des „vorübergehenden Schutzes“ siehe Artikel 78 Abs. 2 Buchst. c AEUV sowie die Massenzustroms-Richtlinie 2001/55/EG, die als erster supranationaler Rechtsakt zur Verwirklichung des GEAS angenommen worden war, allerdings bis zum jetzigen Zeitpunkt kein einziges Mal angewendet worden ist.

76 Nachdem Schweden im November 2015 erklärt hatte, dass es keine weiteren Flüchtlinge aufnehmen könne, verfolgte das Land eine restriktive Flüchtlingspolitik; Asylsuchende in Deutschland mussten bis zu sechs (!) Monate warten, bevor sie ein formales Asylgesuch bei den zuständigen Stellen äußern konnten, obwohl im BAMF viele neue Mitarbeiter/innen zur Bearbeitung von Asylanträgen eingestellt wurden.

77 Intergouvernementale Integrationstheorien betonten stets die Dominanz nationaler Interessen; insbes. A. S. Milward, *The European Rescue of the Nation State*, London, 2000 (2. Auflage); sowie A. Moravcsik, *The Choice for Europe*, Berkshire, 1998.

78 Die Kritik betraf ursprünglich die wirtschaftliche und politische Schließung infolge des Binnenmarktprogramms, konzentriert sich heute jedoch auf die Themen Grenzkontrollen und Migration – ein Bereich, in dem Innenministerien lange Jahre dafür kritisiert worden waren, die Richtung der EU-Politik vorzugeben, während später ein menschenrechtsbasierter Ansatz, auch aufgrund der größeren Rolle von Kommission, Parlament und Gerichtshof, an Gewicht gewann; vgl. V. Guiraudon, „European Integration and Migration Policy“,

che Avantgarde begriffen, die Grenzen abschafft anstatt diese neu zu errichten[79]. Die EU muss lernen, die widerstreitenden Impulse der postnationalen Konstellation und der demokratischen Selbstbestimmung in politischen und rechtlichen Streitigkeiten über die Migrationspolitik aufzulösen[80]. Ob die Organe hierfür die institutionelle Legitimität aufbringen, werde ich abschließend thematisieren.

Schließlich begründet die Europäische Union einen „gemeinsame[n] Raum für Schutz und Solidarität“[81] nur auf dem Papier, auch wenn man anerkennt, dass eine „gemeinsame“ Politik in der EU-Terminologie gemeinhin nicht die intensivste Form der Zusammenarbeit darstellt[82]. Es gibt vielfache Unterschiede zwischen den nationalen Asylsystemen infolge von Implementationsdefiziten, europäischen Mindeststandards und der gesetzlichen Vorgabe einer Inländergleichbehandlung bei den Aufnahmebedingungen[83], die zusammen mit wirtschaftlichen und gesellschaftlichen Attraktivitätsdivergenzen zwischen den Mitgliedstaaten einen Einfluss auf individuelle Migrationsentscheidungen haben können[84]. Dies führt dazu, dass die meisten Asylbewerber einen Schutz nicht abstrakt in „Europa“ wünschen, sondern ein bestimmtes Ziel vor Augen haben: Viele wollten bisher zumeist nach Deutschland, Österreich oder Schweden. Dies erschwert die Entscheidungsfindung und bewirkt rechtspolitische Asymmetrien, wenn etwa der „Deal“ mit der Türkei aus deutscher Sicht als legitime Verantwortungsteilung erscheinen mag, nicht jedoch aus französischer oder britischer Perspektive, weil die beiden Länder bisher sehr wenig Flüchtlinge aufnahmen.

Die sieben Strukturdefizite zeigen zentrale Handlungsfelder, die bei allen Reformbemühungen angegangen werden müssen. Hierzu gehört das Solidaritätsdefizit ebenso wie die Asymmetrie der Dublin-III-Verordnung, ohne dass sich die Herausforderungen hierauf beschränkten. Systemische Umsetzungsdefizite und der begrenzte Einfluss supranationaler Regeln in der Praxis zeigen, dass das eu-

JCMSt. 38, 2000, S. 251-271 und, später, Ch. Kaunert / S. Léonard, „The Development of the EU Asylum Policy“, *Journal of European Public Policy* 19, 2012, S. 1396-1413.

79 Siehe auch S. Borg / Th. Diez, „Postmodern EU?“, *JCMSt.* 54, 2016, S. 136-151.

80 Zum verfassungsrechtlichen Rahmen D. Thym, „EU Migration Policy and its Constitutional Rationale“, *CML Rev.* 50, 2013, S. 709-736.

81 Das Stockholm-Programm (ABl. 2010 L115/1), S. 113.

82 So gab es einen *Gemeinsamen* Markt, bevor der Binnenmarkt (*Single* Market) bis zum Jahr 1992 errichtet wurde; auch verfolgte die EU eine *gemeinsame* Währungspolitik schon vor Einführung der *einheitlichen* Währung; beachte aber, dass die *Gemeinsame* Handelspolitik von Anfang einen vollharmonisierten Bereich betraf.

83 Artikel 17 Abs. 5 Asyl-Aufnahme-Richtlinie 2013/33/EU orientieren ebenso wie Artikel 29 Asyl-Qualifikations-Richtlinie 2011/95/EU die Höhe von Sozialleistungen für Asylsuchende bzw. international Schutzberechtigte am Leistungsniveau von eigenen Staatsangehörigen und perpetuieren damit die bestehenden Unterschiede zwischen den Mitgliedstaaten; siehe auch den Heijer et al. (Fn. 69), S. 609 f.

84 Wirtschaftliche Erfolgsaussichten sind, ebenso wie transnationale Netzwerke, wichtige Faktoren, die die in der Praxis häufig spontane Wahl des Asylziellandes seitens der Asylbewerber beeinflussen; siehe E. Neumayer, „Asylum Destination Choice“, *European Union Politics* 5, 2004, S. 155-180; und Schapendonk (Fn. 60).

ropäische Asylsystem vor einer grundlegenderen Herausforderung steht: Die rechtsbasierte Integrationsmethode mit ihrem Fokus auf Gesetzgebung scheint nicht zu funktionieren.

IV. Wirksame Governance-Strukturen

Der Erfolg der supranationalen EU-Politik hängt, sehr viel mehr als im Nationalstaat, am Recht und deren Umsetzung durch die Mitgliedstaaten. Die Attraktivität des verbreiteten Begriffs der „Rechtsgemeinschaft" beruht auch darauf, dass in Europa die rechtliche Integration immer belastbarer war als der politische oder bürgerschaftliche Zusammenhalt[85]. Aus diesem Grund begründet die Flüchtlingskrise, ebenso wie die Euro-Krise, für die EU eine doppelte Herausforderung: Sie muss tragfähige Governance-Strukturen entwickeln und, wie später erörtert, die politische Legitimation aufbringen, um die notwendigen Reformen anzugehen. Beides zusammen stellt die Leistungsfähigkeit der herkömmlichen, rechtsbasierten Integrationsmethode in der Flüchtlingspolitik infrage (IV.A.), weil diese für den operativen Charakter der Asyl- und Grenzschutzpolitik nur begrenzt passt (IV.B.).

A. Verschiedene Ausprägungen rechtlicher Supranationalität

Rückgrat der Rechtsgemeinschaft sind bis heute diejenigen Themen, die die Pflichtvorlesungen zum Europarecht prägen, also Richtlinien, die unmittelbare Anwendung, die Staatshaftung, die Vorabentscheidung und der Vorrang. All diese Institute erklären den Erfolg einer rechtsgesteuerten Integration, weil auf ihrer Grundlage Privatpersonen und Gerichte gemeinsam mit der Kommission das Europarecht durchsetzen. Sie werden gemeinhin unter dem Begriff der „Integration durch Recht" (*integration through law*) gefasst, der in den 1980er-Jahren am Europäischen Hochschulinstitut in Florenz geprägt wurde[86]. All diese Rechtsinstitute wurden für den erweiterten Bereich des Binnenmarktrechts entwickelt und funktionieren dort bis heute gut. Doch bei der Asyl- und Grenzschutzpolitik

85 Klassisch zum dualen Charakter der Supranationalität J. H.H. WEILER, "The Transformation of Europe", *Yale L. J.* 100, 1990/91, S. 2403 (2410-2431).

86 Siehe M. CAPPELLETTI / M. SECCOMBE / J. H.H. WEILER (Hrsg.) *Integration Through Law. Europe and the American Federal Experience*, Vol. I, Book 1, Berlin, 1986; siehe auch M. POIARES MADURO, *We, the Court*, Oxford, 1998; und F. C. MAYER, „Europa als Rechtsgemeinschaft", in: G. F. SCHUPPERT / I. PERNICE / U. HALTERN (Hrsg.), *Europawissenschaft*, Baden-Baden, 2005, S. 429-487.

scheint der Ansatz an seine Grenzen zu stoßen – und der Grund liegt auf der Hand: Kontextfaktoren verlangen eine angepasste Integrationsmethode.

Ein erster Unterschied betrifft die Rolle der Kommission als Hüterin der Verträge, die über viele Jahre hinweg eine passive Rolle bei Vertragsverletzungsverfahren in der Asylpolitik einnahm, bevor im Herbst 2015 nicht weniger als 48 neue Verfahren eingeleitet wurden, als die Strukturdefizite des GEAS offenbar wurden[87]. Allerdings betrifft die Mehrzahl der Fälle eine schlichte Untätigkeit der Mitgliedstaaten bei der Umsetzung von Richtlinien; nur einige wenige Verfahren betreffen administrative Umsetzungsdefizite in der Praxis[88]. Ein traditionelles Instrument der Rechtsdurchsetzung bleibt ein stumpfes Schwert, soweit es um die Verwaltungspraxis nationaler Behörden in den Bereichen Asyl und Grenzschutz geht[89].

Im Binnenmarkt ergänzen traditionell Einzelpersonen die Aufsichtsfunktion der Kommission, wenn sie über nationale Gerichte in Verbindung mit Vorlagen an den EuGH eine dezentrale Anwendung der supranationalen Regeln sicherstellen[90]. Doch auch dies greift im Bereich Asyl und Grenzschutz nur, soweit das EU-Recht die Interessen von Einzelnen schützt[91]. Ein Asylantragsteller, der etwa nach Deutschland reisen möchte, wird sich nicht beschweren, wenn Ungarn oder Griechenland ihren Pflichten aufgrund des Unionsrechts nicht nachkommen. Es dürfte deshalb kein Zufall sein, dass der EuGH ursprünglich einen restriktiven Ansatz bei der Anerkennung individueller Rechte im Dublin-Regime verfolgte und dadurch die Klagemöglichkeiten einschränkte[92]. Für die Überwindung der

87 Vgl. zur früheren Situation Ph. DE BRUYCKER / H. LABAYLE, „Chronique de jurisprudence consacrée à l'Espace de liberté, de sécurité et de justice", *C.D.E.* 49, 2014, S. 719 (720-721); sowie zum neuen Aktivismus die Pressemitteilung (Fn. 42) und die Pressemitteilung IP/15/5699 vom 23. September 2015.

88 So die Kommission, ebd., in Bezug auf Griechenland, Italien, Kroatien, Malta und Ungarn.

89 Die begrenzte Eignung ist nicht nur die Folge eines fehlenden politischen Willens der Kommission, weil Vertragsverletzungsverfahren lange dauern und auch deshalb schwer drängende Probleme beseitigen können; hinzu kommt, dass es nicht ausreicht – wie etwa in der Fischereipolitik, wo gleichfalls strukturelle Verwaltungsdefizite bestanden – die Mitgliedstaaten zur konsequenten Anwendung des Unionsrechts zu drängen, wenn diese, wie etwa Griechenland, in den Bereichen Asyl und Grenzschutz zugleich Unterstützung und Beratung benötigen und verdienen.

90 Siehe WEILER (Fn. 85), S. 2412-2423; sowie K. J. ALTER, *The European Court's Political Power. Selected Essays*, Oxford, 2010, S. 92 (99-105).

91 NGOs können insofern die Rolle von Unternehmen übernehmen, die im Binnenmarkt mittels Individualklagen dezentral über die Rechtsdurchsetzung wachen; durch den Vertrag von Lissabon wurde zugleich die Einschränkung der Vorlageberechtigung auf Höchstgerichte im Raum der Freiheit, der Sicherheit und des Rechts nach Artikel 68 EG-Vertrag i.d.F. des Vertrags von Nizza (ABl. 2006 C 321E/37) aufgehoben.

92 Dies gilt vor allem für die menschenrechtlichen Grenzen von Überstellungen, die zugleich ein Grund für den verzögerten EMRK-Beitritt sind; vgl. EuGH, Gutachten 2/13 vom 18.12.2014, *EMRK-Beitritt*, ECLI:EU:C:2014:2454, Rdnr. 191-195; hingegen wurde die restriktive Linie bei individualschützendem Charakter der Zuständigkeitsregeln bei EuGH,

Flüchtlingskrise kann man nicht allein auf Einzelpersonen und Gerichte vertrauen.

Allgemein bekräftigt das Beispiel des GEAS, dass die rechtliche Supranationalität unterschiedliche Ausgestaltungen kennt, die Variationen des für den Binnenmarkt entwickelten Prototyps darstellen[93]. Während einige Besonderheiten vorübergehender Natur sind, so wie die vormalige Struktur der dritten Säule[94], bestehen andere fort. Derartige Variationen reagieren gewöhnlich auf die Charakteristika des betroffenen Politikfelds oder auf mitgliedstaatliche Präferenzen[95]. Dies gilt für die intergouvernementale Struktur der Sicherheit- und Verteidigungspolitik ebenso wie die Unabhängigkeit der EZB[96]. Auch garantiert die erfolgreiche Aufsicht der Kommission über das *mikro*ökonomische Verhalten von Unternehmen im Beihilfen- und Wettbewerbsrecht nicht, dass vergleichbare Rechte bei der *makro*ökonomischen Kontrolle ganzer Volkswirtschaften sowie des Stabilitätspakts funktionieren muss[97]. Eine Übertragung regulatorischer Instrumente funktioniert nur, wenn Kontextfaktoren nicht entgegenstehen.

B. Der operative Charakter der Asyl- und Grenzschutzpolitik

Die aufgeführten Strukturdefizite zeigen, dass das GEAS ein nachhaltiges Problem mit der administrativen Durchführung hat[98]. Eine Gesetzgebung, ob auf europäischer oder nationaler Ebene, ist immer nur der erste Schritt, dessen langfristiger Erfolg auch von den Verwaltungskapazitäten vor Ort abhängt. In den Bereichen Asyl und Grenzschutz bestehen insoweit wegen des ausgeprägten operativen Charakters besondere Anforderungen, weil das Recht in Tausenden ähnlich gelagerter Fälle durch vergleichsweise gering qualifizierte Beamte angewandt

Urteil vom 10.12.2013 – Rs. C-394/12, *Abdullahi*, ECLI:EU:C:2013:813, Rdnr. 47-62 für die Dublin-II-Verordnung von der Großen Kammer gemäß EuGH, Urteil vom 07.06.2016 – Rs. C-63/15, *Ghezelbashi, ECLI:*EU:C:2016:409 aufgegeben, die freilich betonte, dass sie dem Willen des Gesetzgebers folge (der sich ändern kann).

93 Ausführlicher B. DE WITTE, „Institutional Variation Across Policy Fields in the Evolution of European Union Law", *Maastricht Journal* 20, 2013, S. 465-471; und G. MAJONE, *Europe as the Would-be World Power*, Cambridge, 2009, der zugleich betont, dass auch das Binnenmarktmodell Veränderungen unterworfen ist.

94 Hierzu S. PEERS, „Mission accomplished?", *CML Rev.* 48, 2011, S. 661-693.

95 Näher R. DEHOUSSE, „The 'Community Method' at Sixty", in: DERS. (Hrsg.) *The „Community Method" – Obstinate or Obsolete?,* Basingstoke, 2011, S. 3-15.

96 Hierzu D. THYM, „Foreign Affairs", in: VON BOGDANDY / BAST (Hrsg.) *Principles of European Constitutional Law*, Hart, 2009 (2. Auflage), S. 309 (330-338); sowie K. TUORI / K. TUORI, *The Eurozone Crisis. A Constitutional Analysis*, Cambridge, 2014, Kap. 2.

97 In diesem Sinn K. LENAERTS, „EMU and the EU's Constitutional Framework", *EL Rev.* 39, 2014, S. 753 (765-769).

98 Zu deren Bedeutung bereits C. COSTELLO, „Administrative Governance and the Europeanisation of Asylum and Immigration Policy", in: HOFMANN / TÜRK (Hrsg.) *EU Administrative Governance*, Cheltenham, 2006, S. 287 (306-309, 314-322).

werden muss[99]. Man kann insoweit von einer Massenverwaltung sprechen, die noch dazu in der geographischen Peripherie realisiert werden muss.

Ein Blick in die Tageszeitungen zeigte zuletzt regelmäßig, was den operativen Charakter auszeichnet. Schwierigkeiten zeigten sich etwa bei den sog. Relokationsbeschlüssen zur Umsiedlung von bis zu 160.000 Asylbewerbern aus Italien und Griechenland in die anderen Mitgliedstaaten aufgrund eines Verteilungsschlüssels[100]. Der Mechanismus wurde im Sommer 2015 als Solidaritätsinstrument eingeführt, aber die Umsetzung läuft schwerfällig: Nach einem Jahr waren im Juni 2016 erst 2280 Personen umgesiedelt worden[101], bis Ende November 2016 immerhin 8200 Personen, also rund 5 %[102]. Ähnliche Probleme zeigten sich in den „Hotspots", die von der Kommission im Frühjahr 2015 für eine bessere Registrierung und Umsiedlung vorgeschlagen worden waren und die zwischenzeitlich einen Funktionswandel erlebten, wenn sie in Griechenland als Basis für Asylverfahren und Rückführungen in die Türkei dienen[103]. Mehrfach musste das Startdatum wegen logistischen Problemen vor Ort verschoben werden[104].

Zur Durchführung der Hotspots forderten die Asylagentur EASO und die Grenzschutzagentur Frontex zusammen nicht weniger als 472 Asylbeamte, 1500 Grenzpolizisten und 400 Übersetzer von den Mitgliedstaaten an, um diese auf den griechischen Inseln zur Unterstützung der griechischen Beamten einzusetzen[105]. Bereits ein kursorischer Blick auf diese Zahlen bekräftigt den operativen Charakter der Asyl- und Grenzschutzpolitik, die zudem nicht automatisch funktionieren muss, wenn die Zielziffern erreicht werden. Die praktische Zusammenarbeit hängt an Beamten, die verschiedene Sprachen sprechen, im internationalen Umgang nicht notwendig geschult sind und aus diversen Verwaltungskulturen stammen. Im Bereich der Massenverwaltung hat die EU Vergleichbares bisher nicht geleistet.

Gewiss können die EU-Organe bei der Entwicklung tragfähiger Governance-Strukturen auf die Erfahrungen aus anderen Politikbereichen zurückgreifen, etwa auf den Informationsaustausch durch Europol oder die Zusammenarbeit in der Zollpolitik, aber das Ausmaß der Herausforderung verlangt wohl weitergehende Innovationen. Eine Massenverwaltung mit tausenden Fällen, die von Beamten mit einem vergleichsweise geringen Qualifikationsniveau durchgeführt werden

99 Näher D. Thym, *Migrationsverwaltungsrecht*, Tübingen, 2010, S. 37-41.
100 Siehe Beschluss (EU) 2015/1523; und Beschluss (EU) 2015/1601.
101 So die Mitteilung der Kommission, KOM(2016) 416 vom 15. Juni 2016, S. 2.
102 So die Mitteilung der Kommission, KOM(2016) 791 vom 8. Dezember 2016.
103 Zur Idee der Hotspots die Mitteilung der Kommission, KOM(2015) 240 vom 14. Mai 2015, S. 7 f.; sowie das EU-Türkei Statement, Pressemitteilung des Rats 144/16 vom 18. März 2016.
104 Überraschend offen die Mitteilung der Kommission, KOM(2016) 231 vom 20. April 2016.
105 Siehe das Fact Sheet der Kommission, Memo 16/963 vom 19. März 2016.

unterscheidet die Grenzschutz- und Asylpolitik von Politikbereichen wie die Bankenaufsicht, Chemikalien oder die Telekommunikation, in denen die Kommission und europäische Agenturen gemeinsam mit nationalen Einrichtungen zuletzt leistungsfähige Verwaltungsnetzwerke etablierten, die durch ein hohes Ausmaß an Expertenwissen gekennzeichnet sind[106]. In den Bereichen Asyl und Grenzschutz sind weitere Anpassungen des supranationalen Integrationsmodells notwendig.

V. Legitimität supranationaler Entscheidungsfindung

Es wurde bereits erwähnt, dass die supranationale Integrationsmethode traditionell einen dualen Charakter besaß, der eine quasi-föderale Rechtsintegration mit einer konsensbasierten Entscheidungsfindung verbindet. Eine solche Struktur passt gut zu einem Institutionengefüge, das nicht für schnelle Antworten auf neue Herausforderungen bekannt ist[107]. In der Flüchtlingskrise wird diese Grundstruktur ebenso auf die Probe gestellt wie in der Eurokrise – zwei Krisen, denen gemein ist, dass sie Strukturdefizite beim Design und der Durchführung der europäischen Regeln offenbarten und schnelle Antworten einforderten (V.A.). Langfristig dürfte entscheidend sein, ob die EU die politische Legitimation aufbringt, einen Grundkonsens über die Asylpolitik angesichts populistischer Herausforderungen zu entwickeln (V.B.).

A. Gemeinsamkeiten und Unterschiede zur Eurokrise

Für die EU sind Strukturdefizite beim Design und der Durchführung ihrer Politiken, etwa in der Flüchtlings- und Eurokrise, ein existenzielles Problem, weil sie das gegenseitige Vertrauen untergraben, ohne dass das Recht seine stabilisierende Wirkung für die zwischenstaatlichen Beziehungen nicht entfalten kann. Insofern kann man das ungarische Referendum über die Relokationsbeschlüsse als Symptom einer tiefgreifenden Beschädigung des supranationalen Rechts deuten[108]. In einer solchen Situation ist es zentral, dass die EU die Designfehler und

106 Vgl. H. Hofmann / A. Türk, „The Development of Integrated Administration in the EU and Its Consequences“, *ELJ* 13, 2007, S. 253-271; und Th. Gross, „Die Kooperation zwischen europäischen Agenturen und nationalen Behörden“, *Europarecht* 2005, S. 54 (56-63).

107 Zu Entscheidungsverfahren in der europäischen Exekutive siehe D. Curtin, *Executive Power of the European Union*, Oxford, 2009, Kap. 4.

108 Das Referendum am 2. Oktober 2016 scheiterte freilich an einer zu geringen Wahlbeteiligung; es ergänzte die Klagen Ungarns (C-647/15) und der Slowakei (C-643/15) vor dem EuGH; siehe auch den Heijer et al. (Fn. 69), S. 623 f.

die Durchführungsprobleme möglichst schnell behebt – eine Aufgabe, die binnen kurzer Zeit angesichts politischer Spannungen angegangen werden musste. Hierbei zeigten sich neben Parallelen zwischen Euro- und Flüchtlingskrise auch Unterschiede, die eine nachhaltige Rekonstruktion des GEAS erleichtern könnten.

Eine erste Gemeinsamkeit betrifft die Abfolge an Gipfeltreffen, auf denen die Staats- und Regierungschefs eine Hauptverantwortung bei der Krisenreaktion übernahmen, jeweils mit Deutschland als wichtigem Akteur[109]. Zugleich spielte die Kommission eine aktive Rolle, was auch an der robusten Struktur der EU-Verträge lag, die es erlaubten, auf die Flüchtlingskrise aufgrund der bestehenden Kompetenzen zu reagieren[110]. Für die Asyl- und Grenzschutzpolitik gilt das ordentliche Gesetzgebungsverfahren und zudem erlaubt Artikel 78 Absatz 3 AEUV die Annahme vorläufiger Maßnahmen in Notsituationen[111]. Aus diesem Grund bestand keine Notwendigkeit, zur Überwindung der Flüchtlingskrise auf völkerrechtliche Satellitenverträge nach dem Modell des ESM-Vertrags oder des Fiskalpakts zurückzugreifen[112]. Zweifellos ist die Herausforderung durch die Flüchtlingskrise groß, aber die Antwort konnte weniger intergouvernemental ausfallen als in der Eurokrise.

Langfristig könnte sich ein anderer Unterschied als zentral erweisen, wenn die notwendige Legitimität der supranationalen Entscheidungsfindung in der Asyl- und Grenzschutzpolitik mittelfristig auf einer tragfähigeren Grundlage steht als in der Wirtschafts- und Währungspolitik. Ein Vergleich mit dieser hilft beim Verständnis des Gedankengangs: Eine verbreitete Kritik der europäischen Antwort auf die Eurokrise betrifft die redistributiven Auswirkungen von Entscheidungen, die einer belastbaren demokratischen Grundlage bedürfen, vor allem was supranationale Vorgaben zur Budgetdisziplin und wirtschaftliche Strukturreformen anbelangt. Letztere greifen direkt in gesellschaftliche und innenpolitische Auseinandersetzungen ein[113], die abzubilden, das europäische Institutionengefüge nicht geeignet ist[114], weil es bis heute auf die Schlichtung zwischenstaatlicher Streitig-

109 Zur Euro-Krise F. Fabbrini, *Economic Governance in Europe*, Oxford, 2016; in der Asylpolitik ist die deutsche Rolle freilich weniger hegemonial, da Deutschland in vielfacher Hinsicht von der Unterstützung und dem guten Willen anderer abhängt.

110 Zum Umfang der EU-Kompetenzen aufgrund Artikel 77-79 AEUV siehe D. Thym, „Artikel 77-79 AEUV", in: Grabitz / Hilf / Nettesheim (Hrsg.) *Das Recht der Europäischen Union*, München, 2015 (57. Ergänzungslieferung).

111 Auch wenn der EuGH diese Bestimmung als Antwort auf die erwähnten Nichtigkeitsklagen (Fn. 108) eng interpretieren sollte, könnten die EU-Institutionen immer noch „reguläre" Gesetzgebung relativ einfach auf Basis des Artikel 78 Abs. 2 AEUV annehmen, welcher sodann freilich eine Mitentscheidung des Europäischen Parlaments verlangte.

112 Zur Praxis in der Eurokrise siehe B. de Witte, „Euro-Crisis Responses and the EU Legal Order", *EuConst* 11, 2015, S. 434 (448-450).

113 Näher D. Chalmers, „The European Redistributive State and a European Law of Struggle", *ELJ* 18, 2012, S. 667-693; und Tuori / Tuori (Fn. 96), Kap. 7.

114 Vgl. M. Dawson / F. de Witte, „Constitutional Balance in the European Union After the Euro Crisis", *ML Rev.* 76, 2013, S. 817 (828-835).

keiten ausgerichtet bleibt[115]. Wenn dies stimmt, gehörte die notwendige Herausbildung einer demokratischen Infrastruktur zu den langfristig größten Verfassungsherausforderungen für die EU infolge der Eurokrise.

Im Vergleich zur Wirtschafts- und Währungspolitik sind die europäische Asyl- und Grenzschutzpolitik durch andere Charakteristika gekennzeichnet, weil sie begrenzte redistributive Auswirkungen besitzen und wenige Themen betreffen, die üblicherweise nationale Wahlkämpfe prägen. Gewiss ist das Migrationsgeschehen in vielen Mitgliedstaaten kontrovers, wie der Erfolg populistischer Parteien zeigt, und es scheint, dass die jüngste Krise diesen Trend noch verstärkte[116]. Dennoch unterscheidet sich die Flüchtlingspolitik von der Wirtschafts- und Währungspolitik, weil die verbreitete Unzufriedenheit mit den Migrationsfolgen nicht *direkt* technische Fragen wie die Einreisekontrolle, die Asylzuständigkeit oder Aufenthaltserlaubnisse betrifft. Stattdessen beschäftigen die Wähler – zu Recht oder Unrecht – die Folgen von Einwanderung für den gesellschaftlichen Zusammenhalt, den Arbeitsmarkt oder die Sozialsysteme (zudem dient die Migration als Projektionsfläche für die Unzufriedenheit mit den Globalisierungsfolgen[117]).

Hiernach kann man argumentieren, dass die supranationalen Regeln zum Migrationsgeschehen nur am Rande diejenigen Themen betreffen, die nationale Wahlkämpfe prägen, gerade weil sie den Mitgliedstaaten viel Freiraum bei der Gestaltung von identifikatorischen und redistributiven Fragen belassen, die den Umgang mit den Migrationsfolgen hinsichtlich des Arbeitsmarkts und der Sozialsysteme, bei Sprachkenntnissen oder der Stellung der Religion anbelangen[118]. Eine solche enge Lesart der europäischen Politikgestaltung muss nicht im Widerspruch zur politischen Kontestation stehen, die die EU-Asylpolitik derzeit erfährt, weil diese als Folge des partiellen Kontrollverlusts erklärt werden könnte[119]. Vergleichende Studien zeigen, dass reale oder imaginierte Steuerungsdefizite den Verlauf migrationspolitischer Debatten maßgeblich beeinflussen[120]. Oh-

115 Hierzu M. Dani, „Rehabilitating Social Conflicts in European Public Law", *ELJ* 18, 2012, S. 621 (628-632).

116 Die deutsche AfD erlangte bei den Landtagswahlen vom 13. März 2016 sowie später im Jahr hohe Zustimmungswerte; der österreichische FPÖ-Kandidat gewann beinahe die später annullierte erste Rune der Präsidentschaftswahlen am 22. Mai 2016.

117 Das Element der Projektion beseitigt nicht die politischen Folgen; siehe auch S. Castles et al., *The Age of Migration*, Basingstoke, 2013 (5. Auflage), S. 307-312.

118 Dieses Argument basiert auf D. Thym, „‚Citizens' and ‚Foreigners' in EU Law", *ELJ* 22, 2016, S. 296 (307-309).

119 „(Im-)Migration" erlebte während der Flüchtlingskrise einen dramatischen Anstieg von 38 % auf 58 % als das seinerzeit wichtigste Thema in den Augen der Unionsbürger/innen; siehe Standard-Eurobarometer 84, November 2015.

120 Siehe S. Castles, „The Factors that Make and Unmake Migration Policies", *IM Rev.* 38, 2004, S. 852 (856-857); und J. F. Hollifield, „The Emerging Migration State", *IM Rev.* 38, 2006, S. 885 (894-899), der die westeuropäische Migrationspolitik als Abfolge eines staatlichen Steuerungsversagens beim Erreichen der politischen Ziele rekonstruiert.

ne ein Mindestmaß an Kontrolle über das Migrationsgeschehen wird die Bevölkerung den Entscheidungsträgern nicht vertrauen, vor allem in Staaten, wo die öffentliche Hand traditionell eine aktive Rolle in der Wirtschafts- und Sozialpolitik spielt[121].

Wenn dies stimmt, könnte die EU die Untiefen kontroverser Entscheidungen möglicherweise umschiffen, wenn sie sich, wie bisher, auf den technischen Rahmen für nationale Entscheidungen beschränkt, die den Wandel des Sozialsystems oder des gesellschaftlichen Selbstbilds infolge von Migration betreffen[122]. Im Bereich des Asylrechts erforderte dies freilich, dass die EU die aktuellen Strukturdefizite überwindet und die Mitgliedstaaten darüber hinaus einen Grundkonsens finden, dass Flüchtlinge geschützt werden sollen und welche Verantwortung Europa hierbei übernimmt. Ein solcher Grundkonsens würde supranationale Entscheidungen auch ohne ausgeprägte demokratische Legitimität ermöglichen[123]. Kann die EU einen solchen Grundkonsens über die Asylpolitik entwickeln?

B. Die populistische Herausforderung der EU-Asylpolitik

Man kann die vorstehende Hypothese, wonach ein überlappender Grundkonsens die EU-Asylpolitik legitimatorisch absicherte, in empirischer und konzeptueller Hinsicht hinterfragen. Zum einen kann man empirisch bezweifeln, dass der EU die Rückkehr zu einer ruhigen Politikgestaltung gelingen könnte, wenn sie die gegenwärtigen Strukturdefizite meistert. Zum anderen steht konzeptuell nicht fest, dass dauerhaft zwischen Politikbereichen unterschieden werden kann, die ein größeres oder geringeres Legitimationsniveau einfordern. Beide Annahmen hätten für die EU weitgehende Konsequenzen, weil sie die Grundlagen der bisherigen Legitimationsstruktur hinterfragten, wenn die EU bei der Konstruktion der Asyl- und Grenzschutzpolitik sich unmittelbar im demokratischen Diskurs bewähren müsste.

Zu einfach wäre es jedenfalls, wenn man annähme, dass die EU-Verträge ein bestimmtes Politikdesign vorgäben. Gewiss verpflichtet Artikel 78 Absatz 1 AEUV die Union darauf, dass „die Einhaltung des Grundsatzes der Nicht-Zu-

121 Zur Wechselbeziehung zwischen Migrationspolitik und sozioökonomischen Fragen siehe D. Sainsbury, *Welfare States and Immigrant Rights*, Oxford, 2012.

122 Siehe auch Ch. Joppke, *Citizenship and Immigration*, Cambridge, 2010, Kap. 4; und Thym. (Fn. 118), S. 314 f.

123 Hierzu weiterführend W. Sadurski, „Supranational Public Reason“, *GlobCon* 4, 2015, S. 396 (402-410); und S. Douglas-Scott, „The Problem of Justice in the European Union“, in: Dickson / Eleftheriadis (Hrsg.) *Philosophical Foundations of European Union Law*, Oxford, 2012, S. 412 (424-433).

rückweisung gewährleistet werden soll,"[124] aber dies befreit nicht von einer aktiven Politikgestaltung, weil das Flüchtlingsvölkerrecht die Handlungsmöglichkeiten der Zielstaaten, wie eingangs erläutert, nicht aufhebt. Sicherlich können Verfassungsnormen politische Entscheidungen auch dann anleiten, wenn sie keine strengen dogmatischen Vorgaben entfalten. Aber eine solche normative Leitfunktion jenseits rechtlicher Verpflichtungen ist kein Automatismus[125]. Sie muss sich aufgrund politischer und gesellschaftlicher Debatten entwickeln, die bestimmte Verfassungswerte im kollektiven Bewusstsein verankern[126]. Eben dies ist eine zentrale Herausforderung der EU-Asylpolitik in der aktuellen Situation; es ist ein normativer Grundkonsens zu entwickeln, der dem europäischen Asylsystem bisher nicht zu Grunde zu liegen scheint.

Welche Faktoren können das Fehlen eines solchen Grundkonsenses erklären helfen? Über viele Jahre hinweg dominierten die klassischen Asylzielstaaten im Westen und Norden des Kontinents die supranationale Entscheidungsfindung, während die Länder im Süden ein geringes Interesse zeigten[127] und die vormals neuen Mitglieder im Osten das Asylrecht als Teil des supranationalen Besitzstands im Beitrittsprozess übernahmen, ohne dieses inhaltlich hinterfragen zu können[128]. Die Ereignisse der Jahre 2015/16 dürften diese Situation dauerhaft geändert haben, weil heute alle Mitgliedstaaten intuitiv verstehen, dass die Asylpolitik wichtige Auswirkungen auf ihre Gesellschaften haben kann. Mitgliedsländer, die die Gesetzgebung früher eher passiv verfolgten, zeigen nunmehr ein ausgeprägtes Interesse – wie die Aktivitäten der Visegrad-Gruppe zeigen[129]. Für das GEAS ist die aktuelle Situation ein *constitutional moment*, in dem die normativen Grundlagen neu konfiguriert werden – in Übereinstimmung mit der griechischen Bedeutung des Worts „Krise", das immer auch einen Wendepunkt meinte.

Es liegt im Wesen einer derartigen Neuausrichtung, dass das Ergebnis nicht feststeht. Die derzeitigen Debatten könnten in einem paneuropäischen Verständnis des Asylrechts münden, einer Art von Verfassungsidentität für das GEAS,

124 EuGH, Urteil vom 01.03.2016 – Rs. C-443/14 & C-444/14, *Alo & Osso,* ECLIEU:C:2016:127, Rdnr. 30.

125 Expert/innen des EU-Asylrechts nehmen häufig an, dass der „Geist" von Artikel 78 Abs. 1 AEUV ein bestimmtes Politikdesign vorgäbe, ohne jedoch die verfassungstheoretischen Faktoren zu thematisieren, die einer solchen Leitfunktion jenseits der Dogmatik zu Grunde liegen; exemplarisch V. Moreno-Lax, „Life after Lisbon", in: Acosta Arcarazo / Murphy (Hrsg.) *EU Security and Justice Law*, Oxford 2014, S. 146 (148).

126 Näher M. Rosenfeld, *The Identity of the Constitutional Subject,* London, 2010, Kap. 1, 2; sowie A. Williams, *The Ethos of Europe*, Cambridge, 2011.

127 Siehe A. Geddes, *The Politics of Migration and Immigration in Europe*, London u.a., 2003, Kap. 6; und N. Zaun, „Why EU Asylum Standards Exceed the Lowest Common Denominator", *Journal of European Public Policy* 23, 2016, S. 136-154.

128 Vgl. Byrne et al. (Fn.).

129 Näher http://www.visegradgroup.eu.

auch wenn unklar bleibt, welcher Gestalt ein solches Selbstverständnis wäre: Es könnte bestimmte Ausprägungen der anfänglichen deutschen „Willkommenskultur" verstetigen oder einen restriktiveren Ansatz verfolgen, wie er durch die Schließung der Balkanroute symbolisiert wird. Insoweit erscheinen die bürgerschaftliche Unterstützung für Flüchtlinge, Grenzzäune, Resettlement-Programme und die Arrangements mit der Türkei als Bausteine einer sich im Umbruch befindenden EU-Asylpolitik.

Welche Rolle spielen die EU-Organe in dieser Diskussion? Ein entscheidender Faktor wird das Ausmaß der Politisierung sein. Es dürfte nicht ausreichen, die Politikvorschläge in einer technokratischen Sprache zu begründen, die konkrete Vorhaben als Ausfluss einer quasi-wissenschaftlichen Entscheidungsfindung präsentiert, wie es die Kommission früher bisweilen unternahm[130]. Eine Lösung der Flüchtlingskrise erfordert eine politische Führung, die Kommissionspräsident Juncker zu Beginn seiner Amtszeit versprach und nunmehr liefern muss[131]. Doch das Ergebnis wird nicht allein von den inter-institutionellen Dynamiken abhängen. Von zentraler Bedeutung wird sein, ob es der EU gelingt, in Übereinstimmung mit vorstehenden Ausführungen die Untiefen einer Politisierung zu umgehen. Wenn dies gelänge, bestünde die zentrale Herausforderung darin, einen Kompromiss zwischen den Mitgliedstaaten zu schmieden, was der EU traditionell gut gelingt, auch wenn es häufig lange dauert. Ungleich komplizierter wäre die Situation freilich, wenn die Beschlüsse über technische Fragen wie Grenzschutz und Asyl zum Gegenstand intensiver innenpolitischer Debatten erstarkten.

In diesem Zusammenhang verweist der Erfolg populistischer Parteien auf dem gesamten Kontinent auf eine langfristige Herausforderung. Über viele Jahre hinweg erlaubte es die Struktur innenpolitischer Diskussionen den Regierungen und internationalen Organisationen, eine moderat liberale Asyl- und Migrationspolitik ungeachtet skeptischer öffentlicher Meinungen zu verfolgen[132]. Damit könnte Schluss sein, wenn das Migrationsgeschehen dauerhaft politisiert würde (wie die Debatte im Vorfeld des Brexit-Referendums indiziert). Empirische Studien zeigen, dass Entscheidungen zu Migrationsfragen nach einer Politisierung restriktiver werden[133]. Entsprechende Debatten folgen nicht länger der quasi-akademischen Logik einer rationalen Abwägung, weil es zur Natur politischer Auseinan-

130 Siehe F. TRAUNER, „Asylum policy", *Journal of European Integration* 38, 2016, S. 311, 319-322; und M. GEIGER / A. PÉCOUD, „Introduction", in: DERS. (Hrsg.) *The Politics of International Migration Management*, Basingstoke, 2010, S. 1-20.

131 Vgl. Jean-Claude JUNCKER, „State of the Union 2015", Rede vom 9. September 2015: „very political Commission."

132 So G. P. FREEMAN, „Modes of Immigration Politics in the Liberal Democratic State", *IM Rev.* 29, 1995, S. 861-897; sowie T. HAMMAR, „Comparative Analysis", in: DERS. (Hrsg.) *European Immigration Policy*, Cambridge, 1985, S. 239 (277-287).

133 Vgl. M. M. HOWARD, *The Politics of Citizenship in Europe*, Cambridge, 2009, Kap. 3.

dersetzungen gehört, dass bestimmte Symbolthemen ein Eigenleben entfalten, das die tatsächliche Signifikanz der Thematik übersteigen kann[134].

Eine Politisierung der Migrationspolitik kann verschiedene Ausprägungen erfahren, darunter, als extreme Variante, die Erscheinungsformen eines Populismus in diversen Mitgliedstaaten. Ein Kennzeichen populistischer Argumente ist eine Kritik an den Eliten unter Verweis auf einen vermeintlich homogenen Volkswillen[135]. Ein klassisches Sachthema für eine solche Kritik ist das Migrationsgeschehen ebenso wie die EU-Integration, sodass es, nicht nur für populistische Parteien, eine erfolgreiche Mobilisierungsstrategie sein kann, die supranationale Migrationspolitik innenpolitisch zu thematisieren[136], ebenso wie bei den Referenda im Vereinigten Königreich und Ungarn. Wenn dies passierte, gerieten selbst technische EU-Regelungen über Grenzkontrollen oder das Asylverfahren in das Zentrum innenpolitischer Auseinandersetzungen und ein neuer Grundkonsens über die Asylpolitik könnte sich auf europäischer Ebene allenfalls in restriktiver Hinsicht entfalten. Es ist für politische Akteure eine vielschichtige Herausforderung, solche Debatten zu führen; sie müssen die zugrunde liegenden Anliegen aufgreifen, ohne den Populisten die diskursive Rahmung oder die normative Zielrichtung zu überlassen[137], und hierbei zugleich die Migration nicht zum Sündenbock für allgemeine Fehlentwicklungen zu stilisieren[138].

VI. Fazit

Die Ereignisse in den Jahren 2015/16 zeigten grundlegende Strukturdefizite beim rechtlichen Design und administrativen Vollzug der Rechtsregeln für das Gemeinsame Europäische Asylsystem, die durch die praktische Irrelevanz der Dublin-III-Verordnung entlang der Balkanroute symbolisiert werden. Für die Überwindung dieser Defizite gibt das Flüchtlingsvölkerrecht keine klare Marschroute vor, weil die Genfer Flüchtlingskonvention und die internationalen Menschenrechte einer indirekten Migrationskontrolle nicht entgegenstehen und es den Vertragsstaaten erlauben, einen Asylbewerber auf anderweitigen Schutz zu verweisen. Aus diesem Grund ist innerhalb der Union (und darüber hinaus) ein funktionsfähiges zwischenstaatliches Kooperationsregime zu errichten – ein Ziel, das

134 Siehe T. Parsons, „The Theory of Symbolism in Relation to Action", in: ders. et al. (Hrsg.) *Working Papers in the Theory of Action,* New York, 1953.

135 Siehe J.-W. Müller, *Was ist Populismus? Ein Essay*, Berlin, 2016; und C. Pinelli, „The Populist Challenge to Constitutional Democracy", *EuConst* 7, 2011, S. 5 (8-14).

136 Zu Mobilisierungsstrategien siehe E. Grande / S. Hutter, „Introduction", in: ders. / Kriesi (Hrsg.) *Politicising Europe*, Cambridge, 2016, S. 3 (22-26).

137 Instruktiv Müller (Fn. 135), Kap. 3.

138 Grundlegend R. Girard, *La Violence et le sacré*, Paris, 1972.

ausweislich der Strukturdefizite des EU-Asylsystems bisher nicht erreicht wurde. Die EU steht vor der Herausforderung, praxistaugliche Governance-Strukturen für die Asylpolitik auf der Grundlage legitimer Entscheidungsverfahren zu entwickeln.

Hierzu müssen die Strukturdefizite angegangen werden, die den Erfolg des EU-Asylsystems bislang verhinderten. In den vergangenen Jahren wurde offenbar, dass die Zuständigkeitsregeln des Dublin-Systems eine konzeptuelle Sackgasse sind, die fehlende Solidaritätsmechanismen offenbart und durch strukturelle Vollzugsdefizite in einigen Mitgliedstaaten noch verstärkt wird, die keine Erfahrung als Asylstaaten besitzen. Hinzu kommt, dass die Staaten die Migration immer nur begrenzt kontrollieren können, es gravierende Attraktivitätsdivergenzen zwischen den Mitgliedstaaten gibt und sich die EU-Organe in einem ideellen Dilemma befinden, ob sie Grenzen abschaffen sollen oder diese neu errichten.

Auf einer mittleren Abstraktionsebene können die Defizite mit einer fehlenden Passgenauigkeit der hergebrachten Integrationsmethode erklärt werden, die für den erweiterten Bereich des Binnenmarkts entwickelt wurde, in der Asyl- und Grenzschutzpolitik aufgrund anderer Kontextfaktoren jedoch nicht vollumfänglich greift. Asyl und Grenzschutz haben einen ausgeprägten operativen Charakter mit Blick auf die Vielzahl an Einzelentscheidungen, die von vergleichsweise gering qualifizierten Beamten häufig auch gegen den Willen der betroffenen Personen umgesetzt werden müssen. Um diese Probleme zu überwinden, muss die EU ihr Integrationsmodell anpassen, nicht zuletzt durch eine Stärkung der Agenturen Frontex und EASO zur operativen Durchsetzung des supranationalen Rechts in den Mitgliedstaaten.

Mittelfristig könnte eine erfolgreiche Reform des Asylsystems durch die bestehenden Verfassungsstrukturen erleichtert werden, weil das geltende Primärrecht bereits weitreichende Kompetenzen übertrug. Hinzu kommt, dass die supranationalen Rechtsnormen in den Bereichen Asyl und Grenzschutz einen eher technischen Charakter besitzen und nur am Rande auf Themenfelder zugreifen, die innenpolitische Debatten auch über Migrationsfragen prägen, weil das EU-Migrationsrecht den Mitgliedstaaten einen weiten Spielraum etwa bei der Gestaltung der Sozialsysteme oder der identifikatorischen Selbstvergewisserung belässt. Aus diesem Grund könnten die EU-Organe ein funktionsfähiges GEAS unter Umständen mit ihrer begrenzten demokratischen Legitimation errichten. Freilich ist dies Ergebnis nicht garantiert. Die Ereignisse der vergangenen Monate zeigen, dass in der EU kein Grundkonsens über die Asylpolitik besteht, deren Zielrichtung derzeit neu verhandelt wird. Erschwert wird diese Neuausrichtung durch die populistische Herausforderung der supranationalen Politik im Allgemeinen sowie der Asylpolitik im Besonderen, die die EU daran hindern könnte, die notwendigen Reformen anzunehmen, um die Strukturdefizite des GEAS zu überwinden.

Die Bewältigung der Migration durch Europa
und das Recht

Managing Migration: Europe and the Law

La gestion des migrations par l'Europe et le droit

Die Immigrationshoheit des Staates und deren Einschränkung durch das Völkerrecht und das EU-Recht

*Stefan Haack**

I. Das Konzept der Immigrationshoheit in der völkerrechtlichen Theorie des neuzeitlichen ius publicum europaeum

Wenn man in der gegenwärtigen Lage über die Immigrationshoheit des modernen Staates sprechen will, lohnt es sich, bis zu den Anfängen zurückzugehen[1] und mit *Francisco de Vitoria* zu beginnen. *Vitoria*, der noch mit beiden Beinen auf dem Boden der spanischen Scholastik stand und von diesem Standpunkt aus, die Völkerrechtslehre der beginnenden Neuzeit geprägt hat[2], ging davon aus, dass es ein ursprüngliches Recht aller Menschen gewesen sei, sich frei zu bewegen und jedes beliebige Land aufzusuchen. Die Aufteilung der Erde unter den Völkern habe dieses Recht nicht beseitigt[3]. Eine solche Befugnis zur Einreise sollte indes nicht schrankenlos sein: der Landesherr dürfe den Fremden den Zutritt zum Territorium verweigern, wenn deren Einreise und Aufenthalt die eigene Bevölkerung schädigt[4]. Bemerkenswert sind diese Fragestellung und *Vitorias* Antwort insbesondere wegen des Kontexts, in dem sie seinerzeit standen: den Gelehrten aus Salamanca beschäftigte das Problem, ob die soeben entdeckten Indianer den europäischen Ankömmlingen verbieten dürften, den amerikanischen Kontinent zu betreten und sich in den indianischen Territorien niederzulassen. Rückblickend betrachtet, hätte man den Mayas, Azteken und Inkas das Recht darauf, die Grenzen zu schließen und Grenzsicherung zu betreiben, gegönnt[5].

* *Professor, Europa-Universität Viadrina, Frankfurt a.d. Oder*

1 Siehe dazu J. A. R. Nafziger, „The general admission of aliens under International Law“, *The American Journal of International Law* 77, 1983, 804 (810 ff.) (der insbesondere auf Vitoria, Pufendorf und Vattel zu sprechen kommt); kurze Hinweise hierzu finden sich auch bei K. Doehring, „Aliens, Admission“, in: Bernhardt (Hrsg.), *Encyclopedia of Public International Law*, Bd. I, Amsterdam u.a., 1992, S. 107; L. Delbez, *Droit International Public*, Paris, 1964 (3. Auflage), S. 202; D. P.O'Connell, *International Law*, Bd. 2, London u.a., 1965, S. 753.

2 Vgl. dazu das Kapitel über Francisco de Vitoria bei C. Schmitt, *Der Nomos der Erde*, Berlin, 1997 (4. Auflage), S. 69 ff.

3 F. De Vitoria, *De indis recenter inventis et de jure belli hispanorum in barbaros* (1539), Tübingen, 1952, S. 94.

4 F. De Vitoria, a.a.O. (Fn. 3), Tübingen, 1952, S. 94.

5 Bezeichnenderweise hatte Vitoria bei der Formulierung seiner These explizit unterstellt, dass die Spanier den Indianern keinen Schaden zufügen (a.a.O. [Fn. 3], S. 94 f.).

Als sich knapp einhundert Jahre später *Hugo Grotius* dieselbe Frage vorgelegt hat, klang seine Lösung ganz ähnlich wie die von *Vitoria:* selbst ein dauernder Aufenthalt sei Fremden, die um Aufnahme bitten, nicht zu verweigern – vorausgesetzt freilich, dass diese sich der Staatsgewalt unterwerfen[6]. In seinem Entgegenkommen ging *Grotius* sogar noch über *Vitoria* hinaus: sofern sich innerhalb des Staatsgebietes ungenutzte Ländereien befänden, seien diese den Ankömmlingen auf deren Bitte hin zu überlassen[7]. Zudem diskutierte der holländische Naturrechtslehrer die Frage, ob man die aufgenommenen Fremden im Falle einer Hungersnot ausweisen dürfe, was er schließlich – unter Hinweis auf eine Stelle bei dem Kirchenvater *Ambrosius* – verneint: das gemeinsam erlittene Unglück sei in einem solchen Fall gemeinsam zu ertragen[8]. Auch für die Staaten der Balkanroute, die derzeit mit dem Problem des Flüchtlingstransits konfrontiert sind, findet sich bei *Grotius* eine Botschaft: der bloße Durchzug durch ein Gebiet sei als zulässig zu betrachten, sofern man damit gerechte Zwecke verfolgt. Als Beispiel eines gerechten Zwecks führte *Grotius* die Situation an, dass die durchreisewilligen Menschen aus ihrem Land verjagt worden sind[9]. Zwar müsse um einen solchen Durchzug zunächst einmal nachgesucht werden; sofern man ihn jedoch zu Unrecht verweigert, dürften die Abgewiesenen ihn erzwingen[10]. An der griechisch-mazedonischen Grenze war in diesem Jahr der Versuch zu verzeichnen, diese Doktrin in die politische Tat umzusetzen. Auch die Furcht vor einer großen Zahl an Durchreisenden ist laut *Grotius* kein Grund dafür, den Transit zu versagen: ius enim meum metu tuo non tollitur[11]. Ist somit die Furcht eines Volkes für das ius inter gentes irrelevant? Wir werden gleich sehen, wie andere darüber dachten. Auch den Einwand, dass der Durchzug ebenso gut anderwärts stattfinden könne, wies der Autor der „Drei Bücher vom Recht des Krieges und des Friedens“ zurück: wenn alle so sprächen, hätte sich das Recht auf freien Durchzug erledigt[12].

Erst bei *Samuel von Pufendorf*, abermals fünfzig Jahre später, zeichnet sich ein signifikanter Wandel der Anschauung ab: die Eigengesetzlichkeit einer Ordnung, die auf dem Konzept des souveränen Territorialstaats beruht, tritt nunmehr auch bei der Behandlung der Einreisefreiheit hervor[13]. Zwar hält auch *Pufendorf* vom Grundsatz her ein Volk für verpflichtet, Fremden die Einreise und den Aufenthalt zu gestatten, insbesondere wenn es sich um Vertriebene handelt. Im sel-

6 H. Grotius, *De jure belli ac pacis* (1625), Tübingen, 1950, S. 155.
7 H. Grotius, a.a.O. (Fn. 6), S. 155.
8 H. Grotius, a.a.O. (Fn. 6), S. 156.
9 H. Grotius, a.a.O. (Fn. 6), S. 152.
10 H. Grotius, a.a.O. (Fn. 6), S. 153.
11 H. Grotius, a.a.O. (Fn. 6), S. 153; das lateinische Zitat ist der Erstausgabe entnommen (Paris, 1625, S. 147).
12 H. Grotius, a.a.O. (Fn. 6), S. 153.
13 Vgl. J. A. R. Nafziger, a.a.O. (Fn. 1), S. 804 (810).

ben Atemzug schränkt er diese Pflicht ein, indem er als Bedingung hinzufügt, dass die Ankömmlinge fleißig oder wohlhabend sind und keine Verwirrung in Religion oder Regierungssachen anrichten[14]. Wesentlich klarer als seine Vorgänger betrachtet *Pufendorf* damit die innenpolitische Stabilität eines Staates als entscheidende Schranke der Aufnahmepflicht. Auch Stichworte wie Integrationsbereitschaft und Integrationsfähigkeit als Faktoren einer solchen Stabilität klingen bei diesem Vorbehalt an. Eine weitere Einschränkung, die *Pufendorf* im gleichen Zusammenhang formuliert, mutet zunächst geringfügig an, stellt im Kern jedoch alles andere als eine Belanglosigkeit dar – sie betrifft die von *Grotius* artikulierte Behauptung, dass die Furcht eines Volkes rechtlich nicht relevant sei: im Gegensatz zu dem Gelehrten aus Holland geht *Pufendorf* davon aus, dass auch die bloße Angst, durch den Zustrom von Fremden geschädigt zu werden, das Schließen von Grenzen rechtfertigen kann[15]. In der Frage, ob die Gefahr einer Schädigung droht, entfernt sich *Pufendorf* damit vom Erfordernis objektiv nachprüfbarer Kriterien. Übersetzt in eine moderne Sprechweise ließe sich formulieren: an die Stelle einer objektiven Gefahrenprognose tritt ein weitgehend freier Beurteilungsspielraum. Wenn es darum geht zu umreißen, wie die Regierung eines Volkes von diesem Beurteilungsspielraum Gebrauch machen soll, legt *Pufendorf* Erwägungen nahe, die durch und durch egoistisch erscheinen. Bemerkenswert ist vor allem sein Hinweis, dass einige Republiken durch den Einlass von Fremden zugenommen, andere hingegen infolge ihrer Abschottungspolitik abgenommen hätten – dementsprechend habe die Regierung zu prüfen, in welchem Umfang es zweckmäßig sei, die Zahl der Einwohner durch Migration zu vermehren[16]. Mit anderen Worten: Regierungen dürfen eine eigennützig motivierte Immigrationsplanung betreiben. Auch die Möglichkeit einer Obergrenze spricht *Samuel von Pufendorf* mit dem ihm eigenen Sinn für politische Realitäten und Konfliktszenarien an: töricht handele derjenige, der so viele Gäste hereinlässt, dass diese ihn selbst hinausjagen könnten[17]. An diesem Punkt ist es freilich weniger die Gesetzmäßigkeit des souveränen Territorialstaats, welche die Tragweite der naturrechtlichen Forderungen innerhalb des Pufendorfschen Lehrgebäudes begrenzt, als vielmehr jene Art von Erwägung, die man heutzutage den gesunden Menschenverstand nennen würde. Vor dem Hintergrund der Flüchtlingssituation in Griechenland und Italien frappieren insbesondere *Pufendorfs* Überlegungen zu dem Fall, dass die einreisewilligen Fremden mit Booten an der Küste eintreffen: wenn sich dergleichen ereignet, dürfe der Staat an Ort und Stelle erforschen, mit welchen Personen er es zu tun hat und ob diese das Territorium als Freunde oder als

14 S. von Pufendorf, *Acht Bücher vom Natur- und Völkerrecht*, Bd. 1, Frankfurt a. M., 1711, S. 620.
15 S. von Pufendorf, a.a.O. (Fn. 14), S. 614.
16 S. von Pufendorf, a.a.O. (Fn. 14), S. 620.
17 S. von Pufendorf, a.a.O. (Fn. 14), S. 603.

Feinde betreten. Für die Dauer der Untersuchung seien die Ankömmlinge in Hütten und Zelten am Ufer einzuquartieren (man könnte dafür ebenso gut den Terminus ‚Hotspot' verwenden), wobei *Pufendorf* die Einrichtung dieser Unterkünfte als eigene Angelegenheit der an Land gegangenen Boatpeople ansieht[18]. Angesichts all dieser Relativierungen einer (in der Vorstellungswelt der Naturrechtslehre) ursprünglich vorhandenen Einreisefreiheit verwundert es nicht, dass *Pufendorf* auch die Stellung der aufgenommenen Flüchtlinge wesentlich schwächer als *Grotius* bestimmt. Das Recht, ungenutztes Land zu besiedeln, besteht seiner Ansicht nach nicht: die zugelassenen Fremden haben sich mit dem zufrieden zu geben, was ihnen zugeteilt wird[19]. Auch in der Frage, ob man sie im Falle einer Hungersnot ausweisen darf, rückt *Pufendorf* weit von *Grotius* ab: sofern sich kein anderer Ausweg eröffnet, müsse es rechtmäßig sein, die Hungersnot durch eine Vertreibung der aufgenommenen Fremden zu lindern[20]. Fragen dieser Art, wie sie sich *Pufendorf* vorgelegt hat, tauchen auch in der gegenwärtigen politischen Diskussion auf – ebenso wie manche der Lösungsansätze, zu denen der sächsische Rechtsphilosoph und Naturrechtslehrer gelangt ist. Nicht selten handelt es sich dabei um die Vorschläge von Regierungen, Parteien und Gruppen, welche in einer fundamentalen Gegnerschaft zur Berliner Flüchtlingspolitik stehen.

Pufendorfs Äußerungen zur Immigrationshoheit sind indes noch unter einem anderen Aspekt von Interesse – sie bezeugen, wie die naturrechtliche Doktrin des 17. Jahrhunderts jenen Druck auszuhalten vermochte, den die Logik der souveränen Territorialstaatlichkeit in immer stärkerem Maße auf viele ihrer zentralen Lehrsätze und Prämissen ausgeübt hat. Dass Gesetzmäßigkeiten und Konsequenzen des territorialstaatlichen Ordnungsmodells zu christlichen und humanistischen Werten in Widerspruch treten, scheint einen solch bedeutenden Rechtsgelehrten wie *Samuel von Pufendorf* zumindest im Hinblick auf die Immigrationshoheit nicht wesentlich zu irritieren. Grenzen der naturrechtlichen Postulate gewinnt er in erster Linie aus mehr oder minder plausiblen Erwägungen über die Risiken, welche die Migration birgt; dass es die Ordnungsform Staat ist, die diese Risiken zu verarbeiten hat und dabei zu den naturrechtlichen Geboten in einen Widerspruch tritt, spielte bei seinem Konzept allenfalls eine untergeordnete Rolle. Unmittelbar greifbar und als theoretisches Problem erfasst wird dieser Gegensatz im 18. Jahrhundert, insbesondere bei *Emer de Vattel*. In der Frage der Immigrationshoheit zieht er sich als ein Zwiespalt durch dessen Hauptwerk „Le droit

18 S. VON PUFENDORF, a.a.O. (Fn. 14), S. 614.
19 S. VON PUFENDORF, a.a.O. (Fn. 14), S. 621.
20 S. VON PUFENDORF, a.a.O. (Fn. 14), S. 618 (bei expliziter Auseinandersetzung mit den Lehren von Grotius).

des gens“[21]. Einerseits sieht *Vattel* wesentlich klarer als *Pufendorf*, dass Logik und Eigengesetzlichkeit der souveränen Territorialstaatlichkeit im Falle der Immigrationshoheit in eine Preisgabe von Geboten der Menschlichkeit münden – insbesondere in die Preisgabe des Gebots, Menschen in Not aufzunehmen. Andererseits steht er als Jurist fest genug auf dem Boden eben dieser (inzwischen klar etablierten) Herrschaftsstruktur[22], um zu erfassen, dass sich entsprechende Gebote der Mitmenschlichkeit mit den zwingenden juristischen Konsequenzen des sich entwickelnden ius publicum europaeum[23] nicht ohne weiteres zusammenbringen, geschweige denn vereinbaren lassen. Wie seine Vorgänger geht auch *Vattel* davon aus, dass ein ursprüngliches Menschenrecht auf freien Zugang zu jedem beliebigen Land existiert, das als solches fortdauere; sogleich jedoch beeilt er sich zu ergänzen, dass die Ausübung dieses Rechtes durch die Einführung des Eigentums und der Herrschaft beschränkt worden sei[24]. Mit *Hugo Grotius* betont er, dass man diejenigen Menschen, die aus ihrer Heimat verjagt worden sind, nicht ohne einen triftigen Grund zurückweisen dürfe[25]. Als einen solchen triftigen Grund sieht er – ebenso wie *Pufendorf* – die Gefahr an, dass die Gruppe der Ankömmlinge die Sitten der Bürger verdirbt oder den Religionsfrieden stört[26]. Die drohende Destabilisierung des Staates aufgrund einer unzureichenden Integrationsbereitschaft der Fremden kann somit auch nach *Vattel* deren Abweisung rechtfertigen. Gleiches gilt für den Mangel an bewohnbarem Land[27]. Ob einer dieser Tatbestände erfüllt ist, habe die jeweilige Nation selbst und allein zu entscheiden[28]. Im Interesse des Staatswohls hält *Vattel* sogar eine gänzliche Ab-

21 Den Zwiespalt im Werk von Vattel bemerkt auch J. A. R. Nafziger, a.a.O. (Fn. 1), S. 804 (811 f). („it is often ambiguous“).

22 Zum Problem, dass jedes (säkulare) juristische Denken vom Boden einer konkreten staatlichen Ordnung ausgehen muss, vgl. S. Haack, „Die Geburt der Dogmatik aus dem Geist des Prozesses“, *Rechtstheorie* 46, 2015, S. 281 (307 ff).

23 Der Begriff ‚ius publicum europaeum‘ wird hier in der von C. Schmitt geprägten Bedeutung verwendet (vgl. dens., *Der Nomos der Erde*, Berlin, 1997 (4. Auflage), S. 112 ff. und passim). Kritisch dazu A. von Bogdandy / S. Hinghofer-Szalkay, „Das etwas unheimliche Ius Publicum Europaeum“, *Zeitschrift für ausländisches öffentliches Recht und Völkerrecht* 73, 2013, S. 209.

24 E. de Vattel, *Le droit des gens ou principes de la loi naturelle* (1758), Tübingen, 1959, S. 240.

25 E. de Vattel, a.a.O. (Fn. 24), S. 151, 241.

26 E. de Vattel, a.a.O. (Fn. 24), S. 152.

27 E. de Vattel, a.a.O. (Fn. 24), S. 241.

28 Einen ähnlichen Standpunkt vertrat vor Vattel bereits Ch. Wolff: „Weil aber nach der den Völkern eignen Freiheit einem jeden Volk, oder dem der das Recht desselben hat, anheim zu stellen ist, dass er urteile, ob ihm ein gewisser Durchgang unschädlich sei, und ob die Republik daraus, dass sich ein Fremder in seinem Gebiete aufhält, einen Schaden zu besorgen habe, und es bei diesem Urteil sein Bewenden haben muss, so ist es ohne ausdrückliche, oder stillschweigende Einwilligung des Herrn über ein Gebiet nicht erlaubt durch dasselbe zu gehen, oder sich darin aufzuhalten. Aus eben dem Grunde erhellt, dass es auf dem Willen des Herrn des Gebietes beruhe, unter welcher Bedingung er solches verstatten wolle.“ (*Grundsätze des Natur- und Völkerrechts*, Halle, 1754, S. 825).

weisung von Fremden für rechtens: durch eine solche Maßnahme würden weder die Rechte der Fremden noch die Pflichten des Volkes verletzt, die aus dem Gebot der Menschlichkeit folgen – Letzteres gestatte es, im Falle eines Konflikts den eigenen Interessen den Vorrang zu geben[29]. Dass einige seiner Lehren in theoretischer Hinsicht miteinander nur schwer zu vereinbaren sind, war auch dem Schweizer Völkerrechtslehrer bewusst. Seine Bemühungen, diesen Gegensatz aufzulösen, wirken indes eher gezwungen als überzeugend: im Außenverhältnis der souveränen Staaten zueinander herrsche eine weitgehende Freiheit, über die Zulassung von Ausländern zum Staatsgebiet zu entscheiden; demgegenüber sollen im Inneren eines Staates die naturrechtlichen Bindungen des Souveräns greifen, die ihn zum humanen Handeln verpflichten[30]. *Vattel* spricht hier, im Kontext der Immigrationshoheit, ausdrücklich von einem Missbrauch seiner äußeren Rechtsmacht, wenn der Souverän gegen die naturrechtlich begründeten Pflichten verstößt[31]. Es drängt sich freilich die Nachfrage auf, wieso die naturrechtlichen Bindungen der Regierungsgewalt, wenn man solche denn annehmen will, nicht auch im Außenverhältnis der Staaten bestehen. Die Antwort ist einfach und lautet: weil *Vattel* – wie die gesamte spätere Völkerrechtslehre – die Ordnungsform des souveränen und ungebundenen Territorialstaats als das höchste Prinzip des Völkerrechts ansieht. Aus der Unterscheidung von Innen- und Außenverhältnis ergibt sich zudem, dass nur die äußere Ungebundenheit erhalten bleibt, wenn die Überzeugungskraft der naturrechtlichen Regierungspflichten im Staatsinnern verblasst ist. Wusste *Vattel* oder hat er zumindest geahnt, dass es darauf hinauslaufen wird? Neben den hilflos anmutenden Bemühungen, beide Prinzipien – die Logik der souveränen Territorialstaatlichkeit und das naturrechtlich begründete Gebot der Mitmenschlichkeit – in einen wie auch immer gearteten rechtskonstruktiven Einklang zu bringen[32], lässt sich bei *Emer de Vattel* eine ganze Reihe von Überlegungen finden, wie praktische Kompromisse zwischen diesen konfligierenden Normativitäten hergestellt werden könnten: Flüchtlingen sei das Niederlassungsrecht nur für eine bestimmte Zeit zu gewähren; nach dem Ablauf dieser Frist sei eine Ausweisung möglich, sofern sie andernorts Schutz finden könnten[33]. Auch dürfe die Regierung den aufgenommenen Menschen verbieten, geschlossen in ein und demselben Landstrich zu wohnen, um zu verhindern, dass die Personengruppe der Fremden als Volksgebilde fortexistiert. Der Aufnahmestaat sei berechtigt, Flüchtlinge voneinander zu trennen und auf die

29 E. de Vattel, a.a.O. (Fn. 24), S. 227, 241.
30 E. de Vattel, a.a.O. (Fn. 24), S. 246; vgl. dazu J. A. R. Nafziger, a.a.O. (Fn. 1), 804 (814).
31 E. de Vattel, a.a.O. (Fn. 24), S. 246.
32 Von einer „synthesis of natural law and positivism, with an emphasis on the latter", spricht im Hinblick auf das Werk von Vattel J. A. R. Nafziger, a.a.O. (Fn. 1), S. 804 (811).
33 E. de Vattel, a.a.O. (Fn. 24), S. 241.

bevölkerungsarmen Städte und Gegenden zu verteilen[34]. Vergleichbares sieht nunmehr § 12a AufenthG für Asylbewerber, Konventionsflüchtige und subsidiär Schutzberechtigte vor, der im Zuge des sog. Integrationsgesetzes[35] eingefügt worden ist. Bezeichnenderweise führt *Vattel* diesen Gedanken mit einer Pointe zu Ende, welche die Konsequenzen der souveränen Territorialstaatlichkeit in ihrer ganzen Unerbittlichkeit aufzeigt: ein Volk, das sein Territorium eingebüßt hat, verliere sein politisches Existenzrecht – neque verum esse, qui suos fines tueri non potuerint, alienos occupare[36]. Bezogen auf die uneingeschränkte Gebietsherrschaft, artikuliert sich darin der klare Triumph des territorialstaatlichen Ordnungsprinzips und des hiermit einhergehenden ius publicum europaeum.

Indem sich dieses Prinzip durchgesetzt hat – zuerst in Europa, später in allen anderen Teilen der Welt[37] –, wurde die Immigrationshoheit vollends zur Angelegenheit des souveränen Territorialstaats. Ihre nachdrücklichste Formulierung und ihren Höhepunkt fand die Doktrin von der schrankenlosen Immigrationshoheit des Staates in verschiedenen Entscheidungen des U.S. Supreme Court zum Ende des 19. Jahrhunderts, in denen es um eine Begrenzung des Zuzugs von japanischen und chinesischen Einwanderern ging[38]. Bei diesem Grundsatz ist es bis heute geblieben: souveräne Staaten dürfen autonom darüber entscheiden, in welchem Umfang und aus welchen Gründen sie den einreisewilligen Fremden Zutritt, Aufenthalt und Niederlassung gestatten[39]. Will man die völkerrechtlichen Grenzen dieser Immigrationshoheit bestimmen, so kommt es zunächst darauf an, die Prämissen richtig zu setzen: der Logik des Ordnungsmodells souveräner Territorialstaatlichkeit (und somit auch der Logik des modernen ius inter gentes) entspricht es, dass den Staaten all das erlaubt ist, was das Völkerrecht nicht verbietet. Zu suchen ist deshalb nicht etwa nach der Befugnis, die Grenzen für Im-

34 E. de Vattel, a.a.O. (Fn. 24), S. 246 f.

35 Integrationsgesetz vom 31.07.2016, Bundesgesetzblatt I, S. 1939.

36 E. de Vattel (a.a.O. [Fn. 24], S. 247 Fn. 29) zitiert J. Caesar, *De bello Gallico*, Lib. IV. Cap. VIII. Auch S. von Pufendorf (a.a.O. [Fn. 14], S. 621) beruft sich im Kontext der Immigrationshoheit auf diese Stelle.

37 Vgl. dazu S. Haack, „Failed Law", *Jahrbuch des Öffentlichen Rechts* 63, 2015, S. 167 (168 f).

38 The Chinese Exclusion Case, 130 U.S. 581 (1889); Nishimura Ekiu v. United States, 142 U.S. 651 (1892); Fong Yue Ting v. United States, 149 U.S. 698 (1893); dazu J. A. R. Nafziger, a.a.O. (Fn. 1), S. 804 (823 ff.), der u.a. thematisiert, inwieweit sich die fraglichen Aussagen des U.S. Supreme Court auf das Völkerrecht oder auf die US-amerikanische Verfassung beziehen.

39 J. Delbrück / R. Wolfrum, *Völkerrecht*, Bd. I/2, Berlin, 2002 (2. Auflage), S. 106 f. (die eine vollständige Abschottung des Staates gegenüber Fremden als unzulässig betrachten); K. Doehring, *Völkerrecht*, Heidelberg, 2004 (2. Auflage), S. 374 f.; R. Jennings / A. Watts, *Oppenheim's International Law*, Bd. I, Oxford, 2008 (9. Auflage), S. 897 f.; vgl. auch E. Eichenhofer, „Einreisefreiheit und Ausreisefreiheit", *Zeitschrift für Ausländerrecht und Ausländerpolitik* 2013, S. 135 (139 ff.) (der die Entwicklung einer völkerrechtlichen Einreisefreiheit für rechtspolitisch erstrebenswert hält). Siehe dazu ferner J. A. R. Nafziger, a.a.O. (Fn. 1), 804.

migranten zu schließen[40], sondern zu suchen ist nach völkerrechtlichen Pflichten, die Grenzen für bestimmte Personengruppen zu öffnen und geöffnet zu halten. Pflichten dieser Art können sich nur aus internationalen Verträgen oder aus völkergewohnheitsrechtlichen Normen ergeben.

II. Wandlungen und Beschränkungen der Immigrationshoheit im gegenwärtigen Recht

Seit der Mitte des 20. Jahrhunderts steht das Konzept der souveränen Territorialstaatlichkeit in verschiedener Hinsicht in Frage – und mit ihm zugleich die Immigrationshoheit des Staates. Wesentliche Gründe dieses Relativierungsprozesses sind zum einen der internationale Menschenrechtsschutz, zum zweiten die supranationale Integration der europäischen Staaten und zum dritten die Instabilität und Brüchigkeit dieses Ordnungsmodells, dessen Scheitern in manchen Regionen der Welt zu beobachten ist.

Hinsichtlich des internationalen Menschenrechtsschutzes ist es zunächst einmal nötig, die juristische Fragestellung von ethischen und philosophischen Diskussionen[41] über ein ‚Menschenrecht' auf Migration und die Abschaffung zwischenstaatlicher Grenzen[42], wie sie seitens des Open-Borders-Netzwerks eingefordert und vorangebracht wird, zu unterscheiden – Gegenstand einer juristischen Betrachtungsweise ist das geltende Recht. Im Bereich des Menschen-

40 Beispielhaft für eine solche Herangehensweise: J. A. R. NAFZIGER, a.a.O. (Fn. 1), S. 804 (816 ff).

41 Siehe hierfür beispielsweise: M. BLAKE / M. RISSE, „Is There a Human Right to Free Movement? Immigration and Original Ownership of the Earth", *John F. Kennedy School of Government, Faculty Research Working Paper Series*, RWP 06-12, April 2006, passim; W. BLOCK / G. CALLAHAN, „Is There a Right to Immigration? A Libertarian Perspective", *Human Rights Review* 5, 2003, S. 46; P. HIGGINS, „Open Borders and the Right to Immigration", *Human Rights Review* 9, 2008, S. 525 – jeweils m.w.N.

42 Dass der Zeitgeist dazu tendiert, die Funktion von Grenzen in Frage zu stellen, wird scharfsichtig beobachtet von J. ISENSEE, *Recht als Grenze – Grenze des Rechts*, Bonn, 2009, S. 8: „Der ‚offene' Zeitgeist reibt sich an den Grenzen und strebt danach, sie zu lockern, beweglich und durchlässig zu machen, zu verschieben und tunlichst aufzuheben. Einseitig werden Grenzen nur als Hemmnisse der Mobilität und Handlungsfreiheit gesehen, nur als Ausschluss von Möglichkeiten, in denen das Glück des Einzelnen enthalten sein könnte, nur als Gründe der Ungleichheit zwischen den Eingeschlossenen und den Ausgeschlossenen, zwischen Zugehörigen und Fremden." Diese Beobachtung gilt für zahlreiche Arten von Grenzen, auch für die territorialen Grenzen von Staaten. Bestätigt sich hier auf überraschend direkte und naheliegende Weise die Annahme von O. SPENGLER, wonach im Streben zum Grenzenlosen und Indefiniten ein wesentliches Merkmal des abendländischen Charakters zu erblicken sein soll? Vgl. dazu DERS., *Der Untergang des Abendlandes*, Bd. 1, München, 1920, S. 456 ff. (insbesondere S. 464: der „grenzenlose Raum" als „Ursymbol" der abendländischen „Seele").

rechtsschutzes[43] ist es in erster Linie das Völkervertragsrecht, welches die Immigrationshoheit des Staates beschränkt[44] – für Europa spielt hierfür neben der Genfer Flüchtlingskonvention[45] insbesondere die EMRK eine entscheidende Rolle. Obgleich der Umfang und die Intensität des menschenrechtlichen Schutzes für Flüchtlinge und Asylsuchende, die nach Europa kommen, in der Vergangenheit durch eine Reihe von Urteilen des EGMR fortentwickelt und aktuellen Erfordernissen angepasst worden sind[46], lässt sich auch für den europäischen Raum keine grundsätzliche Abkehr von den Prämissen der souveränen Territorialstaatlichkeit im Hinblick auf die Gewährleistung von Menschenrechten begründen. Wo menschenrechtliche Abkommen wie die EMRK die Vertragsstaaten dazu verpflichten, den Angehörigen eines anderen Staates die Einreise und den Aufenthalt zu gestatten, hat man es durchweg mit speziellen, gegenständlich bestimmten und limitierten Regelungen zu tun[47]: entsprechende Tatbestände des völkervertragsrechtlichen Menschenrechtsschutzes setzen hinreichend konkrete Gefahren für individuelle Rechtsgüter voraus (wie z. B. das Leben und die Gesundheit, aber auch die Zusammengehörigkeit der Familie) und sind somit auf klar definierte Schutzzwecke bezogen. Ein universelles Recht auf Einreise in fremde Staaten ist weder in der EMRK noch in sonstigen internationalen Verträgen zu finden. Auch im Völkergewohnheitsrecht ist keinerlei Norm nachzuweisen, die den einzelnen voraussetzungslos dazu berechtigt, in einen fremden Staat einzureisen und sich in selbigem niederzulassen. Zur Öffnung der Grenzen für Fremde sind Staaten nur insoweit verpflichtet, wie deren Leben oder ein anderes höchstrangiges Rechtsgut im Falle ihrer Abweisung aufgrund einer drohenden Verfolgung direkt und eindeutig gefährdet erscheint – das völkerrechtliche Schrifttum bezeichnet diesen Rechtssatz (der in Art. 33 Abs. 1 GFK auch ver-

43 Völkerrechtliche Verträge, welche die Immigrationshoheit betreffen, finden sich freilich auch außerhalb des Menschenrechtsschutzes, insbesondere im Bereich des wirtschaftlichen Verkehrs, vgl. dazu F. Berber, *Lehrbuch des Völkerrechts*, Bd. 1, München u.a., 1960, S. 378 f.; J. Delbrück / R. Wolfrum, a.a.O. (Fn. 39), S. 111 f.; K. Doehring, „Aliens, Admission", a.a.O. (Fn. 1), S. 107, 108 f.

44 Vgl. J. Delbrück / R. Wolfrum, a.a.O. (Fn. 39), S. 112 f.; K. Doehring, „Aliens, Admission", a.a.O. (Fn. 1), S. 107, 108.

45 Dazu im Kontext der aktuellen Flüchtlingsproblematik K. Ritgen, „Völker-, unions- und verfassungsrechtliche Möglichkeiten einer Begrenzung der Zuwanderung von Flüchtlingen und Asylsuchenden", *Deutsches Verwaltungsblatt* 2016, S. 137 (142 ff).

46 Siehe insbesondere EGMR, Urteil vom 23.02.2012, *Hirsi Jamaa u.a../.Italien*, *Neue Zeitschrift für Verwaltungsrecht* 2012, S. 809 (Beschwerde Nr. 27765/09); EGMR, Urteil vom 01.09.2015, *Khlaifia u.a../.Italien*, unveröff. (Beschwerde Nr. 16483/12); vgl. dazu aus der Literatur: M. Lehnert / N. Markard, „Mittelmeerroulette – Das Hirsi-Urteil des EGMR und die europäische Grenzschutzpolitik auf See", *Zeitschrift für Ausländerrecht und Ausländerpolitik* 2012, S. 194.

47 Vgl. auch E. Eichenhofer, a.a.O. (Fn. 39), S. 135 (139).

tragsrechtlich niedergelegt ist[48]) als ‚Refoulement-Verbot'[49]. Sofern die Fremden von einem sicheren Drittstaat her einreisen wollen, liegt eine solche Gefährdung nicht vor[50]. Doch selbst dann, wenn die tatbestandlichen Voraussetzungen des Refoulement-Verbotes erfüllt sind, kann die Verpflichtung zur Aufnahme von Fremden entfallen, falls eine solche Zulassung mit hoher Wahrscheinlichkeit zu einem Staatsnotstand führt[51]. Um einen solchen handelt es sich, „wenn in einem größeren Umfang die Wahrnehmung wesentlicher staatlicher Aufgaben sowie die öffentliche Sicherheit" in Gefahr sind[52]. In diesem Zusammenhang wird in der rechtswissenschaftlichen Literatur auch der Fall einer Massenflucht angeführt[53]. Dem geltenden Völkerrecht zufolge sind Staaten berechtigt, vorrangig sich selbst und die eigenen Bürger vor Schäden zu bewahren – es gibt keine andere Macht, die diesen Schutz übernimmt[54].

Das EU-Recht schränkt die Immigrationshoheit der europäischen Staaten insbesondere dann ein, wenn es um Wanderungsbewegungen von EU-Bürgern innerhalb der Union geht[55]. Ein Blick auf die Regelungen und die Rechtsprechung zur Binnenfreizügigkeit lässt vermuten, dass die Immigrationshoheit des Staates für Fragen der Einreise und der Niederlassung von Unionsbürgern als juristische Konzeption obsolet ist: über die Gewährleistungen der Freizügigkeit durch die wirtschaftlichen Grundfreiheiten hinaus leitete der EuGH aus der Unionsbürgerschaft ein umfassendes Recht auf freie Niederlassung in anderen EU-Staaten ab[56]. Den Unionsbürgern wird hierdurch „ein weitgehendes, zunehmend entökonomisiertes und staatlicher Migrationssteuerung entgegengerichtetes Recht"[57] auf Einreise und Aufenthalt eingeräumt[58]. Für diejenigen, welche dauerhaft in einem anderen Mitgliedstaat leben, wurde aus Art. 20 und 21 AEUV ein umfassender Schutz gegen repressive und diskriminierende Maßnahmen entwickelt,

48 Vgl. dazu K. RITGEN, a.a.O. (Fn. 45), S. 137 (142).

49 K. DOEHRING, „Aliens, Admission", a.a.O. (Fn. 1), S. 107, 108. Näher zu den Voraussetzungen dieses Verbots (mit Abweichungen im einzelnen): J. DELBRÜCK / R. WOLFRUM, a.a.O. (Fn. 39), S. 110; K. DOEHRING, *Völkerrecht*, a.a.O. (Fn. 39), S. 375; E. EICHENHOFER, a.a.O (Fn. 39), S. 135 (140).

50 K. RITGEN, a.a.O. (Fn. 45), S. 137 (142).

51 W. KLUTH, „Begrenzung der Schutzgewährung versus alternative Formen der Migrationssteuerung", *Zeitschrift für Ausländerrecht und Ausländerpolitik* 2016, S. 1, 5.

52 W. KLUTH, a.a.O. (Fn. 51), S. 1, 5.

53 K. DOEHRING, *Völkerrecht*, a.a.O. (Fn. 39), S. 375.

54 K. DOEHRING, *Völkerrecht*, a.a.O (Fn. 39), S. 375.

55 Siehe dazu aus der Fülle der Literatur beispielsweise: W. KLUTH, „Recht auf Auswanderung – Recht auf Einwanderung?", in: LUFT / SCHIMANY (Hrsg.), *20 Jahre Asylkompromiss*, Bielefeld, 2014, S. 169 (177 ff).

56 Siehe dazu statt vieler M. HERDEGEN, *Europarecht*, München, 2015 (17. Auflage), S. 271 ff.

57 K. F. GÄRDITZ, „Der Bürgerstatus im Lichte von Migration und europäischer Integration", *Veröffentlichungen der Vereinigung der Deutschen Staatsrechtslehrer* 72, 2013, S. 49 (64 f).

58 E. EICHENHOFER, a.a.O. (Fn. 39), S. 135 (137 f.), spricht gar von einem „supranationale[n] Menschenrecht auf Migration innerhalb der EU".

dies nicht zuletzt im Hinblick auf die Ausweisung als herkömmliches und wirkungsvollstes Instrument des Ausländerrechts[59]. Nichtsdestoweniger existieren für die rechtsetzende und rechtsanwendende Tätigkeit der EU Voraussetzungen und Vorbehalte, die jene Beschränkung der staatlichen Immigrationshoheit ihrerseits limitieren – dies möglicherweise auch unter dem Gesichtspunkt einer unverzichtbaren Eigenverantwortlichkeit der Mitgliedstaaten bei Fragen, welche unmittelbar den Bestand der staatlichen Ordnung betreffen. Mit dem Problem eines Staatsnotstands war das europäische Recht bisher noch nicht konfrontiert; wie es damit umgehen soll, wurde in der Rechtswissenschaft erst partiell untersucht. Zufriedenstellend zu klären ist dieses Thema nur dann, wenn man sich mit den Grundlagen des europäischen Integrationsprozesses beschäftigt. Welche juristische Leistungskraft die Unionsbürgerschaft und die Grundfreiheiten in Krisenzeiten entfalten, hängt in erster Linie von der ungelösten Frage nach der rechtlichen Beschaffenheit des supranationalen Integrationsprojekts ab[60], und damit zugleich (auch dieses Defizit ist als solches klar zu benennen!) von der nicht weniger offenen Frage nach der rechtlichen Beschaffenheit des supranational eingebundenen Staates. Versuche, die theoretische Klärung dieser Ungewissheiten unter Hinweis auf den vermeintlichen sui-generis-Charakter der EU als akademisches Glasperlenspiel abzutun oder die Beschäftigung mit den rechtspraktischen Konsequenzen auf unbestimmte Zeit zu vertagen, haben nach der Eurokrise, dem Flüchtlingswirrwarr und dem Ausgang des britischen Referendums über den Austritt endgültig als misslungen zu gelten. Man muss sich an diesem Punkt ernstlich fragen, warum sich bislang keiner der zahllosen Erklärungsansätze zur EU als einem neuartigen Herrschaftstypus durchsetzen konnte – und mehr noch: warum sie außerhalb bestimmter akademischer Zirkel nicht einmal in einem erwähnenswerten Umfang rezipiert worden sind. Spricht dies nicht dafür, dass ein passendes theoretisches Konzept noch nicht vorgelegt worden ist? Sollte es nicht an der Zeit sein, die europäischen Institutionen und Organe als das zu betrachten, was sie vom Standpunkt einer juristischen Staatslehre aus sind, die von der Realität des Politischen und dem Fortbestehen der Staatlichkeit ausgeht: nämlich Bestandteile jedes einzelnen Staates[61]? Der gegenwärtige Staat wäre demnach ganz

59 Vgl. Th. Oppermann / C. D. Classen / M. Nettesheim, *Europarecht*, München, 2016 (7. Auflage), S. 262.

60 Dass diese Probleme ungelöst sind, hat nicht zuletzt die Rechtsprechung zum Kernbereich der Unionsbürgerschaft bewusst werden lassen. Vgl. dazu S. Haack, „Staatsangehörigkeit – Unionsbürgerschaft – Völkerrechtssubjektivität", in: Isensee / Kirchhof (Hrsg.), *Handbuch des Staatsrechts*, Bd. X, Heidelberg, 2012 (3. Auflage), S. 33 (56 f.); K. Hailbronner / D. Thym, „Ruiz Zambrano – Die Entdeckung des Kernbereichs der Unionsbürgerschaft", *Neue Juristische Wochenschrift* 2011, 2008; A. Haratsch / Ch. Koenig / M. Pechstein, *Europarecht*, Tübingen, 2014 (9. Auflage), S. 350 ff. – jeweils m.w.N.

61 Eine vertiefte Erläuterung dieses Konzepts, das hier nur angedeutet werden kann, ist nachzulesen unter: S. Haack, *Der Staat mit den geteilten Organen*, Paderborn u.a., 2013, S. 21 ff.; ders., „Demokratie mit Zukunft?", *Juristenzeitung* 2012, S. 753 (756 ff).

anders beschaffen, als man dies bislang gemeint hat: er wäre schon längst nicht mehr der sich selbst genügende Nationalstaat, der in einer solchen Vollkommenheit und Restlosigkeit territorial radiziert ist, dass man Gefahr läuft, ihn mit seinem Gebietszuschnitt gleichzusetzen und zu verwechseln (falls es Staaten dieser Art jemals gab); er wäre jedoch auch nicht der integrierte, in höhere Ordnungen eingebundene Staat, sondern er wäre ein politisches Gebilde, das mit seinesgleichen Organe und Institutionen zur gemeinsamen Nutzung einrichtet, um hierdurch auf europaweite oder globale Entwicklungen Einfluss zu nehmen. Vor diesem Hintergrund muss es erlaubt sein zu zweifeln, ob die Mitgliedstaaten der EU im Hinblick auf die innereuropäische Freizügigkeit ihre Immigrationshoheit tatsächlich eingebüßt haben. Wäre es nicht treffender zu behaupten, dass sie von den Mitgliedstaaten der EU mittels gemeinsamer europäischer Organe ausgeübt wird?

Mit dem dritten Gesichtspunkt, unter dem das Konzept der staatlichen Immigrationshoheit gegenwärtig herausgefordert erscheint, kehren wir zum Ausgangspunkt unserer Überlegungen – zu *Vitoria*, *Grotius*, *Pufendorf* und *Vattel* – zurück. Die Beschäftigung mit den Klassikern des ius publicum europaeum hatte ergeben, dass sich die Immigrationshoheit des Staates als juristische Kategorie zusammen mit der Logik der territorialstaatlichen Ordnung gegenüber der naturrechtlichen Vorstellung einer umfassenden Einreisefreiheit Schritt für Schritt durchgesetzt hat. Lässt sich daraus schlussfolgern, Territorialstaat und Immigrationshoheit seien in der Weise miteinander verknüpft, dass diese ohne jenen undenkbar ist? Als ein Problem des internationalen Rechts tritt dieses Thema zutage, wo die Territorialstaatlichkeit als politische Ordnungsform erodiert und an einem mehr oder weniger starken Legitimitätsdefizit leidet. Eine Rechtsmacht des Staates, den Zustrom oder den Durchzug von Fremden auszuschließen oder zu regeln, kann von vornherein nur in jenem Umfang bestehen, in dem die staatliche Herrschaft über das Territorium, genauer gesagt: über diejenigen Menschen, die das Territorium besiedeln, als solche rechtens und legitim ist. Gesetzt den Fall, dass sich der Territorialstaat in seiner gegenwärtigen Prägung für bestimmte Teile der Welt als oktroyierte und daher illegitime Ordnungsform darstellt: welche Elemente des staatenzentrierten ius inter gentes dürfen dann überhaupt noch als legitim und rechtlich bindend eingestuft werden? Das Scheitern des territorialstaatlichen Ordnungsmodells in einigen Teilen Afrikas und Vorderasiens und die damit einhergehenden katastrophalen Zustände, die eine der Hauptursachen für den Flüchtlingszustrom aus diesen Regionen darstellen, machen mit wachsender Gewissheit ersichtlich, dass die Völkerrechtslehre nicht umhin kommen wird, nach gänzlich neuen Lösungen hierfür zu suchen[62]. Wer

62 Dazu ausführlich: S. Haack, „Failed Law“, *Jahrbuch des Öffentlichen Rechts* 63, 2015, S. 167.

sind und wie etablieren sich auf den Territorien von zerfallenden Staaten – beispielsweise in Bürgerkriegsländern – jene souveränen politischen Entitäten, die (mit Wirkungen weit in die Zukunft) über das Aufenthaltsrecht der Menschen in diesen Gebieten bestimmen? Die Rechtsmacht zu unterscheiden, wer berechtigt ist, ein Gebiet zu betreten und kurzzeitig oder dauerhaft zu besiedeln, muss in den Händen jener politischen Entität liegen, die aus sich selbst heraus festzulegen vermag, wer Teil dieser souveränen Gemeinschaft ist und wer nicht. Wenn Souveränität nichts anderes meint als die Fähigkeit, sich selbst eine höchste und unabgeleitete Ordnung zu geben[63], umfasst die Definition der souveränen politischen Gemeinschaft neben der Kompetenz, zwischen dem Zugehörigen und dem Fremden zu differenzieren, auch die Befugnis, die rechtlichen Beziehungen dieser Gemeinschaft, zu denen, die sie als fremd identifiziert hat, zu regeln. Im Hinblick auf die Gewährleistung eines solchen Gleichklangs von Zugehörigkeitsdefinition und Beherrschung des politischen Raums hat das territorialstaatliche Ordnungsmodell den Rahmen seiner Leitungsfähigkeit mittlerweile erschöpft – dass es auch unter zahlreichen weiteren Gesichtspunkten an seine Grenzen gelangt ist, sei hier nur am Rande vermerkt. Wo sich andere Ordnungsstrukturen, wie zum Beispiel Stammesherrschaften, zur maßgeblichen politischen Größe entwickeln, denen im Konfliktfall die Loyalität der einzelnen gilt, fällt ihnen sämtliches aus der Souveränität abzuleitende Recht zu – und somit auch die Kompetenz, über die Zulassung und den Status von Fremden autonom zu entscheiden. Hierbei sei noch einmal an *Francisco de Vitoria* erinnert – bereits der Umstand, dass dieser sich das Thema Einreisefreiheit mehr als einhundert Jahre vor dem Westfälischen Frieden, spricht also: vor der Herausbildung und dem Siegeszug des territorialstaatlichen Ordnungskonzepts vorgelegt hat, lässt deutlich werden, dass die Frage der Immigrationshoheit losgelöst von diesem Herrschaftsmodell gestellt werden kann und gestellt werden sollte. Kurzum: auch im Hinblick auf die Immigrationshoheit muss jenes sich zuspitzende Spannungsverhältnis zwischen dem universellen Durchsetzungsanspruch des territorialstaatlichen Herrschaftsmodells einerseits und seiner zeitlich und örtlich begrenzten Legitimität anderseits untersucht und als zentrales Problem eines künftigen ius inter gentes anerkannt werden. Welche Denker leisten hierbei die größere Hilfe: *Vitoria* und *Grotius*, die der Herrschaft von Menschen Grenzen aufzeigen wollten, oder *Pufendorf* und *Vattel*, die mit der Realität des Politischen rechnen und die juristischen Konsequenzen souveräner Gewalt anerkennen? Die Renaissancen

63 Vgl. dazu S. HAACK, „Primitive Staatstheorie“, *Der Staat* 51, 2012, S. 57 (88); DERS., „Ordnungstranszendierende Verfassungsdogmatik im Kontext der Staatlichkeitsfrage“, *Rechtstheorie* 43, 2012, S. 325 (339).

klassischer Autoren[64] liefern bisweilen gute Indizien dafür, in welche Richtung sich das juristische Denken entwickelt.

64 Zum Wiederaufleben des Interesses an Vitoria nach dem Ersten Weltkrieg s. C. SCHMITT, *Der Nomos der Erde*, Berlin, 1997 (4. Auflage), S. 87 ff.

Le régime juridique du franchissement des frontières intérieures de l'Union européenne face aux défis de la migration

Nuno Piçarra[*]

I. Introduction

1. Le régime juridique applicable au franchissement des frontières intérieures de l'Union européenne (ci-après dénommée « Union » ou « UE ») se trouve codifié actuellement par le règlement (UE) 2016/399 du Parlement européen et du Conseil du 9 mars 2016, « concernant un code de l'Union relatif au régime de franchissement des frontières par les personnes (code frontières Schengen) » (ci-après dénommé « CFS »)[1]. Le CFS a déjà fait l'objet d'une importante modification introduite par le règlement (UE) 2016/1624 du Parlement européen et du Conseil du 14 septembre 2016, relatif au corps européen de garde-frontières et de garde-côtes. Une telle modification se limite, d'ailleurs, à un article relevant du titre dédié aux frontières intérieures.

L'article 2, point 1, CFS définit les frontières intérieures comme *(i)* les frontières terrestres communes, y compris fluviales et lacustres, des États membres; *(ii)* les aéroports des États membres pour les vols intérieurs (définis au point 3 du même article comme « tout vol en provenance ou à destination exclusive des territoires des États membres et sans atterrissage sur le territoire d'un pays tiers »); *(iii)* les ports maritimes, fluviaux et lacustres des États membres pour les liaisons régulières intérieures par transbordeur, c'est-à-dire, « entre deux mêmes ports, ou davantage, situés sur le territoire des États membres, sans escale dans des ports situés en dehors du territoire des États membres, et assurant le transport de personnes et de véhicules selon un horaire publié » (point 4).

L'article 1er, 1er alinéa, CFS établit comme règle fondamentale « l'absence de contrôle aux frontières des personnes franchissant les frontières intérieures entre

* *Professeur de la Faculté de Droit de l'Université Nova de Lisbonne, membre du Réseau académique d'études juridiques sur l'immigration et l'asile en Europe (Réseau Odysseus) e du conseil d'administration de l'Agence des droits fondamentaux de l'Union européenne.*

1 Ce règlement a abrogé le règlement (CE) nº 562/2006 du Parlement européen et du Conseil du 15 mars 2006, « établissant un code communautaire relatif au régime de franchissement des frontières par les personnes (code frontières Schengen) ». Conformément à l'article 44, deuxième alinéa, du règlement 2016/399, les références faites au règlement abrogé s'entendent comme faites au nouveau règlement et sont à lire selon le tableau de correspondance figurant à l'annexe X de ce dernier.

les États membres de l'Union »[2]. L'article 22, compris dans le chapitre I (« Absence de contrôle aux frontières intérieures ») du titre III du CFS, précise, de son côté, que ces frontières « peuvent être franchies en tout lieu sans que des vérifications y soient effectuées sur les personnes, quelle que soit leur nationalité ».

La règle du franchissement des frontières intérieures de l'UE sans contrôle de personnes connaît cependant des exceptions qui sont prévues limitativement et de façon très détaillée aux articles 25 à 35 CFS, compris dans le chapitre II (« Réintroduction temporaire du contrôle aux frontières intérieures ») du titre III.

2. Ce texte commence par rappeler brièvement l'encadrement du régime applicable au franchissement des frontières intérieures au niveau des traités sur l'UE (II), ainsi que les antécédents de ce régime, à savoir, d'une part, l'article 2 de la convention d'application de l'accord de Schengen du 14 juin 1985 entre les gouvernement des États de l'Union économique Benelux, de l'Allemagne et de la France relatif à la suppression graduelle des contrôles aux frontières communes, signée le 19 juin 1990 (ci-après dénommée « Convention de Schengen ») et, d'autre part, les articles 23 à 31 de la version originaire du premier CFS, établi par le règlement n° 562/2006 (III).

Par la suite, le présent texte se penche sur les dispositions du CFS qui concrétisent l'absence du contrôle des personnes aux frontières intérieures, notamment sur son article 23, qui interdit l'exercice des compétences de police par les autorités compétentes des États Schengen en vertu de leur droit national d'avoir un effet équivalent à celui des vérifications aux frontières, y compris dans les zones frontalières (IV).

Enfin, seront examinées les dispositions du CFS qui prévoient la réintroduction temporaire du contrôle aux frontières intérieures (V), ainsi que leur application pratique afin de faire face à la « crise des migrants et des réfugiés sans précédent » avec laquelle l'UE est confrontée depuis l'été 2015 (VI).

2 Tous les États membres de l'UE ne sont pas intégrés dans l'espace sans contrôle aux frontières intérieures régi par le CFS. Ne font pas partie de cet espace – qui est aussi dénommé « espace Schengen », compte tenu de ses antécédents –, d'une part, le Royaume Uni et l'Irlande en vertu du Protocole n° 20, annexé aux traité sur l'UE (ci-après dénommé « TUE ») et au traité sur le fonctionnement de l'UE (ci-après dénommé « TFUE »), sur l'application de certains aspects de l'article 26 TFUE à ces deux États membres, combiné avec les articles 4 et 5 du Protocole n° 19 sur l'acquis de Schengen intégré dans le cadre de l'UE (voir les considérants 42 et 43 CFS). D'autre part, sont toujours hors de l'espace Schengen la Bulgarie, la Croatie, Chypre et la Roumanie parce que la décision du Conseil déterminant à l'unanimité la suppression du contrôle des personnes à leurs frontières communes avec les autres États Schengen n'a pas encore été adoptée pour aucun d'eux (voir les articles 1er, 2 et 7 du Protocole n° 19 et le considérant 44 CFS). Par ailleurs, quatre États non membres de l'UE, à savoir, l'Islande, la Norvège, la Suisse et le Liechtenstein sont intégrés dans l'espace Schengen en vertu d'accords de droit international conclus entre l'UE et ces États (voir l'article 6 du Protocole n° 19 et les considérants 39, 40 e 41 CFS). Les États intégrés dans cet espace seront dorénavant appelés « États Schengen ».

II. Les dispositions des traités sur l'Union européenne en matière de franchissement des frontières intérieures

3. Les dispositions du CFS citées ci-dessus concrétisent au niveau législatif ce que disposent les articles 67, paragraphe 2, et 77, paragraphe 1, point a), TFUE. Aux termes de cette dernière disposition, « l'Union développe une politique visant à assurer l'absence de tout contrôle des personnes, quelle que soit leur nationalité, lorsqu'elles franchissent les frontières intérieures». Une telle politique constitue un élément nucléaire de l'espace de liberté, sécurité et justice, défini par l'article 3, paragraphe 2, TUE comme un espace « sans frontières intérieures, au sein duquel est assurée la libre circulation des personnes, en liaison avec des mesures appropriées en matière de contrôle des frontières extérieures, d'asile, d'immigration ainsi que de prévention de la criminalité et de lutte contre ce phénomène ».

En vertu des dispositions combinées des articles 67, paragraphe 2, et 80 TFUE ces politiques communes de l'UE, ainsi que leur mise en œuvre, « sont régies par le principe de solidarité et de partage équitable de responsabilité entre les États membres, y compris sur le plan financier ».

Il convient d'ajouter dans ce contexte que le maintien et le développement d'un « espace sans contrôles aux frontières intérieures » (« espace Schengen ») a acquis une précédence sur l'établissement du marché intérieur, ainsi que le démontrent les paragraphes 2 et 3 de l'article 3 TUE, tels qu'amendés par le traité de Lisbonne. En effet, avant l'entrée en vigueur de ce traité, l'espace de liberté, de sécurité et de justice était considéré comme un corollaire du marché intérieur et, plus précisément, ce qu'il fallait mettre en place pour que ce marché puisse être considéré comme achevé[3]. Maintenant c'est cet espace qui encadre, en quelque sorte, le marché intérieur. Dans cette perspective, on peut dire que le « noyau dur » de l'espace de liberté, de sécurité et de justice est constitué par un « espace sans contrôles aux frontières intérieures ».

Aucune disposition des traités sur l'Union ne prévoit expressément la possibilité de réintroduire le contrôle aux frontières intérieures. Une telle possibilité est cependant considérée comme reconnue implicitement aux États membres par l'article 72 TFUE, à titre de l'exercice des responsabilités qui leur incombent pour le maintien de l'ordre public et la sauvegarde de la sécurité intérieure.

3 Voir le ex-article 2, 1er e 4ème tirets du Traité de Rome tel qu'amendé par le traité d'Amsterdam.

III. Les antécédentes de l'actuel régime de franchissement des frontières intérieures

4. Avant de devenir une politique commune de l'UE, l'absence de contrôles de personnes aux frontières intérieures – en liaison avec les politiques relatives au contrôle uniformisé aux frontières extérieures, à l'asile et à l'immigration, ainsi qu'avec la coopérations judiciaire en matière pénale et la coopération policière renforcées – avait été prévue et mise en place dans le cadre de la convention de Schengen, à partir du 26 mars 1995, par les trois États de l'Union économique Benelux (lesquels avaient déjà supprimé de tel contrôle à leurs frontières communes depuis plus d'une décennie), l'Allemagne, la France, l'Espagne et le Portugal, auxquels se sont joints plus tard l'Italie, l'Autriche et la Grèce.

Avec l'entrée en vigueur du traité d'Amsterdam le 1er mai 1999, l'accord et la convention de Schengen, ainsi que les accords connexes et les règles adoptées sur leur base – l'ensemble formant l'acquis de Schengen – ont été intégrés dans le cadre de l'UE par un protocole annexe, entre-temps amendé par le traité de Lisbonne et devenu le protocole n° 19, précité. Dans son préambule, ce protocole soulignait que l'acquis de Schengen vise « à renforcer l'intégration européenne et, en particulier, à permettre à l'UE de devenir plus rapidement un espace de liberté, de sécurité et de justice ».

5. L'article 2 de la convention de Schengen, tout en établissant au paragraphe 1er la règle du franchissement des frontières intérieures en tout lieu sans qu'un contrôle des personnes soit effectué, prévoyait au paragraphe 2 que : « toutefois, lorsque l'ordre public ou la sécurité nationale l'exigent, une Partie contractante peut, après consultation des autres Parties contractantes, décider que, durant une période limitée, des contrôles frontaliers nationaux adaptés à la situation seront effectués aux frontières intérieures. Si l'ordre public ou la sécurité nationale exigent une action immédiate, la Partie contractante concernée prend les mesures nécessaires et en informe le plus rapidement possible les autres Parties contractantes ».

La marge d'appréciation laissé aux Parties Contractantes pour appliquer cette disposition était très ample, en cohérence avec sa nature originaire de droit international et compte tenue de ce qu'elle continuait à relever d'une typique prérogative de souveraineté liée au contrôle des frontières, dénommée *jus includendi et excludendi*. Aucun critère supplémentaire pour la densification des notions d'ordre public ou de sécurité national n'était fourni dans ce contexte et aucun délai maximal n'était fixé pour le maintien du contrôle frontalier aux frontières intérieures, décidé souverainement par chaque Partie Contractante.

Transformé en droit communautaire à la suite de l'entrée en vigueur du traité d'Amsterdam, l'article 2, paragraphe 2, de la convention de Schengen est devenu d'interprétation restrictive, en tant qu'exception à la liberté fondamentale de circulation dans l'espace Schengen sans contrôle aux frontières intérieures. Toutefois, le traité d'Amsterdam a limité le contrôle juridictionnel de l'application de cette disposition, en insérant dans le traité de Rome l'ex-article 68, paragraphe 2, lequel excluait, « en tout état de cause », la compétence de la Cour de justice pour statuer sur les mesures ou décisions prises en matière de frontières « portant sur le maintien de l'ordre public et la sauvegarde de la sécurité intérieure » [4]. Cette disposition a été finalement abrogée par le traité de Lisbonne.

6. L'article 2 de la convention de Schengen a été repris et développé, pour ce qui est de son paragraphe 1er, par les articles 20 à 22 de la version originaire du règlement nº 562/2006 et, pour ce qui est de son paragraphe 2, par les articles 23 à 31 de la même version. Dès lors que les trois premiers articles mentionnés maintiennent le même contenu en tant qu'articles 22 à 24 de l'actuel CFS, ils seront examinés ci-dessous sous IV. Dès lors que, par contre, les articles 23 à 31 diffèrent substantiellement, dans son ensemble, des articles 25 à 35 de l'actuel CFS, il seront examinés succinctement par la suite à titre d'antécédents du régime établi par celui-ci.

À l'instar de l'article 2, paragraphe 2, de la Convention de Schengen, la version originaire du premier CFS distinguait entre la réintroduction du contrôle aux frontières intérieures en cas d'évènements prévisibles (article 24) et en cas nécessitant une action urgente (article 25). Toutefois, à la différence de la Convention de Schengen, l'article 23 établissait un cadre juridique général pour ces deux cas : la réintroduction du contrôle ne saurait se justifier qu'à titre exceptionnel et si la menace pour l'ordre public ou la sécurité intérieure est grave ; cette réintroduction ne devrait pas excéder trente jours ou « la durée prévisible de la menace grave si elle est supérieure à trente jours » ; l'étendue et la durée de la réintroduction ne devraient pas excéder ce qui est strictement nécessaire pour répondre à la menace grave.

Au cas où cette menace se prolongerait au de-là de la durée prévue, le contrôle aux frontières intérieures pourrait être prolongé pour des périodes renouvelables ne dépassant pas trente jours, conformément à la procédure de l'article 26, « en tenant compte d'éventuels éléments nouveaux ». Aucune limite maximale à une telle prolongation n'était cependant pas prévue par cette version du premier CFS[5].

4 Pour un aperçu de la pratique de réintroduction du contrôle aux frontières intérieures au titre de l'article 2, paragraphe 2, de la Convention de Schengen, voir K. Groenendijk, « Reinstatement of Controls at the Internal Borders of Europe. Why and Against Whom ? », *European Law Journal*, vol. 10, 2004, p. 148 s.

5 Cette constatation était en quelque sorte corroborée par l'article 27 de la version originaire du règlement nº 562/2006. En effet, cet article, abrogé par le règlement 2016/399, prévoyait l'obligation pour l'État Schengen qui procédait à la troisième prolongation consécutive du

Par ailleurs, les obligations d'information et de consultation à la charge de l'État envisageant de réintroduire le contrôle aux frontières intérieures, ou l'ayant déjà réintroduit en cas d'évènements nécessitant une action urgente, ont été précisées par l'article 24, paragraphe 1er, de la version originaire du premier CFS. La Commission est devenue aussi destinataire de ces informations, outre qu'elle a acquis une compétence pour émettre un avis dans le cadre, soit de la procédure de réintroduction temporaire du contrôle aux frontières intérieures en cas d'évènements prévisibles, soit de la procédure de prolongation de ce contrôle.

La « communautarisation » de la réintroduction temporaire du contrôle aux frontières intérieures opérée par le CFS comprend aussi dorénavant deux nouvelles obligations pour l'État Schengen concerné : celle d'informer, dès que possible, le Parlement européen de cette réintroduction ou de sa prolongation ; une fois confirmée la levée du contrôle réintroduit ou prolongé aux frontières intérieures, celle de soumettre au Parlement européen, au Conseil et à la Commission un rapport qui donne un aperçu de la mise en œuvre des vérifications et de l'efficacité de cette réintroduction ou prolongation.

7. Le régime juridique rappelé a été substantiellement modifié en 2013. Une telle modification a été essentiellement déterminée par les défis de la migration que l'UE a commencé à faire face au cours de l'année 2011, surtout à la suite du dit « printemps arabe ».

L'Italie, prétextant un manque de solidarité de la part des autres États membres vis-à-vis du grand nombre de tunisiens qui sont entrés dans son territoire pendant cette période, a octroyé à ces migrants des autorisations de permanence. Dès lors que ces autorisations permettaient la libre circulation à l'intérieur de l'UE, leurs titulaires se sont déplacés en grand nombre vers la France dont la langue ils parlent en général et où s'intègrent des communautés significatives de leurs compatriotes. Dans ces conditions, la France a décidé de réintroduire le contrôle de personnes à sa frontière commune avec l'Italie.

Lors du sommet franco-italien qui s'est déroulé le 26 avril 2011 pour résoudre la tension ainsi créée entre ces deux Etats est née l'idée de modifier le CFS dans le sens d'y ajouter un nouveau fondement pour la réintroduction temporaire du contrôle aux frontières intérieures : la constatation de difficultés exceptionnelles et insurmontables de la part d'un État Schengen pour contrôler ses frontières extérieures en raison d'une pression migratoire anormale.

Le Conseil européen du 23/24 juin 2011 a accueilli l'idée aux termes suivants : « Un mécanisme devrait être mis en place pour faire face à des circonstances exceptionnelles mettant en péril le fonctionnement global de la coopéra-

contrôle aux frontières intérieures au titre de l'article 26, s'il y était invité, de faire rapport au Parlement européen sur la nécessité du contrôle à ces frontières.

tion Schengen. Il devrait comporter une série de mesures applicables de manière progressive, différenciée et coordonnée afin d'aider un État membre soumis à une forte pression aux frontières extérieures. (…) En tout dernier ressort, dans le cadre de ce mécanisme, une clause de sauvegarde pourrait être introduite afin d'autoriser, à titre exceptionnel, le rétablissement des contrôles aux frontières intérieures en cas de situation véritablement critique, lorsqu'un Etat membre n'est plus en mesure de respecter ses obligations au titre des règles Schengen », quelle qu'en soit la cause. La Commission était invitée à présenter une proposition dans ce sens.

Une lettre ouverte adressée fin avril 2012 à la présidence du Conseil par initiative franco-allemande proposait que, dans des circonstances exceptionnelles qui ont pour conséquence une incidence significative sur la migration et la situation aux frontières dans un autre Etat membre, les Etats membres affectées puissent réintroduire le contrôle aux frontières communes avec le premier à titre de mesure de dernier recours. Cette mesure devrait être ultérieurement confirmée ou infirmée par une recommandation du Conseil sur proposition de la Commission (clause de sauvegarde)[6].

Le résultat de la procédure législative qui s'est déclenchée par la suite a été le règlement n.º1051/2013 du Parlement européen et du Conseil du 22 octobre 2013, modifiant le règlement (CE) nº 562/2006, afin d'établir des règles communes relatives à la réintroduction temporaire du contrôle aux frontières intérieures dans des circonstances exceptionnelles. Les nouveautés apportées par ce règlement – dont notamment la procédure spécifique de réintroduction du contrôle aux frontières intérieures « en cas de circonstances exceptionnelles mettant en péril le fonctionnement global de l'espace Schengen » et le renforcement substantiel du rôle de la Commission dans ce contexte – ont été reprises intégralement par le chapitre II du titre III (articles 25 à 35) du règlement 2016/399. Ainsi qu'il a déjà été mentionné, seul son article 29, paragraphe 1er, a été modifié entre-temps par l'article 80 du règlement 2016/1624.

Avant d'examiner l'actuel régime de la réintroduction temporaire du contrôle aux frontières intérieures, il convient de rappeler ce que disposent les deux articles (23 et 24) qui complètent le chapitre I du titre III du CFS, dédié à l'absence de contrôle aux frontières intérieures, où il est réitérée, tout au début, la règle aux termes de laquelle ces frontières « peuvent être franchies en tout lieu sans que des vérifications aux frontières soient effectuées sur les personnes, quelle que soit leur nationalité » (article 22).

6 Pour de plus amples développements, voir N. Piçarra, « Is the Area of Freedom, Security and Justice a Factor of Development and Competitiveness in the European Union? », in: Silveira / Canotilho / Froufe (éds.), *Citizenship and Solidarity in the European Union. From the Charter of Fundamental Rights to the Crisis, the State of the Art*, Bruxelles, Berne, Berlin, 2013, p. 146 s.

IV. Le régime de l'absence de contrôle aux frontières intérieures

8. La règle du franchissement des frontières intérieures en tout lieu sans que des vérifications sur les personnes y soient effectuées implique pour les États Schengen l'obligation de supprimer tous les obstacles qui empêchent un trafic fluide aux points de passage routiers à ces frontières, notamment les limitations de vitesse qui ne sont pas fondées exclusivement sur des considérations de sécurité routière. C'est ce que prévoit l'article 24, 1er alinéa, CFS.

Toutefois, dès lors qu'une telle règle a comme exception la possibilité pour les États Schengen de réintroduire temporairement le contrôle aux frontières intérieures, le 2ème alinéa du même article leur impose de, « parallèlement » être en mesure de fournir les moyens nécessaires pour effectuer les vérifications au cas où ces contrôles seraient réintroduits.

Il résulte de l'article 24 – lequel se réfère expressément aux points de passage routiers aux frontières intérieures – que la définition de «point de passage frontalier» donnée par l'article 2, point 8), CFS – « tout point de passage autorisé par les autorités compétentes pour le franchissement des frontières extérieures » – n'est pas exacte dans la mesure où elle circonscrit de tels points à ces dernières frontières.

9. Le chapitre du CFS dédié à l'absence de contrôle aux frontières intérieures comprend également un article portant, en substance, sur la délimitation négative de ce contrôle par rapport aux « vérifications à l'intérieur du territoire » que les États Schengen doivent évidemment pouvoir continuer à effectuer. Dans ce contexte, l'article 23, dans ces points a) à d), énumère quatre catégories de mesures relevant de la compétence des États Schengen, auxquelles le principe de l'absence de contrôle aux frontières intérieures ne saurait « porter atteinte », à savoir : *(i)* l'exercice des compétences de police par les autorités compétentes de ces États en vertu du droit national ; *(ii)* l'exercice des contrôles de sûreté dans les ports ou aéroports, effectués sur les personnes par les autorités compétentes en vertu du droit de chacun de ces États, par les responsables portuaires ou aéroportuaires ou par les transporteurs ; *(iii)* la possibilité pour ces États de prévoir dans leur droit national l'obligation de détention et de port de titres et de documents; *(iv)* la possibilité de prévoir dans leur droit national l'obligation pour les ressortissants de pays tiers de signaler leur présence sur son territoire conformément aux dispositions de l'article 22 de la convention de Schengen.

Deux de ces catégories de mesures sont assorties de conditions de légalité. Les contrôles de sûreté dans les ports et aéroports prévus au point b) doivent être également effectués sur les personnes voyageant à l'intérieur de l'État concerné. Par ailleurs, l'exercice des compétences de police prévu au point a) ne doit pas avoir « un effet équivalent à celui des vérifications aux frontières », y compris dans les zones frontalières.

Cette interdiction de mesures d'effet équivalent est établie à travers une technique législative *sui generis*. En effet l'article 23, point a), énumère, à titre non exhaustif, quatre modalités d'exercice de compétences de police qui ne peuvent être considérées comme équivalent à l'exercice des vérifications aux frontières au sens de sa première phrase, lorsqu'elles *(i)* n'ont pas pour objectif le contrôle aux frontières; *(ii)* sont fondées sur des informations générales et l'expérience des services de police relatives à d'éventuelles menaces pour la sécurité publique et visent, notamment, à lutter contre la criminalité transfrontalière; *(iii)* sont conçues et exécutées d'une manière clairement distincte des vérifications systématiques effectuées sur les personnes aux frontières extérieures; *(iv)* consistent à des vérifications réalisées à l'improviste[7].

V. Le régime de réintroduction temporaire du contrôle aux frontières intérieures

10. Le règlement 2016/399, tout en maintenant la distinction entre la procédure de réintroduction du contrôle aux frontières intérieures en cas d'évènements prévisibles (article 27) et la procédure de réintroduction de ce contrôle dans les cas nécessitant une action immédiate (article 28), y ajoute une « procédure spéci-

7 CJCE, dans son arrêt du 22.06.2010 affaires jointes C-188/10 et C-189/10, *Aziz Melki et Sélim Abdeli*, n 75, a interprété l'article 23 (combiné avec les articles 22 et 67, paragraphe 2, TFUE) en ce sens qu'il s'oppose à une législation nationale conférant aux autorités de police de l'État Schengen concerné la compétence de contrôler, uniquement dans une zone de 20 kilomètres à partir de la frontière terrestre de cet État avec les autres États Schengen, l'identité de toute personne, indépendamment du comportement de celle-ci et de circonstances particulières établissant un risque d'atteinte à l'ordre public, en vue de vérifier le respect des obligations de détention, de port et de présentation des titres et des documents prévues par la loi, sans prévoir l'encadrement nécessaire de cette compétence afin de garantir que son exercice pratique ne puisse pas revêtir un effet équivalent à celui des vérifications aux frontières. En revanche, dans l'arrêt du 19.07.2012 – affaire C-278/12 PPU, *Adil*, n 88, la Cour a interprété les articles 22 et 23 en ce sens qu'ils ne s'opposent pas à une législation nationale qui permet aux fonctionnaires chargés de la surveillance des frontières et du contrôle des étrangers d'effectuer des contrôles, dans une zone géographique de 20 kilomètres à partir de la frontière terrestre entre un État Schengen et les autres, visant à vérifier si les personnes interpellées remplissent les conditions de séjour légal applicables dans l'État concerné, lorsque lesdits contrôles sont fondés sur des informations générales et l'expérience en matière de séjour illégal de personnes sur les lieux des contrôles, lorsqu'ils peuvent également être effectués dans une mesure limitée afin d'obtenir de telles informations générales et des données liées à l'expérience en cette matière et lorsque leur exercice est soumis à certaines limitations portant, notamment, sur leur intensité et leur fréquence. Sur ces arrêts voir par exemple J.-Y. Carlier, « La libre circulation des personnes dans et vers l'Union européenne », *Journal de droit européen,* 2012, p. 104 ; S. Peers, *EU Justice and Home Affairs Law, volume I : EU Immigration and Asylum Law*, 4ème édition, Oxford, p. 106-107.

fique en cas de circonstances exceptionnelles mettant en péril le fonctionnement global de l'espace sans contrôle aux frontières intérieures » (article 29). C'est la principale nouveauté par rapport à la version originaire du règlement n° 562/2006.

Outre le « cadre général pour la réintroduction temporaire du contrôle aux frontières intérieures » (article 25), le CFS comprend deux articles (26 et 30) établissant des « critères » spécifiques pour la réintroduction de ce contrôle. L'article 26 s'applique aux deux premières procédures. L'article 30 s'applique exclusivement à la « procédure spécifique en cas de circonstances exceptionnelles mettant en péril le fonctionnement global de l'espace sans contrôle aux frontières intérieures ».

Enfin, l'actuel CFS, contrairement à la première version du précédent, établi expressément des délais maximaux pour la réintroduction du contrôle aux frontières intérieures dans les trois procédures qu'il prévoit (article 25, paragraphe 4).

Ce sont ces trois procédures qu'il convient d'examiner de plus près par la suite[8].

A. La réintroduction du contrôle aux frontières intérieures en cas d'évènements prévisibles

11. S'agissant de la procédure de réintroduction du contrôle aux frontières intérieures en cas d'évènements prévisibles (expression qui, inexplicablement, ne figure plus dans l'actuel CFS), l'article 25 clarifie que ce contrôle peut avoir lieu « sur tous les tronçons ou sur certains tronçons spécifiques » des frontières intérieures de l'État concerné (paragraphe 1er). Outre son caractère exceptionnel, seulement justifiable si la menace pour l'ordre public ou la sécurité intérieure est grave, ce contrôle « n'est réintroduit qu'en dernier recours » (paragraphe 2). Sa durée totale, y compris toute prolongation, ne peut excéder six mois (paragraphe 4).

En vertu de l'article 26, l'État concerné doit évaluer la mesure dans laquelle la réintroduction ou la prolongation (prévue à l'article 25, paragraphe 3) du contrôle sont susceptibles de « remédier correctement à la menace pour l'ordre public ou la sécurité intérieure», ainsi que leur proportionnalité par rapport à cette menace, en tenant compte, en particulier, *(i)* de « l'incidence probable de toute menace pour son ordre public ou sa sécurité intérieure, y compris du fait d'incidents ou de menaces terroristes, dont celles que représente la criminalité

8 Pour une analyse récente de ces trois procédures voir S. Peers, *EU Justice and Home Affairs Law. Volume I : EU Immigration and Asylum Law*, op. cit., p. 104-115.

organisée »; *(ii)* de « l'incidence probable d'une telle mesure sur la libre circulation des personnes au sein de l'espace sans contrôle aux frontières intérieures ».

Conformément à l'article 27, l'antécédence avec laquelle l'État concerné doit notifier aux autres États Schengen et à la Commission, ainsi qu'au Parlement européen et au Conseil, son intention de réintroduire le contrôle aux frontières intérieures au titre de l'article 25 est de, « au plus tard quatre semaines avant la réintroduction prévue, ou dans un délai plus court lorsque les circonstances étant à l'origine de la nécessité de réintroduire [ce] contrôle (...) sont connues moins de quatre semaines avant la date de réintroduction prévue ». Une telle notification (qui peut également être présentée conjointement par deux ou plusieurs États Schengen) doit être accompagnée simultanément de plusieurs informations, partiellement classifiées si nécessaire (les motifs de la réintroduction envisagée, y compris toutes les données pertinentes détaillant les événements qui constituent une menace grave pour [l']ordre public ou [la] sécurité intérieure; la portée de la réintroduction envisagée, en précisant le ou les tronçon(s) des frontières intérieures où le contrôle doit être réintroduit; la date et la durée de la réintroduction prévue, etc.). La Commission peut, si elle l'estime nécessaire, demander des informations complémentaires (paragraphes 1er, 2 et 3).

À la suite de la notification, la Commission ou tout autre État Schengen peuvent émettre un avis. « Si, sur la base des informations figurant dans la notification ou de toute information complémentaire qu'elle a reçue, la Commission a des doutes quant à la nécessité ou la proportionnalité de la réintroduction prévue du contrôle aux frontières intérieures, ou si elle estime qu'une consultation sur certains aspects de la notification serait appropriée, elle émet un avis en ce sens ». Les informations fournies par l'État ou les États concernés, ainsi que le(s) avis émis dans ce contexte font l'objet, au moins dix jours avant la date prévue pour la réintroduction du contrôle aux frontières intérieures, d'une consultation, y compris, le cas échéant, de réunions conjointes entre l'État ou les États prévoyant de réintroduire ce contrôle, les autres États Schengen, en particulier ceux directement concernés par de telles mesures, et la Commission, afin d'organiser, le cas échéant, une coopération mutuelle entre tous ces États et d'examiner la proportionnalité des mesures par rapport aux événements qui sont à l'origine de la réintroduction du contrôle, ainsi qu'à la menace pour l'ordre public ou la sécurité intérieure (paragraphes 4 et 5).

B. La réintroduction du contrôle aux frontières intérieures dans les cas nécessitant une action immédiate

12. La procédure spécifique de réintroduction du contrôle aux frontières intérieures dans les cas nécessitant une action immédiate est prévue à l'article 28, lequel renvoie à plusieurs égards aux articles 25 à 27 CFS. Trois aspects essentiels caractérisent cette procédure, qui présuppose également l'existence d'une menace grave pour l'ordre public ou la sécurité intérieure de l'État concerné.

Le premier aspect est la possibilité pour cet État de réintroduire immédiatement, c'est-à-dire, sans aucune obligation de notification préalable, le contrôle à ses frontières intérieures pour une période n'excédant pas dix jours (article 28, paragraphe 1er). Il suffit de notifier ce fait simultanément aux autres États Schengen et à la Commission, en leur fournissant les informations visées à l'article 27, paragraphe 1, y compris les raisons qui justifient le recours à la procédure en question. La Commission peut immédiatement consulter les autres États membres dès la réception de la notification (paragraphe 2).

Le second aspect tient au fait que, si la menace persiste au de-là des dix jours, la prolongation du contrôle par l'État concerné – tenant compte des « critères visés à l'article 26, y compris une évaluation actualisée de la nécessité et de la proportionnalité de la mesure »[9], ainsi que « d'éventuels éléments nouveaux » – ne peut avoir lieu que pour des périodes renouvelables n'excédant pas vingt jours, jusqu'à une durée maximale de deux mois (article 28, paragraphes 3, 1er alinéa, et 4). L'article 27, paragraphes 4 et 5, s'applique *mutatis mutandis*, et la consultation a lieu sans tarder après la notification de la décision de prolongation du contrôle à la Commission et aux autres États Schengen (article 28, paragraphe 3, 2ème alinéa).

Il s'ensuit donc que, une fois épuisé le délai maximal de deux mois, la prolongation du contrôle aux frontières intérieures, ne pouvant plus se baser sur l'article 28, devra se baser, soit sur l'article 25, soit sur l'article 29 CFS, si les conditions respectives se trouvent réunies.

Le troisième aspect caractérisant la procédure spécifique sous examen a trait à la circonstance que c'est à la Commission qu'il incombe d'informer sans tarder le Parlement européen des notifications effectuées dans le cadre de cette procédure, alors qu'aucune mention n'y est faite au Conseil en tant que destinataire de ces notifications (article 28, paragraphe 5).

9 L'article 28, paragraphe 3, 1er alinéa, en se référant à une « évaluation *actualisée* » de la nécessité et de la proportionnalité de la décision de *prolonger* le contrôle aux frontières intérieures, confirme que l'État concerné doit également tenir compte des critères visés à l'article 26 et procéder à une évaluation de la nécessité et de la proportionnalité de la décision de *réintroduire immédiatement* ce contrôle, même si l'article 28, paragraphe 1er, garde silence à cet égard.

C. La réintroduction du contrôle aux frontières intérieures en cas de circonstances exceptionnelles mettant en péril le fonctionnement global de l'espace Schengen

13. Cette procédure spécifique est prévue aux articles 29 et 30 CFS et constitue la réponse aux demandes du Conseil européen faites lors de sa réunion des 23/24 juin 2011[10]. Elle renvoie non seulement à l'article 27 analysé ci-dessus, mais aussi à l'article 21 qui relève plutôt du titre II sur les frontières extérieures et de son chapitre V (« Mesures spécifiques en cas de manquements graves liés au contrôle aux frontières extérieures »). La procédure en question renvoie également à deux autres règlements dont elle présuppose l'application pour pouvoir trouver à s'appliquer elle-même, à savoir, d'une part, le règlement n° 1053/2013 du Conseil du 7 octobre, portant création d'un mécanisme d'évaluation et de contrôle de l'acquis de Schengen et, d'autre part, le règlement 2016/1624 relatif au corps européen de garde-frontières et de garde-côtes.

Plus précisément, la réintroduction du contrôle aux frontières intérieures au titre de l'article 29 dépend, tout d'abord, ou bien de la constatation, par la Commission et par le Conseil, de « manquements graves persistants liés au contrôle aux frontières extérieures visés à l'article 21», imputables à un ou à plusieurs États Schengen à la suite d'une évaluation faite en application des articles 14 à 16 du règlement n° 1053/2013 , ou bien « du non-respect, par un État [Schengen], d'une décision du Conseil visée à l'article 19, paragraphe 1er, du règlement 2016/1624 », qui porte sur « la situation aux frontières extérieures nécessitant une action urgente ».

Une telle décision peut être adoptée par le Conseil, sur une proposition de la Commission, « lorsque le contrôle aux frontières extérieures est rendu à ce point inefficace que le fonctionnement de l'espace Schengen risque d'être compromis » parce qu'un État y intégré *(i)* n'a pas pris les mesures correctives établies par une décision de l'Agence européenne de garde-frontières et de garde-côtes (ci-après dénommé « Agence)[11], à la suite d'une évaluation au titre de l'article 13 du règlement 2016/1624, où il a été conclu que les frontières extérieures de cet État

10 Voir *supra* III.7.

11 Selon l'article 6, paragraphe 1er, du règlement 2016/1624, il s'agit du nouveau nom de l'Agence européenne pour la gestion de la coopération opérationnelle aux frontières extérieures des États membres de l'UE (« Frontex »), créée par le règlement (CE) n° 2007/2004 du Conseil du 26 octobre 2004. Selon le considérant 11 du premier règlement, c'est l'élargissement des missions de l'Agence qui justifie ce changement de nom, mais « elle continuera à être communément appelée 'Frontex' ». Pour plus de développements sur le règlement 2016/1624 et ses antécédents, voir E. GUILD / E. BROUWER / K. GROENENDIJK / S. CARRERA, « What is happening to the Schengen borders? », in: *CEPS Papers in Liberty and Security in Europe*, n° 86, 2015, Bruxelles, J. RIJPMA, *The Proposal for a European Border and Coast Guard: evolution or revolution in the external border management ?*, 2016, disponible à http://europarl.europa.eu/supporting-analyses; Ph. DE BRUYCKER, « The

sont vulnérables ; *(ii)* étant « confronté à des défis spécifiques et disproportionnés aux frontières extérieures », n'a pas demandé un appui suffisant à l'Agence au titre des articles 15, 17 et 18 du même règlement[12] ou, l'ayant demandé, n'a pas fait le nécessaire pour mettre en œuvre les mesures prévues à ces articles.

Dans ces conditions, la décision du Conseil à laquelle se réfère l'article 29, paragraphe 1er, CFS a pour contenu typique la définition des mesures qui doivent être mises en œuvre d'urgence par l'Agence dans les deux cas de figure prévus à l'article 19, paragraphe 1er, du règlement 2016/1624, en tant que « mesures d'atténuation » des risques identifiés pour l'espace Schengen[13] et en tant que « réponse unifiée, rapide et efficace au niveau de l'UE » (considérant 28 de ce dernier règlement). Dès lors qu'une telle décision doit exiger de l'État concerné qu'il coopère avec l'Agence dans la mise en œuvre de ces mesures, son « non-respect » se traduit essentiellement dans le refus, de la part de cet État, de coopérer avec l'Agence à cet effet.

Les « manquements graves persistants liés au contrôle aux frontières extérieures visés à l'article 21 », ainsi que le « non-respect d'une décision du Conseil visée à l'article 19, paragraphe 1, du règlement 2016/1624 », sont qualifiés para l'article 29, paragraphe 1er, CFS comme des « circonstances exceptionnelles mettant en péril le fonctionnement global de l'espace sans contrôle aux frontières intérieures ». Cependant, en vertu de l'article 29, paragraphe 2, pour justifier la réintroduction – forcément basée sur une recommandation du Conseil adoptée sur une proposition de la Commission –, par d'autres ou par tous les autres États Schengen, du contrôle « à toutes leurs frontières intérieures ou sur des tronçons spécifiques de celles-ci », il faut encore que « ces circonstances représentent une menace grave pour l'ordre public ou la sécurité intérieure » dans cet espace ou sur des tronçons de celui-ci, « qu'aucune autre mesure, notamment celles visée à l'article 21, paragraphe 1[14], ne peut effectivement atténuer ».

European Border and Coast Guard: A new model built on an old logic », *European Papers*, vol. 1, 2016, p. 559-569.

12 Ces articles portent respectivement sur le lancement d'opérations conjointes et d'interventions rapides aux frontières extérieures, ainsi que sur la formation d'équipes d'appui à la gestion des flux migratoires.

13 Ces mesures sont énoncées au paragraphe 2 de l'article 19 : *(i)* organisation et coordination des interventions rapides aux frontières et déploiement des équipes européennes de garde-frontières et de garde-côtes, issues de la réserve de réaction rapide, ainsi que des équipes européennes de garde-frontières et de garde-côtes supplémentaires, le cas échéant ; *(ii)* déploiement des équipes de garde-frontières et de garde-côtes dans le cadre des équipes d'appui à la gestion des flux migratoires dans les « zones d'urgence migratoire » (*hotspot areas*); *(iii)* coordination des activités pour un ou plusieurs États membres et pays tiers aux frontières extérieures, y compris des opérations conjointes avec des pays tiers voisins ; *(iv)* déploiement d'équipes techniques ; *(v)* organisation des interventions en matière de retour.

14 Cette disposition se réfère à deux mesures spécifiques que la Commission peut recommander, séparément ou conjointement, à l'État Schengen évalué : *(i)* le lancement du déploiement d'équipes européennes de gardes-frontières, qui s'appellent maintenant « équipes du

14. La particularité la plus notoire de la procédure prévue aux articles 29 et 30 par rapport à celles des articles 27 et 28 est le rôle beaucoup plus important qui y jouent la Commission et le Conseil, s'agissant de son déclenchement et de son déroulement, même si c'est exclusivement à chaque État Schengen qu'il revient de décider de réintroduire le contrôle aux frontières intérieures respectives.

En ce qui concerne le rôle de la Commission, l'article 21, paragraphe 3, CFS, lui attribue compétence pour « déclencher l'application de la procédure prévue à l'article 29 » si, au terme d'un délai de trois mois accordé à l'État concerné (à l'égard duquel le rapport d'évaluation adopté en vertu du règlement n° 1053/2013 conclut qu'il néglige gravement ses obligations) pour faire rapport sur la mise en œuvre du plan d'action visant à corriger cette situation[15], la Commission constate que celle-ci persiste. Il en va de même pour ce qui est de l'article 19, paragraphe 10, du règlement 2016/1624, aux termes duquel « si l'État (...) concerné ne se conforme pas à la décision du Conseil visée au paragraphe 1 dans un délai de trente jours et ne coopère pas avec l'Agence comme le prévoit le paragraphe 8 du présent article, la Commission peut déclencher la procédure prévue à l'article 29 du règlement 2016/399 ».

La procédure spécifique en question est déclenchée moyennant la présentation par la Commission au Conseil d'une proposition[16] visant à ce que ce dernier recommande « en dernier recours et à titre de mesure de protection des intérêts communs au sein de l'espace sans contrôle aux frontières intérieures » à un ou plusieurs autres États Schengen de réintroduire le contrôle à toutes leurs frontières intérieures ou sur des tronçons spécifiques de celles-ci – et ce lorsque aucune autre mesure prise à l'égard de l'État concerné ne peut effectivement atténuer la menace grave constatée au titre du paragraphe 1er du même article.

Avant d'adopter cette proposition de recommandation du Conseil, la Commission peut, en vertu de l'article 30, paragraphe 2, CFS *(i)* demander aux États Schengen, à l'Agence, à Europol ou à d'autres organes, organismes ou agences de l'Union de lui fournir de plus amples informations; *(ii)* effectuer des visites sur place, avec le soutien d'experts des États Schengen et de l'Agence, d'Europol ou de tout autre organe, organisme ou agence compétent(e) de l'Union, afin d'obtenir ou de vérifier des informations pertinentes pour cette recommandation.

corps européen de garde-frontières et de garde-côtes » ; *(ii)* la présentation à l'Agence, pour avis, de ses plans stratégiques basés sur une évaluation des risques, y compris des informations sur le déploiement de personnel et d'équipements.

15 Conformément à l'article 16, paragraphe 1er, du règlement n° 1053/2013, le plan d'action doit être présenté dans un délai d'un mois à compter de la date de l'adoption, par le Conseil sur une proposition de la Commission, des recommandations concernant les mesures correctives des manquements constatés en vertu de l'article 15.

16 Le paragraphe 2, premier alinéa, *in fine*, de l'article 29 permet expressément aux États Schengen de demander à la Commission de présenter une telle proposition au Conseil.

La proposition de recommandation doit contenir au moins les informations visées à l'article 27, paragraphe 1, points a) à e), CFS.

En ce qui concerne le rôle du Conseil, à partir du moment où la proposition de recommandation de la Commission lui est présentée et afin de prendre une décision à son égard, il se doit de procéder non seulement à l'évaluation que lui impose le paragraphe 1er de l'article 29, mais aussi à celle imposée par le paragraphe 1er de l'article 30 (laquelle n'a pas pu non plus être ignorée par la Commission lors de l'élaboration de sa proposition). Il s'agit d'évaluer, notamment sur la base des informations détaillées fournies par le ou les États concernés et par la Commission, la mesure dans laquelle la réintroduction du contrôle proposée est susceptible de remédier correctement à la menace pour l'ordre public ou la sécurité intérieure au sein de l'espace Schengen, ainsi que la proportionnalité de la réintroduction par rapport à cette menace.

A cet effet, l'article 30, paragraphe 1er, impose au Conseil de tenir compte de *(i)* la disponibilité de mesures de soutien technique ou financier auxquelles il serait possible de recourir ou auxquelles il a été recouru au niveau national ou au niveau de l'Union, ou à ces deux niveaux, y compris l'aide d'organes, d'organismes ou d'agences de l'Union tels que l'Agence, le Bureau européen d'appui en matière d'asile, ou l'Europol, ainsi que la susceptibilité de ces mesures pour remédier correctement à la menace pour l'ordre public ou la sécurité intérieure au sein de l'espace Schengen ; *(ii)* l'incidence actuelle et probable à l'avenir de tout manquement grave lié au contrôle aux frontières extérieures constaté dans le cadre des évaluations effectuées en vertu du règlement n° 1053/2013 ; *(iii)* la mesure dans laquelle ces manquements constituent une menace grave pour l'ordre public ou la sécurité intérieure au sein de l'espace Schengen.

L'article 29, paragraphe 2, 3ème alinéa, attribue aussi au Conseil une compétence pour recommander une prolongation du contrôle réintroduit aux frontières intérieures « conformément aux conditions et à la procédure énoncées au présent article », ce qui implique, évidemment que telle recommandation soit précédée d'une proposition de la Commission. Celle-ci, d'ailleurs, est également compétente, en vertu du paragraphe 4, pour adopter des recommandations de prolongation de ce contrôle, « pour des raisons d'urgence dûment justifiées liées aux situations dans lesquelles les circonstances à l'origine de la nécessité de prolonger [ce] contrôle (...) ne sont connues que moins de dix jours avant la fin de la période de réintroduction précédente ».

La procédure spécifique de l'article 29 se singularise aussi vis-à-vis de celles des articles 27 et 28 pour ce qui est de sa durée maximale. « Si les circonstances exceptionnelles persistent », cette durée peut aller jusqu'à deux ans segmentés par des périodes n'excédant pas six mois, au terme de chacune desquelles le

Conseil doit adopter une recommandation de prolongation (paragraphe 1er, *in fine*).

15. Malgré le rôle très important de la Commission et du Conseil dans le cadre de la procédure sous examen, les États Schengen gardent l'essentiel de leur pouvoir de décision, s'agissant de réintroduire le contrôle à leurs frontières intérieures recommandé par le Conseil. C'est ce que reconnaît expressément le paragraphe 3 de l'article 29 en ce qu'il envisage l'hypothèse de non application, totale ou en partie, par un État Schengen d'une recommandation du Conseil en ce sens. L'État qui prend une telle décision est cependant tenu d'en communiquer sans tarder les motifs par écrit à la Commission. Dans ce cas, celle-ci doit présenter au Parlement européen et au Conseil un rapport évaluant les motifs communiqués par l'État concerné et les conséquences pour la protection des intérêts communs au sein de l'espace Schengen.

C'est notamment dans ce contexte qu'il faut comprendre le paragraphe 5, aux termes duquel l'article 29 « est sans préjudice des mesures que les États membres peuvent adopter en cas de menace grave pour l'ordre public ou la sécurité intérieure au titre des articles 25, 27 et 28 ». En effet, un État Schengen qui n'est pas destinataire de la recommandation du Conseil ou, l'étant, a décidé de ne pas la mettre en oeuvre, doit pouvoir recourir à la possibilité de réintroduire le contrôle à ses frontières intérieures soit en cas d'évènements prévisibles, soit en cas nécessitant une action immédiate.

16. Les conditions extrêmement restrictives énoncées pour l'application de la procédure spécifique de réintroduction ou de prolongation du contrôle aux frontières intérieures pourrait porter à croire que cette procédure viserait surtout à jouer un rôle préventif d'avertissement aux États Schengen pour qu'ils prennent au sérieux leurs obligations communes, établies par le CFS, de vérification et de surveillance aux frontières extérieures, en renonçant à toute pratique incompatible. Sous une autre perspective, qui est celle de l'État de droit et du principe de légalité, la réintroduction du contrôle aux frontières intérieures en vertu de l'article 29 CFS, compte tenu de tout ce qu'elle implique, ne serait justifiée que si la Commission et le Conseil étaient capables de démontrer l'absence de tout doute sérieux quant à la réunion des critères pertinents et quant au respect scrupuleux de toutes les étapes procédurales[17].

Ainsi qu'il a été lucidement observé, l'article 29 prévoit le contraire d'une « solution centralisée » et solidaire au niveau de l'UE, visant non seulement à corriger, selon un principe de justice, les inégalités structurelles entre les États Schengen en ce qui concerne les coûts humains et matériels de l'obligation de contrôler leurs frontières extérieures conformément au CFS, mais aussi à atté-

17 En ce sens, voir S. PEERS, *EU Justice and Home Affairs Law. Volume I : EU Immigration and Asylum Law*, op. cit., p. 113.

nuer les « chocs asymétriques » en matière de pression migratoire et/ou de réfugiés qui affectent spécifiquement certains de ces États en raison notamment de leur situation géographique[18]. En effet, dès lors que, conformément à l'article 29 CFS, le Conseil ne peut pas recommander aux État Schengen de réintroduire temporairement le contrôle aux frontières intérieures sans imputer à au moins l'un d'eux des « manquements graves persistants liés au contrôle aux frontières extérieures » quelle qu'en soit la cause, l'application de cet article permet de vouer un État Schengen à l'ostracisme et à l'exclusion, jusqu'à deux ans, de l'espace sans contrôle aux frontières intérieures. Il suffit que le Conseil recommande à tous les autres de réintroduire le contrôle à leurs frontières communes avec le premier et que tous ces États décident de suivre la recommandation.

Au surplus, avant la modification introduite par l'article 80 du règlement 2016/1624, l'article 29 CFS comportait une lacune que la « crise des migrants et des réfugiés sans précédent », a rendue manifeste, s'agissant, pour le Conseil, de recommander « en dernier recours » à un ou plusieurs États membres de réintroduire le contrôle à toutes leurs frontières intérieures ou sur des tronçons spécifiques de celles-ci ». En effet, dans sa version originaire l'article 29, paragraphe 1er, ignorait la distinction entre, d'une part, les « manquements graves persistants dans l'exécution du contrôle aux frontières extérieures », susceptibles d'être évités par le biais d'une « diligence moyenne » de la part de l'État concerné et, d'autre part, les manquements qui sont manifestement hors du contrôle de cet État, en raison notamment de l'ampleur, de l'intensité et de la persistance de la pression migratoire et de requérants de protection internationale à ses frontières extérieures maritimes et terrestres, ainsi que de l'insuffisance au moins provisoirement insurmontable des moyens humains et matériels pour lui faire face. En d'autres mots, selon la version précédente de l'article 29, paragraphe 1er, de tels manquements, quelle qu'en fût la cause, permettaient au Conseil de recommander aux États Schengen de réintroduire temporairement les contrôles aux frontières intérieures.

En revanche, dans sa nouvelle version, l'article 29, paragraphe 1er, règle spécifiquement la situation où un État Schengen se trouve « confronté à des défis spécifiques et disproportionnés aux frontières extérieures», susceptibles de l'empêcher objectivement d'exercer le contrôle à ces frontières en conformité avec le CFS sans un appui au niveau de l'UE et notamment de l'Agence – de la part desquelles « une action urgente » devient donc indispensable. Cela implique que les manquements graves persistants dans l'exécution du contrôle aux frontières exté-

18 Voir G. Cornelisse, « What's wrong with Schengen? Border Disputes and the Nature of Integration in the Area without Internal Borders », *Common Market Law Review*, 51, 2014, p. 753, et Ph. De Bruycker, « The European Border and Coast Guard: A new model built on an old logic », précité, p. 565.

rieures visés à l'article 21 CFS doivent se circonscrire dorénavant à ceux qui sont susceptibles d'être objectivement évités par le biais d'une « diligence moyenne » de la part de l'État concerné, c'est-à-dire, aux manquements qui sont indépendants des « défis spécifiques et disproportionnés aux frontières extérieures », lesquels peuvent échappent au moins en partie au contrôle de l'État concerné[19].

À un État Schengen confronté à des « des défis spécifiques et disproportionnés aux frontières extérieures », au sens de l'article 19, paragraphe 1er, point b), du règlement 2016/1624, la seule reproche qui puisse, le cas échéant, justifier une recommandation du Conseil au titre de l'article 29, paragraphe 1er, CFS visant à ce que les autres ou d'autres États Schengen réintroduisent le contrôle aux frontières intérieures, doit forcément se référer au fait que le premier État ne s'est pas conformé à une décision du Conseil adoptée en vertu de l'article 19, paragraphe 1, sous b), du règlement 2016/1624, visant à atténuer les risques susceptibles de compromettre le fonctionnement de l'espace Schengen. Aux termes de cette dernière disposition, le premier comportement de risque dans ce contexte est l'absence de demande de mesures d'appui à l'Agence de la part de l'État « confronté à des défis spécifiques et disproportionnés à ses frontières extérieures ».

VI. L' application du régime de réintroduction du contrôle aux frontières intérieures face à la « crise des migrants et des réfugiés »

17. Toutes les trois procédures de réintroduction temporaire du contrôle aux frontières intérieures ont déjà trouvé à s'appliquer dans le cadre de la « crise des migrants et des réfugiés sans précédent ». L'Allemagne a pris le devant et, le 13 septembre 2015, s'est prévalue de l'article 28 CFS pour réintroduire ce contrôle à toutes ses frontières intérieures pour une période de dix jours et, par la suite, pour des périodes renouvelables n'excédant pas vingt jours. Elle a été suivie par l'Autriche le 16 septembre, par la Suède le 12 novembre, par la Norvège le 26 novembre et par le Danemark le 4 janvier 2016.

Le 23 octobre 2015, la Commission a émis un avis sur la nécessité et la proportionnalité de la réintroduction du contrôle aux frontières intérieures par l'Al-

19 Pour de plus amples développements sur la version actuelle de l'article 29 CFS et sur ses implications, voir N. Piçarra, « Union européenne, frontières extérieures dans la 'crise des migrants et des réfugiés sans précédent'. Sur l'article 29 du code frontières Schengen et sur la décision d'exécution 2016/894 du Conseil », *Themis – Revista da Faculdade de Direito da UNL*, ano XVII, 2016, p. 76-91, et aussi « La modification discrète du code frontières Schengen par le règlement 2016/1624 : comblement d'une lacune ? », 2016, disponible à http://eumigrationlawblog.eu/la-modification-discrete-du-code-frontieres-schengen-par-le-reglement-20161624-relatif-au-corps-europeen-de-garde-frontieres-comblement-dune-la-cune/#more-1207.

lemagne et par l'Autriche, ainsi que ses prolongations au titre de l'article 28. Le contrôle a été considéré conforme au CFS ainsi qu'aux principes invoqués dans les deux cas. Selon la Commission, il « avait pour but de garder la maîtrise du nombre exceptionnel d'arrivants, en recourant aux moyens autorisés en vertu du droit national et du droit de l'Union, compte tenu du fait que la plupart de ces personnes n'avaient pas été enregistrées dans un autre État membre de l'UE, ce qui engendrait un déficit de sécurité en raison de leur nombre élevé ». Dans le cas de l'Autriche, outre le déficit de sécurité, l'avis de la Commission a aussi fait mention à « des contraintes exercées sur les infrastructures d'accueil et de transport ».

L'avis a certes constaté que « en 2013 les législateurs ont reconnu que les flux migratoires ne peuvent en soi justifier le rétablissement du contrôle aux frontières intérieures». Elle a toutefois estimé que le « nombre même de personnes qui entrent sur le territoire de l'Allemagne afin de solliciter une protection internationale a effectivement entraîné une menace pour l'ordre public et la sécurité intérieure et justifiait donc l'application des mesures exceptionnelles prévues dans le cadre du [CFS]. Cela est confirmé par les informations communiquées sur l'afflux journalier continu en Allemagne de personnes demandant une protection internationale ». Dans le cas de l'Autriche, la Commission s'est montrée moins catégorique : après avoir fait également une référence aux personnes qui entrent dans le territoire autrichien pour y transiter, elle s'est limitée à constater que le nombre de personnes en question « *semble* effectivement avoir entraîné une menace pour l'ordre public et la sécurité intérieure *et semble donc* avoir justifié l'application des mesures exceptionnelles prévues dans le cadre du [CFS]. Cela est confirmé par les informations communiquées sur les arrivées journalières en Autriche »[20].

18. Ainsi qu'il a été relevé parmi les commentateurs, l'avis de la Commission tend à assimiler le franchissement des frontières extérieures par un grand nombre de ressortissants de pays tiers – et donc leur entrée dans l'espace Schengen – à une menace pour l'ordre public et la sécurité intérieure, même si des preuves de risques liés à la criminalité organisée ou au terrorisme n'ont pas été apportées[21]. Sous une autre perspective, cet avis implique une espèce de « mutation informelle » du CFS. En effet, le préambule de ce code s'exprime très clairement, bien ou mal, dans le sens que « la migration et le franchissement des frontières extérieures par un grand nombre de ressortissants de pays tiers ne devraient pas

20 Voir C(2015) 7100 final, du 23.10.2015, considérants 29, 38, 33 et 40, italiques ajoutés.

21 Voir E. Brouwer, *Migration flows and the reintroduction of internal border controls: assessing necessity and proportionality*, 2015, disponible à http://eumigrationlawblog.eu.

être considérés, en soi, comme une menace pour l'ordre public ou la sécurité intérieure » (considérant 24)[22].

À supposer, *quod non*, qu'il serait loisible à la Commission de modifier le CFS par le biais d'une procédure non législative – de façon à ce qu'il prévoit que, dans certains cas, la migration et le franchissement des frontières extérieures par un grand nombre de ressortissants de pays tiers peuvent être considérés, en soi, comme une menace pour l'ordre public ou la sécurité intérieure, susceptible de justifier la réintroduction du contrôle aux frontières intérieures –, il lui faudrait, en tout état de cause, être plus précise quant à l'évaluation de la proportionnalité d'une telle réintroduction par rapport à cette menace, conformément à l'article 26[23], auquel renvoie l'article 28, paragraphe 3, CFS[24].

19. Compte tenu de ce que l'article 28 CFS ne permet la réintroduction du contrôle aux frontières intérieures que pour une durée totale ne dépassant pas deux mois, le 14 novembre l'Allemagne, le 16 Novembre l'Autriche, le 9 janvier 2016 la Suède, le 15 janvier la Norvège et le 4 mars le Danemark ont prolongé ce contrôle au titre des articles 25 et 27, centré sur certaines de leurs frontières terrestres ou maritimes.

Dès lors que, en vertu de l'article 25, paragraphe 4, la durée totale du contrôle réintroduit aux frontières intérieurs, y compris toute prolongation pour des périodes renouvelables (ne dépassant pas trente jours), ne peut excéder six mois, à partir du 12 mai 2016, l'Allemagne a cessé de pouvoir se prévaloir de la procédure des articles 25 à 27 pour maintenir ce contrôle à ses frontières intérieures.

Cependant, en date du 12 mai 2016, par la décision d'exécution (UE) 2016/894, basée sur l'article 29 du CFS, le Conseil a recommandé que, à partir de cette date et pendant une durée maximale de six mois, « des contrôles temporaires et proportionnés » soient maintenus *(i)* par l'Allemagne, à la frontière terrestre avec l'Autriche ; *(ii)* par l'Autriche, aux frontières terrestres avec la Hongrie et la Slovénie ; *(iii)* par le Danemark, dans les ports depuis lesquels sont as-

22 Dans le meme sens, voir E. Guild / E. Brouwer / K. Groenendijk / S. Carrera, «What is happening to the Schengen borders?», *CEPS Paper in Liberty and Security in Europe*, n° 86, 2015, Bruxelles, p. 11. Les auteurs parlent dans ce contexte d'une incohérence dans l'avis de la Commission entre, d'une part, la constatation selon laquelle le législateur de l'Union a exclu que les mouvements migratoires puissent constituer une justification suffisante pour réintroduire le contrôle aux frontières intérieures et, d'autre part, l'approbation de la réintroduction d'un tel contrôle par l'Allemagne et par l'Autriche, fondée précisément sur le franchissement des frontières extérieures par un grand nombre de ressortissants de pays tiers.

23 Voir *supra* V.12.

24 Voir *Internal border controls in the Schengen area : Is Schengen crisis-proof ?*, étude pour la commission LIBE du Parlement européen, 2016, disponible à http://www.europarl.europa.eu/supporting-analyses, p. 9: « The European Commission has shied away from consistently applying the proportionality assessment to MS justification, and checking their arguments against evidence ».

surées des liaisons par transbordeur vers l'Allemagne, et à la frontière terrestre avec l'Allemagne ; *(iv)* par la Suède, dans les ports situés dans les régions de police Sud et Ouest, et au pont de Öresund ; *(v)* par la Norvège, dans les ports depuis lesquels sont assurées des liaisons par transbordeur vers le Danemark, l'Allemagne et la Suède.

Selon cette décision d'exécution, les contrôles que les cinq États concernés étaient conseillés à prolonger se faisaient en réponse « à une menace grave pour leur ordre public ou leur sécurité intérieure causée par les mouvements secondaires de migrants en situation irrégulière consécutifs aux défaillances graves dans les contrôles aux frontières extérieures. [Ils] sont nécessaires et considérées comme proportionnées » (considérant 11). Ces « défaillances graves » ont été formellement imputés à la Grèce, en tant que condition *sine qua non* pour que le Conseil puisse adresser une telle recommandation au titre de l'article 29 CFS. La Grèce est donc devenue le sixième État Schengen concerné par cette décision, même si la réintroduction du contrôle recommandé ne devait pas affecter ses frontières intérieures.

Par ailleurs, chacun des cinq premiers États concernés par la décision d'exécution était tenu de « réexaminer régulièrement la nécessité, la fréquence, le lieu et la durée des contrôles [et] adapter ces derniers au niveau de la menace à laquelle ils visent à répondre, les supprimant progressivement s'il y a lieu (…) ».

20. En ce qui concerne la Grèce, la compatibilité de la décision d'exécution avec l'article 29 CFS suscitait plusieurs doutes. Ils découlent tout d'abord du libellé du considérant 13, aux termes duquel « la République hellénique a *accompli des progrès importants* dans la correction de nombreux manquements que présente la gestion de ses frontières extérieures, constatés au cours de l'évaluation de novembre 2015. En outre, la mise en œuvre initiale de la déclaration UE-Turquie du 18 mars 2016, ainsi que les opérations en cours menées par Frontex et l'OTAN, ont *entraîné une diminution sensible* du nombre de migrants en situation irrégulière et de demandeurs d'asile qui partent de la Turquie pour gagner la République hellénique. Cette *réduction substantielle* du flux de migrants en situation irrégulière et de demandeurs d'asile vers la République hellénique, ainsi que le soutien apporté par les agences de l'Union européenne et d'autres États membres dans les centres d'enregistrement, ont permis à la République hellénique *d'améliorer sensiblement* l'enregistrement des migrants en situation irrégulière et des demandeurs d'asile nouvellement arrivés » (italiques ajoutés).

Au vu de ces constations – et si les mots employés par le Conseil ont un sens précis –, il n'est pas du tout évident que la conclusion puisse être celle qui est tirée au considérant 16 : « comme aucune autre mesure n'a pu effectivement *atténuer* la menace grave constatée, il s'ensuit que les conditions pour appliquer l'article 29 (…) en dernier recours sont remplies ».

En effet, plusieurs mesures ont pu *atténuer* la « menace grave » – manifestement, pour le Conseil, les « mouvements secondaires de migrants en situation irrégulière » (considérant 11) –, même si, le cas échéant, elles n'avaient pas pu l'*éliminer* totalement. En tout état de cause, ce n'est point une exigence de « élimination totale » que fait l'article 29, mais plutôt d'une « atténuation effective ». Par conséquent, l'emploi, tant par la Commission, dans sa proposition de décision d'exécution[25], que par le Conseil, dans le considérant 12 de la décision d'exécution, de ces deux verbes en tant que synonymes n'est pas soutenable à l'égard de l'article 29.

La décision d'exécution reproche, par ailleurs, à la Grèce le fait que la surveillance à sa frontière avec l'ancienne République yougoslave de Macédoine « n'est actuellement pas totalement conforme au code frontières Schengen » (considérant 14). Indépendamment de la question de savoir ce qui manque pour que cette surveillance puisse être considérée comme « totalement conforme » au CFS, une autre question plus concrète et préalable ce pose à cet égard : comment pourrait une telle surveillance se faire dans l'immédiat en « totale conformité » avec le CFS si le pays tiers en question a fermé sa frontière terrestre commune avec la Grèce pour des périodes considérables, en bloquant sur le territoire grec les migrants et requérants de protection internationale désireux de la franchir ?

Dans ces conditions, il s'avère très difficile de suivre la décision d'exécution lorsqu'elle considère que « cette situation accroît le risque de mouvements secondaires de migrants vers d'autres États membres », tout en escamotant les constatations qu'elle-même a faites concernant *(i)* la *diminution sensible* du nombre de migrants en situation irrégulière et de demandeurs d'asile qui partent de la Turquie pour gagner la Grèce, *(ii)* la *réduction substantielle* du flux de migrants en situation irrégulière et de demandeurs d'asile vers la Grèce et *(iii)* l'*amélioration sensible* de l'enregistrement des migrants en situation irrégulière et des demandeurs d'asile nouvellement arrivés. Ces données ne peuvent qu'entraîner une diminution du « risque de mouvements secondaires de migrants vers d'autres États membres ».

Quoi qu'il en soit, pour que « le risque persistant de mouvements secondaires de migrants en situation irrégulière » (que la décision d'exécution ne cherche même pas à démontrer, s'accommodant plutôt de hypothèses[26]), puisse légitimer le maintien du contrôle aux frontières intérieures, il faudrait également examiner,

25 Voir COM(2016) 275 final, du 4.5.2016, p. 5: « une approche cohérente des contrôles aux frontières intérieures, jusqu'à ce que les déficiences structurelles du contrôle aux frontières extérieures aient pu être *atténuées ou éliminées* » (italiques ajoutés).

26 Une phrase du considérant 14 de la décision d'exécution illustre bien cet approche : « En outre, un *certain nombre* de personnes qui séjournent irrégulièrement sur le territoire de la République hellénique n'ont pas été enregistrées et *pourraient tenter* de se rendre illégalement dans d'autres États membres » (italiques ajoutés).

au regard du principe de proportionnalité, son « incidence probable » sur la libre circulation des personnes au sein de l'espace Schengen [article 30, paragraphe 1, point c), CFS]. C'est un exercice que la décision en cause a manifestement omis de faire[27].

21. Six mois après l'adoption de la décision d'exécution 2016/894, le Conseil a adopté la décision d'exécution 2016/1989 du 11 novembre 2016, recommandant aux mêmes cinq États Schengen de prolonger le contrôle aux mêmes frontières intérieures pendant une durée maximale de trois mois à compter de la date d'adoption de cette dernière. Conformément au considérant 15, avant d'opter pour une telle prolongation, les États concernés devraient examiner si d'autres mesures, en dehors des contrôles aux frontières intérieures, ne pourraient pas être appliquées pour remédier efficacement à la menace constatée et mentionner les résultats de cet examen et les motifs de leur décision dans leur notification du maintien de ces contrôles.

La mention au sixième État concerné était faite au considérant 5 comme suit : « Malgré le net recul du nombre d'arrivées de migrants en situation irrégulière et de demandeurs d'asile dans l'Union européenne, un nombre important de migrants en situation irrégulière se trouvent toujours en Grèce et dans les États membres les plus touchés par les mouvements secondaires en provenance de ce pays. Compte tenu des tendances observées dans le passé, on peut raisonnablement s'attendre à ce que ces personnes cherchent à se rendre dans d'autres États membres une fois que les vérifications aux frontières, qui empêchent leur mouvement secondaire, seront levées ».

À son tour, la décision d'exécution 2016/1989 a été remplacée par la décision d'exécution 2017/246 du 7 février 2017, par laquelle le Conseil recommande aux mêmes États de prolonger leurs contrôles aux mêmes frontières, « pendant une durée maximale de trois mois à compter du 11 février 2017 » (point 1). Ces contrôles « devraient rester ciblés, fondés sur une analyse des risques et le renseignement actualisés constamment [*sic*], et limités, quant à leur portée, à leur fréquence, au lieu où ils sont effectués et à leur durée, à ce qui est strictement nécessaire pour répondre à la menace grave et pour préserver l'ordre public et la sécurité intérieure (point 3).

La décision d'exécution 2016/246 se réfère au sixième État concerné en termes suffisamment éloquents quant à leur contradiction avec ce que prévoient l'actuel article 29 CFS et les dispositions auxquelles il renvoie : « (...) malgré les progrès en cours et la nette amélioration de la gestion des frontières extérieures

27 Pour un examen plus détaillé de la légalité de la décision d'exécution 2016/894 au regard de l'article 29 CFS et aussi des obligations en matière de protection internationale et de non refoulement, voir N. Piçarra, « Union européenne, frontières extérieures dans la 'crise des migrants et des réfugiés sans précédent », op. cit. p. 106-120.

par la Grèce en 2016, un nombre important de migrants en situation irrégulière se trouvent toujours dans ce pays. Compte tenu des tendances observées dans le passé, les États membres les plus touchés par les mouvements secondaires de migrants en situation irrégulière en provenance de Grèce demeurent exposés au risque induit par les mouvements irréguliers de ces migrants. (...) Aussi les circonstances exceptionnelles représentant une menace grave pour l'ordre public et la sécurité intérieure et mettant en péril le fonctionnement global de l'espace Schengen persistent-elles » (considérants 5 et 8).

22. Ces deux dernières décisions d'exécution du Conseil méritent deux courtes observations conclusives.

La première souligne qu'aucune d'elles, continuant à se baser expressément sur l'article 29 CFS, ne fait la moindre référence à la modification, d'importance certaine dans ce contexte, introduite dans son paragraphe 1er par l'article 80 du règlement 2016/1624. En effet, cette modification, entrée en vigueur avant l'adoption de la décision d'exécution 2016/1989, obligerait le Conseil à considérer la Grèce comme manifestement « confrontée à des défis spécifiques et disproportionnés aux frontières extérieures », au sens de l'article 19, paragraphe 1er, point b), de ce dernier règlement. Dans ces conditions, pour que le Conseil puisse se baser légalement sur l'article 29 pour recommander la prolongation du contrôle aux frontières intérieures qu'il a en fait recommandé, il lui faudrait démontrer que la Grèce ne se serait pas conformé à une décision d'exécution du Conseil adoptée en vertu du même article 19, paragraphe 1er, point b) – inexistante dans le cas d'espèce[28].

La seconde observation souligne le fait que, à supposer même que le paragraphe 1er de l'article 29 n'eût pas été modifié et que, partant, le Conseil pouvait continuer à se baser sur sa version originaire pour recommander aux cinq États Schengen concernés la prolongation du contrôle aux frontières intérieures, force est de constater que, à la rigueur, ainsi qu'il a été constaté au point précédent, le Conseil n'impute plus à la Grèce des « manquements graves persistants liés au contrôle aux frontières extérieures visés à l'article 21 », le seul fait susceptible de lui permettre de recommander une réintroduction ou prolongation de ce contrôle, en pleine conformité avec la version originaire l'article 29 CFS.

Le Conseil, sur une proposition de la Commission, agit plutôt comme si la révision de la partie du CFS relative à la réintroduction temporaire du contrôle aux frontières intérieures en cas de menace grave pour l'ordre public ou la sécurité intérieure avait déjà eu lieu et avait incorporé la proposition assez vague et imprécise, faite au point 5 de la lettre des ministres de l'intérieur allemand et

28 Pour plus de développements voir N. Piçarra, « La modification discrète du code frontières Schengen par le règlement 2016/1624 : comblement d'une lacune ? », op. cit., point 3.

français adressée à la Commission le 20 février 2017, à savoir : « Les contrôles doivent être rétablis pour des durées supérieures à celles prévues actuellement et les conditions d'exercice des contrôles hors période de rétablissement doivent être assouplies ».

Du point de vue du principe de légalité, corollaire de l'État de droit sur lequel l'UE se fonde en vertu de l'article 2 TUE, cet approche du Conseil donne à penser...

The EU legal regime of migration and the external borders

Alessandra Lang[*]

I. Introductory remarks

It is a useful premise to recall that the European Union received the competence to enact rules on external borders control and migration as a consequence of the establishment of the internal market, an area where internal controls were to be abolished[1]. States were not interested in having rules on external borders and migration per se, but they intended common rules as a means to compensate for the perceived reduction of the capacity to enforce their legislation within their territory that the abolition of internal controls would have entailed[2]. Since only EU citizens could take advantage of free movement[3], States considered of paramount importance that all foreigners present in the EU had been subjected to control

* *Associate Professor of European Union Law, Department of International, Legal, Historical and Political Studies, University of Milan.*

1 The internal market, as an area without internal frontiers, can be considered as a development of the common market established by the EEC Treaty. The internal market adds to the four freedoms of the common market the abolition of the internal frontiers, as a tool to facilitate mobility itself. The establishment of the internal market got started by the Single European Act (1986, in force from 1987, OJ L 169, 29.6.1987, p. 1). Meanwhile, the Member States reasserted their right 'to take such measures as they consider necessary for the purpose of controlling immigration from third countries, and to combat terrorism, crime, the traffic in drugs and illicit trading in works of art and antiques' (see General Declaration on Articles 13 to 19 of the Single European Act), while at the same time committing to co-operate in the very same areas (see Political Declaration by the Governments of the Member States on the free movement of persons). It is well known that the co-operation among the Member States was arranged outside the legal framework of the Treaties and involved only five among them at the beginning. The result of this first attempt was the so-called Schengen Agreements, subsequently incorporated into the Treaties and extended to almost all the Member States (with the exception of Ireland and the UK).

2 The juxtaposition between internal and external borders has been developed within the Schengen Agreements and implies that the crossing of the internal borders is not conditional on any control, while the crossing of the external borders is subject to checks carried out by national authorities.

3 The EEC aimed at eliminating all obstacles to the freedom of movement of persons. While the Treaty made use of generic terms, capable of including third country nationals, it was intended from the beginning to cover only nationals of the Member States. Third country nationals come within the scope of application of the freedom of movement only if they are members of the family of an EU citizen. Again, the preamble of the Schengen Agreements is very telling in that it stated that the freedom to cross internal borders was recognized by the EEC Treaty to all nationals of the Member States. The Court of Justice itself recognized that 'as long as Community provisions on controls at the external borders of the Community, which also imply common or harmonised rules on, in particular, conditions of access, visas and asylum, have not been adopted, the exercise of [the right to move and reside freely

when they had entered the Union. It is also well known that migration and border control were put on the same footing as cooperation among law enforcement authorities, whether the judiciary or the police[4]. States did not only fear that foreigners circumvented national controls thanks to the abolition of the internal borders, but also that criminals could take advantage of free movement to pursue their criminal activities beyond the reach of national jurisdiction. Notwithstanding this repressive element, cooperation among the Member States also concerned asylum, a field where the need to lay down common rules was triggered by the respect for international law, to which the Member States have always committed[5].

The flanking measures, that the establishment of the internal market rendered it wise to enact, were labelled 'area of freedom, security and justice'[6].

in the territory of the Member States conferred by the Treaty on citizens of the Union] presupposes that the person concerned is able to establish that he or she has the nationality of a Member State.' (ECJ, Decision of 21.09.1999 – Case C-378/97, *Wijsenbeek*, ECR 1999, I-6207, para. 42). In general, on the personal scope of free movement, see J. Tomkin, "Citizenship in Motion: the Development of the Freedom of Movement for Citizens in the Case-Law of the Court of Justice of the European Union", in: Guild / Minderhoud (eds.), *The first decade of EU migration and asylum law*, Leiden, Boston, 2012, p. 25 ff.

4 The Declarations attached to the Single European Act (quoted in fn. 1 above) mentioned immigration control and fight against terrorism and criminality side by side. Under the Treaty of Maastricht, the Third Pillar of the Union (Justice and Home Affairs) listed the areas where States decided to cooperate, adding the judicial cooperation in civil and criminal matters, and the customs and police cooperation to those already mentioned in the SEA. Judicial cooperation in civil matters can be considered as a development of an issue that States decided to deal with in common since the Treaty of Rome, that is the reciprocal recognition and enforcement of judgments, regulated by the 1968 Brussels Convention, and subsequently extended to private international law through the 1980 Rome Convention on the Law Applicable to Contractual Obligations.

5 All the Member States are bound by the 1951 Geneva Convention and the 1967 New York Protocol relating to the status of refugees. Asylum policy became an area of common interest of the Third Pillar. The Treaty of Amsterdam introduced a reference to these conventions, stating that the EU institutions should adopt measures 'in accordance with' the Geneva Convention and the New York Protocol. The references to the Conventions entail that 'The provisions of the Directive must … be interpreted in the light of its general scheme and purpose, while respecting the Geneva Convention and the other relevant treaties': ECJ, Decision of 02.03.2010 – Joined Cases C-175/08, C-176/08 and C-179/08, *Aydin Salahadin Abdulla et a.*, ECR 2010, I-1493, para. 53.

6 The Treaty of Amsterdam shifts some of the matters that composed the Third Pillar from the TEU to the TEC. The Area of Freedom Security and Justice becomes the new label to designate the matters previously gathered around the third pillars. See P. Twomey, "Constructing a Secure Space: the Area of Freedom, Security and Justice", in: O'Keeffe / Twomey (eds.) *Legal Issues of the Amsterdam Treaty*, Oxford, Hart, 1999, p. 351 ff.

II. The development of the legal acquis

Before the entry into force of the Treaty of Lisbon, primary law did not set any specific aims for the Union to attain in the fields of external borders control and migration: they were just part and parcel of the area of freedom, security and justice, and should be instrumental to the functioning of the internal market[7]. They were no more than issues for the Union to regulate. Learned scholars have traced back to that original bias the reasons for the 'securisation' tendency that tainted early secondary legislation on external border controls and migration, and even asylum policy[8].

The Treaty of Lisbon brings an important novelty with it[9], since it assigns specific aims to each component of the area of freedom, security and justice. Hence, for what is relevant here, according to the Treaty, the external border controls policy is intended to 'carrying out checks on persons and efficient monitoring of the crossing of external borders [... and to gradually introducing] an integrated management system for external borders' (Art. 77 para. 1 TFEU), while the common immigration policy is 'aimed at ensuring, at all stages, the efficient management of migration flows, fair treatment of third-country nationals residing legally in Member States, and the prevention of, and enhanced measures to combat, illegal immigration and trafficking in human beings' (Art. 79, para. 1 TFEU).

Articles 77 and 79 are the legal basis, to enable the EU institutions to set out secondary law, and are, as such, devoid of direct effects. The contrast with the Treaty provisions on the free movement of persons within the Union, which were drafted in a way that allowed the Court of Justice to draw legal rules to overcome

7 Under the Treaty of Maastricht, migration was an issue to be dealt with according to an intergovernmental working method: see: D. O'Keeffe, "Recasting the Third Pillar", in: *Common Market Law Review*, 1995, p. 893 ff. On the amendments brought by the Treaty of Amsterdam, see K. Hailbronner, «European Immigration and Asylum Law under the Amsterdam Treaty», in: *Common Market Law Review*, 1998, p. 1047 ff.; J. Monar, "Justice and Home Affairs in the Treaty of Amsterdam: Reform at the Price of Fragmentation", in: *European Law Review*, 1998, p. 320 ff.

8 On the restrictive approach towards immigration adopted by the EU, mostly at the expenses of asylum seekers, see V. Moreno-Lax, "Life After Lisbon: EU Asylum Policy as a Factor of Migration Control", in: Acosta Arcarazo / Murphy (eds.), *EU Security and Justice Law. After Lisbon and Stockholm*, Oxford, Portland, 2014, p. 146 ff. R. Cholewinski, "The Criminalisation of Migration in EU Law and Policy", in: Baldaccini / Guild / Toner (eds.), *Whose freedom, security and justice? EU immigration and asylum law and policy*, Oxford, Portland, 2007, p. 301 ff., shows how EU law has been approaching irregular migration as it was tantamount to criminality and has chosen a repressive – even criminal – response to it.

9 The Treaty of Lisbon deeply affected the Area of Freedom, Security and Justice, regarding both the substance of the matters that come within it, and the procedures that govern them. See S. Peers, "Justice and Home Affairs Law since the Treaty of Lisbon: A Fairy-Tale Ending?", in: Acosta Arcarazo / Murphy (eds.), *EU Security and Justice Law. After Lisbon and Stockholm*, Oxford, Portland, 2014, p. 17.

the inaction of the institutions, and give rights to the persons that they can oppose to the State, cannot be more straightforward[10].

Both, the external borders control policy and the common immigration policy, rest heavily on secondary legislation. Provisions like Art. 77 and 79 show that giving the Union the power to develop a policy in a certain field is not necessarily tantamount to having a policy in that field. And even though a number of pieces of secondary legislation have actually been adopted, this does not mean that a complete regime has indeed been set out. Some Treaty provisions even hinder the adoption of an ideal complete common policy in these fields, because they reserve some matters, which are part and parcel of a common policy, to the States. The reference here is to Art. 79 para. 5, stating that the powers conferred by it to the institutions do 'not affect the right of Member States to determine volumes of admission of third-country nationals coming from third countries to their territory in order to seek work, whether employed or self-employed', and Art. 79, para. 4, concerning integration of third country nationals residing legally in the Member States and stating that the Union may only 'establish measures to provide incentives and support for the action of Member States ..., excluding any harmonisation of the laws and regulations of the Member States'.

Even if the Union is competent to establish the legal regime of external borders control policy and common immigration policy, albeit within the mentioned restrictions, by way of secondary legislation, it has very limited powers on the enforcement side of the regime, which still rests with the Member States. In other words, controlling external borders, issuing short- and long-stay visas and permits, enforcing return decisions are all issues for the Member States, even though they can ask the Union for support.

The legislation in force has been enacted mainly under the Treaty of Nice[11]. The external borders control policy is made up of regulations, while immigration policy is established by way of directives, which in addition leave wide margins of manoeuvre to the Member States, when implementing and applying them. The number of directives is striking. It is not by chance that the adoption of a code on

10 The ECJ stated that the provisions of the Treaty on free movement had direct effects in *Reyners* (Decision of 21.06.1974 – Case 2/74, ECR 1974, p. 631), regarding the freedom of establishment, *van Binsbergen* (Decision of 03.12.1974 – Case 33/74, ECR 1974, p. 1299), regarding the freedom to provide services, *Van Duyn* (Decision of 04.12.1974 – Case 41/74, ECR 1974, p. 1337), regarding the free movement of workers, and *Baumbast* (Decision of 17.09.2002 – Case C-413/99, ECR 2002, p. I-7091), regarding the free movement of the citizens of the Union.

11 On the development of EU law on these subjects, see N. EL-ENANY, "EU Asylum and Immigration Law under the Area of Freedom, Security and Justice", in: ARNULL / CHALMERS (eds.), *Oxford Handbook of EU law*, Oxford University Press, 2015, p. 880.

migration law has attracted much attention[12]. The European Commission decided early to give up the ambition of adopting one single directive on labour migration, to regulate the issue horizontally. It opted for submitting only sectoral proposals on those aspects the legislator was ready to accept. The fate of the proposal on admission of workers, placed before the Council in 2001 and withdrawn some years later[13], is well known and it is still a warning to remind us how difficult it is for States to accept EU legislation on labour migration. Nonetheless, one cannot forget that EU law grants a right to work to foreigners admitted for other reasons, for instance, for family reunification, or for international protection[14].

12 In its 2009 Communication *An area of freedom, security and justice serving the citizen* (COM/2009/0262 final), the Commission put forward the idea of an immigration code 'to ensure a uniform level of rights for legal immigrants comparable with that of Community citizens'. The code would have included the consolidation of existing legislation and the 'amendments needed to simplify or extend the existing provisions and improve their implementation'. The proposal did not meet the Member States' approval and was not included in the Stockholm programme, adopted by the European Council for the years 2010-2014. See S. PEERS, "An EU immigration code: towards a common immigration policy", in: *European Journal of Migration and Law*, 2012, p. 33; D. KOSTAKOPOULOU / D. ACOSTA ARCARAZO / T. MUNK, "EU Migration Law: The Opportunities and Challenges Ahead", in: ACOSTA ARCARAZO / MURPHY (eds.), *EU Security and Justice Law. After Lisbon and Stockholm*, Oxford, Portland, 2014, p. 132.

13 See Proposal for a Council Directive on the conditions of entry and residence of third-country nationals for the purpose of paid employment and self-employed economic activities, COM/2001/386 final (OJ C 332E, 27.11.2001, p. 248), withdrawn following screening for its general relevance, impact on competitiveness and other aspects (OJ C 64, 17.03.2006, p. 3). The Commission's change of approach was explained in the *Policy Plan on Legal Immigration* (COM/2005/669 final). For an account of the evolution of the EU attitude, see B. RYAN, "The European Union and Labour Migration: Regulating Admission or Treatment?", in: BALDACCINI / GUILD / TONER (eds.), *Whose freedom, security and justice? EU immigration and asylum law and policy*, Oxford, Portland, 2007, p. 489 ff.

14 The following provisions grant a right to work (even though subject to limitations) to persons not admitted in the Union for working reasons: Art. 14 of Directive 2003/86/EC on the right to family reunification (OJ L 251, 03.10.2003, p. 12); Art. 16 of Directive 2013/33 laying down standards for the reception of applicants for international protection (OJ L 180, 29.06.2013, p. 96); Art. 26 of Directive 2011/95 on standards for the qualification of third-country nationals or stateless persons as beneficiaries of international protection, for a uniform status for refugees or for persons eligible for subsidiary protection, and for the content of the protection granted (OJ L 337, 20.12.2011, p. 9); Art. 24 of Directive 2016/801 on the conditions of entry and residence of third-country nationals for the purposes of research, studies, training, voluntary service, pupil exchange schemes or educational projects and au pairing (OJ L 132, 21.05.2016, p. 21), regarding students. In general, see M. JESSE, "Third-country nationals, integration and access to employment and occupation under EU law", in: MORANO-FOADI / MALENA (eds.), Integration for third-country nationals in the European Union: the equality challenge, Cheltenham, 2012, p. 145 ff.

III. The legal ***acquis*** *in a nutshell*

The aim of the paper is not to discuss each piece of legislation[15], nor to investigate the underlying philosophy[16], but rather to pick out those provisions that shape the present EU policy to the utmost extent, that is the so called Schengen Borders Code, recently recasted[17], and Directive 2008/115, the so called 'return directive'[18]. Roughly speaking, a few sentences, or rather a few axioms may suffice to summarize the relevant legal *acquis*:

1. the external borders must be crossed only at the official crossing points;
2. only those foreigners who are entitled to can be admitted to and stay in the EU;
3. whoever is in the EU without being entitled to, must be expelled.

The thread running through these axioms is the idea of control. The Treaty of Lisbon mirrors that and it is not by chance that 'management' of external borders and legal migration is one of the goals the Union shall attain in these fields.

I will then discuss these three axioms, to show that while they are firmly enshrined in the legislation, they do not seem to deliver. I will therefore discuss the amendments envisaged to provide a more effective answer to the so-called 'migration crisis' started in 2015, to see if and how the three axioms will be affected.

IV. Crossing the external borders

External borders may be crossed only at border crossing points and during fixed opening hours (Art. 5, Schengen Borders Code). The Member States have the responsibility to ensure that this basic rule is respected. Each State controls its part of the external border in the exercise of its sovereign rights and in its own inter-

15 For an analysis of each piece of legislation, see S. PEERS / E. GUILD / J. TOMKIN (eds.), *EU immigration and asylum law: text and commentary, Vol. 1, Visas and Border Control*, 2nd ed., Leiden, Boston, 2012; S. PEERS / E. GUILD / D. ACOSTA ARCARAZO / K. GROENENDIJK / V. MORENO-LAX (eds.), *EU immigration and asylum law: text and commentary, Vol. 2, EU Immigration Law*, 2nd ed., Leiden, Boston, 2012; K. HAILBRONNER / D. THYM (eds.), *EU Immigration and Asylum Law. A Commentary*, 2nd ed., München, 2016.

16 D THYM, "EU migration policy and its constitutional rationale: a cosmopolitan outlook", in: *Common Market Law Review*, 2013, p. 709 ff.

17 Regulation 2016/399 of the European Parliament and of the Council, *on a Union Code on the rules governing the movement of persons across borders* and repealing reg. 562/2006, OJ L 77, 23.03.2016, p. 1.

18 Directive 2008/115/EC of the European Parliament and of the Council of 16 December 2008 *on common standards and procedures in Member States for returning illegally staying third-country nationals*, OJ L 348, 24.12.2008, p. 98.

est, as well as in the common interest of the Schengen area[19]. In carrying out external borders controls, Member States protect themselves and the Union from threats coming from the outside. The very abolition of the internal borders rests on the controls carried out at the external borders by the Member States, with the assistance of the Union, as the case may be. The multiple (national and common) interests served by States controlling activities are in keeping with the nature of the Union's competence in the area of freedom, security and justice. Since it is a shared competence of the Union, the Member States can regulate it, provided they pursue the same aims of the Union[20]. The fact that, one State controls its borders also in the interest of the other Member States is reinforced by two recently adopted pieces of legislation, the new Schengen Borders Code and the new Frontex Regulation, which address the consequences of serious and persisting deficiencies relating to external border controls putting at risk the overall functioning of the area without internal border controls. Such deficiencies can entail the re-introduction of border controls between one or more Member States, due to the inability or the unwillingness of the concerned State to redress them, notwithstanding the support that the Union can provide[21].

The Union assists, both financially and operationally, the Member States responsible for external border controls in the day-to-day operations as well as in cases of emergency[22]. The point I would like to address is how to make sure that borders are not crossed outside border crossing points. For this purpose, the Schengen Borders Code establishes that the State must monitor the borders be-

19 Art. 5 of Regulation No 2016/1624 (OJ L 251, 16.09.2016, p. 1), establishing the European Border and Coast Guard Agency (hereinafter the new Frontex Regulation).

20 Shared competences are defined by Art. 2 para. 3 TFEU: 'When the Treaties confer on the Union a competence shared with the Member States in a specific area, the Union and the Member States may legislate and adopt legally binding acts in that area. The Member States shall exercise their competence to the extent that the Union has not exercised its competence. The Member States shall again exercise their competence to the extent that the Union has decided to cease exercising its competence.' Before adopting legislation in an area of shared competence, the proposal has to pass the subsidiarity test, by proving that, as Art. 5 TEU puts it, 'the objectives of the proposed action cannot be sufficiently achieved by the Member States, either at central level or at regional and local level, but can rather, by reason of the scale or effects of the proposed action, be better achieved at Union level.' On the different categories of EU competences, see R. SCHÜTZE, "EU Competences: Existence and Exercise", in: ARNULL / CHALMERS (eds.), *Oxford Handbook of EU law*, Oxford, 2015, p. 75 ff.

21 See N. PIÇARRA, in this book.

22 The Union may provide assistance to Member States through a plurality of means: financial resources, mainly through the Asylum, Migration and Integration Fund, established by Regulation No 514/2014 (OJ L 150, 20.05.2014, p. 112), operational, through the European Asylum Support Office, established by Regulation No 439/2910 (OJ L 132, 29.05.2010, p. 11) and the European Agency for the Management of Operational Cooperation at the External Borders of the Members States of the European Union, established by Regulation No 2007/2004 (OJ L 349, 25.11.2004, p. 1) and renamed European Border and Coast Guard Agency (see above, fn. 19).

tween crossing points, with the precise aim to prevent unauthorized crossing and to take measures against persons who have crossed the border illegally. Here we can identify the above-mentioned negative bias: those who cross the border outside the designated crossing points must have something to hide. Border surveillance is carried out by national border guards, in accordance with Art. 72 TFEU, which recognizes that law enforcement activities remain within the State's remit. Persons who are detected while trying to cross an external border outside the designated crossing points can be apprehended and repatriated, unless they have a right to stay. That is because, according to the second axiom, only those who are entitled to can be admitted. Only those who are in need of international protection are the ones allowed to be admitted even when crossing the border irregularly. In fact, Member States must comply with international obligations towards refugees and with international law on human rights and they must admit people in need and allow them to submit a request for protection. Since there is no legal pathway open for refugees to get to the Union[23], many of them arrive irregularly, putting themselves into the hands of whoever can help them[24].

Therefore, foreigners who are entitled to, must be admitted, allowed to submit an application for international protection and be given the reception conditions that are set out by EU law, while being arranged by the Member States.

On the contrary, foreigners who are not entitled to be admitted, must be returned, according to the third axiom. In that case, the return directive applies, unless the State decided to rule it out (a decision that the directive leaves them to take), in which case it must nonetheless give guarantees being granted equivalent to those set forth by the directive.

In any case, the border State must take everybody's fingerprints, according to the 'Eurodac Regulation'[25].

23 See below, fn. 28.

24 If what is written is correct, trying to disrupt the business of migrant smuggling only through criminal enforcement, without providing alternative answers to a demand, which is now met by criminal organizations, would be of little efficacy.

25 Regulation 603/2013 of the European Parliament and of the Council of 26 June 2013 on the establishment of 'Eurodac' for the comparison of fingerprints for the effective application of Regulation (EU) No 604/2013 establishing the criteria and mechanisms for determining the Member State responsible for examining an application for international protection lodged in one of the Member States by a third-country national or a stateless person and on requests for the comparison with Eurodac data by Member States' law enforcement authorities and Europol for law enforcement purposes, and amending Regulation (EU) No 1077/2011 establishing a European Agency for the operational management of large-scale IT systems in the area of freedom, security and justice, OJ L 180, 29.06.2013, p. 1.

V. Legally entering the Union

Let's now move on to the second axiom, which is closely linked to the first one, that is: whoever is in the EU, whatever the reason, must be entitled to stay. The law distinguishes between short- and long-stays. The distinction is important, not only because the legal regime is different, but also because the sources of it are different.

A short-stay is a period not exceeding 90 days in any period of 180 days. The EU establishes which foreigners must possess a visa and the conditions for issuing the uniform visa[26]. All applicants are fingerprinted and their fingerprints are entered in a database called VIS (Visa information system)[27]. The Visa Code makes it clear that the person concerned must possess economic resources to support themselves and assure the authority that they will return to their country of origin at the end of their stay. It is interesting to quote Art. 22 of the Visa Code, which states that, when deciding on a visa request, 'particular consideration shall be given to assessing whether the applicant *presents a risk of illegal immigration* or a risk to the security of the Member States and whether the applicant intends to leave the territory of the Member States before the expiry of the visa applied for' (italics added). Such a risk, if deemed to be present, can prevent the visa from being issued.

With this respect, the lack of a uniform visa for international protection is noteworthy: the EU recognizes the right to ask for international protection on its territory, but does not open a way to get legally to its territory. It is up to the Member States to grant visas on humanitarian grounds, but such visas have limited territorial validity[28].

The rights that foreigners enjoy during their short-stay depend on national legislations.

As to long-stays, a comprehensive EU regime is still lacking. The EU has over time adopted a number of directives to set out the conditions of entry and stay for some categories of foreigners. What is not regulated by EU law therefore remains within the remit of national sovereignty. For long-stays, a visa and a per-

26 Regulation 810/2009 of the European Parliament and of the Council of 13 July 2009 establishing a Community Code on Visas (Visa Code), OJ L 243, 15.09.2009, p. 1.

27 Regulation 767/2008 of the European Parliament and of the Council of 9 July 2008 concerning the Visa Information System (VIS) and the exchange of data between Member States on short-stay visas (VIS Regulation), OJ L 218, 13.08.2008, p. 60.

28 The establishment of an EU framework for humanitarian visas is under discussion within the European Parliament (see U. Iben Jensen, *Humanitarian visas: option or obligation?*, study for the LIBE Committee of the European Parliament, 2014. The European Commission does not seem ready to uphold this position, and the proposal for the Visa Code Recast does not mention it. On the contrary, the proposal for a framework for resettlement, as part and parcel of the CEAS reform, might offer an answer to it.

mit are required (unless the foreigner is a member of the family of the EU citizen, in which case they have the right to be admitted and to reside)[29]. As we already mentioned, a number of directives set out the conditions of admission and residence for some categories of foreigners, and regulate the rights attached to each status. A list of the categories is telling. In chronological order, they are: family members[30]; researchers, students, school pupils, trainees, volunteers and au pairs (recently recasted)[31], highly qualified workers[32], seasonal workers[33] and intra-corporate transferees[34]. EU migration policy also regards two important pieces of legislation, namely the Directive on long-term residents[35], setting out minimum rights for those who have been residing for five years, and the Single Permit Directive[36], setting out common rules on the application for permits submitted by persons who have been admitted to work and the rights attached to it, protection against expulsion included, without harmonizing the requirements for admission and residence.

29 As already mentioned, the members of the family of an EU national lie outside the scope of application of EU legislation on migration, but benefit from freedom of movement. The Court of Justice stressed that family members are not entitled to an autonomous right to enter and reside in a Member State, but enjoy a right that comes from the EU citizens' rights. The rights granted to the family are intended to facilitate the integration of EU nationals in the host country: Decision of 08.11.2012 – Case C-40/11, *Iida*, ECLI:EU:C:2012:691, para. 64.

30 Council Directive 2003/86/EC of 22 September 2003 on the right to family reunification, OJ L 251, 03.10.2003, p. 12.

31 Council Directive 2004/114/EC of 13 December 2004 on the conditions of admission of third-country nationals for the purposes of studies, pupil exchange, unremunerated training or voluntary service (OJ L 375, 23.12.2004, p. 12), and Council Directive 2005/71/EC of 12 October 2005 on a specific procedure for admitting third-country nationals for the purposes of scientific research (OJ L 289, 03.11.2005, p. 15), both repealed and replaced by Directive (EU) 2016/801 of the European Parliament and of the Council of 11 May 2016 on the conditions of entry and residence of third-country nationals for the purposes of research, studies, training, voluntary service, pupil exchange schemes or educational projects and au pairing (OJ L 132, 21.05.2016, p. 21).

32 Council Directive 2009/50/EC of 25 May 2009 on the conditions of entry and residence of third-country nationals for the purposes of highly qualified employment (OJ L 155, 18.06.2009, p. 17).

33 Directive 2014/36/EU of the European Parliament and of the Council of 26 February 2014 on the conditions of entry and stay of third-country nationals for the purpose of employment as seasonal workers (OJ L 94, 28.03.2014, p. 375).

34 Directive 2014/66/EU of the European Parliament and of the Council of 15 May 2014 on the conditions of entry and residence of third-country nationals in the framework of an intra-corporate transfer (OJ L 157, 27.05.2014, p. 1).

35 Council Directive 2003/109/EC of 25 November 2003 concerning the status of third-country nationals who are long-term residents (OJ L 16, 23.01.2004, p. 44).

36 Directive 2011/98/EU of the European Parliament and of the Council of 13 December 2011 on a single application procedure for a single permit for third-country nationals to reside and work in the territory of a Member State and on a common set of rights for third-country workers legally residing in a Member State (OJ L 343, 23.12.2011, p. 1).

Here, again, something is lacking: there are no harmonized rules on the admission of workers, who do not fall into the previously mentioned categories. Therefore, non-highly qualified workers have no legal pathway at the EU level to come to the Union. Their admittance depends on national law. When admitted, they are granted harmonized rights, according to the above-mentioned 'Single Permit' Directive. No serious prospect of amendment is envisaged. The last indent of Art. 79 TFEU, which states that 'This Article shall not affect the right of Member States to determine volumes of admission of third-country nationals coming from third countries to their territory in order to seek work, whether employed or self-employed,' constitutes an insuperable hurdle. The EU wants to attract foreign workers, but apparently only highly qualified workers[37]. Highly qualified workers are of course wanted and welcomed, nonetheless low- and medium-skilled workers, albeit certainly less welcomed, are no less needed[38].

VI. Returning irregular migrants

This leads us to consider the third axiom, which is enshrined in the 'Return Directive'. With the words of the Council of the EU, 'The Return Directive imposes a legal obligation on Member States to issue a return decision to any third-country national who stays illegally on their territory'[39]. Priority shall be given to voluntary return, but if the person does not leave, or where other reasons advise against it, the Member States shall enforce the return decision by 'physical transportation out' of their territories. The legal regime so established has given rise to many criticisms about the respect for fundamental rights of the persons concerned. The language used has been criticised too: the word 'illegal', referred to foreigners, conveys the idea of acting against the law, of infringing the law, while the word 'irregular' seems more neutral and more appropriate to describe the case of persons who are in the EU without being entitled to. But I do not want to

37 See Communications from the Commission to the European Parliament, the Council, the European Economic and Social Committee and the Committee of the Regions, *A European Agenda on Migration*, COM/2015/240 final, p. 16 ff.; and *Towards a Reform of the Common European Asylum System and Enhancing Legal Avenues to Europe*, COM/2016/197 final, p. 17 ff.

38 Employers in the Union need unskilled workers and sometimes are even ready to hire them illegally, notwithstanding the risk they run of incurring fines. With this respect, and with regard to the attitude of employers that can hinder the effectiveness of any action against irregular migration, see Ch. BOSWELL, «The Politics of Irregular Migration», in: AZOULAI / DE VRIES (eds.), *EU Migration Law. Legal Complexities and Political Rationales*, Oxford, 2014, p. 41 ff.

39 Council Conclusions on the return and readmission of illegally staying third-country nationals, adopted by the Council at its 3473rd meeting held on 9-6-2016, doc. 10020/16, recital n. 5.

address these criticisms here, despite their importance and validity. What I want to stress instead, is that, in truth, return decisions as an instrument of choice to tackle the consistency of EU migration policy prove to be ineffective. First of all, in reality, not all foreigners who are in the Union without a valid title can be returned. In fact, the law often protects them, for instance when the right to the unity of the family prevails or when the directives on migration limit States' discretionary powers. Secondly, even when States succeed in adopting valid expulsion decisions, numbers are telling: according to the European Commission, in 2013 only 4 out of 10 return decisions led to the departure of the person concerned[40]. Indeed, various legal and practical reasons prevent the implementation of many decisions. On the one side, enforcement is not possible when the person cannot be properly identified or there is no State willing to admit them. On the other side, States cannot enforce return decisions if they infringe human rights. The EU is perfectly aware of these difficulties, and the solution it proposes is to conclude more readmission agreements with third countries[41]. This kind of agreements are difficult to accept for third countries, considering the limited concessions that the EU can grant in exchange for their consent. In particular, if the EU seems ready to grant financial support to third countries, and sometimes also visa facilitation, it cannot put forward the more palatable offer, that is work opportunities[42]. The main obstacle is of course represented by Art. 79 para. 5: since the Member States retain the power to decide on the volume of third country workers to admit to their territory, whichever offer the Union may put forward has to respect this Member States' prerogative and therefore would be of little appeal to third countries.

From the case law of the Court of Justice stems that a person that cannot be expelled neither can be detained, because detention, in the logic of the Return

40 In the 2015 *European Agenda on Migration*, the Commission wrote that 'only 39.2% of return decisions issued in 2013 were effectively enforced' (p. 11). For more detailed data, see *Refugee Crisis: European Commission takes decisive action. Questions and answers*, MEMO/15/5597, 09.09.2015. Eurostat confirms this trend for 2014-2015.

41 See Communication from the Commission, *EU Action Plan on return*, COM/2015/453 final. The Union's competence to negotiate and conclude readmission agreements is directly set out by Art. 79, para. 4, TFEU. Readmission agreements are agreements under which the parties agree to admit into their territory their own nationals who are irregularly in the other party's territory, but also third country nationals being in the same situation, if transit from their territory is proved. See R. Cholewinski, "The External Dimension of EU Legal Immigration", in: De Bruycker / Foblets / Maes (eds.), *External dimensions of EU migration and asylum law and policy*, Bruxelles, 2011, p. 485 ff.

42 The agreements that the EU offers to third countries on migration satisfy more its own interests than being the result of a proper negotiation. For an analysis of the different approach that third countries may take towards the same type of agreement they are offered, see N. Reslow, "The Role of Third Countries in EU Migration Policy: The Mobility Partnerships", in: *European Journal of Migration and Law*, 2012, p. 393 ff. See also S. Wolff, "The Politics of Negotiating EU Readmission Agreements: Insights from Morocco and Turkey", in: *European Journal of Migration and Law*, 2014, p. 69 ff.

Directive, serves as a preparation for expulsion and when expulsion is not possible, its rationale ceases to exist and the person must be released[43].

What is the legal status of these persons? If the Member State criminalizes irregular stay, they can detain the persons to serve their term of imprisonment[44]. But at the end of the term of imprisonment, the problem will still be there and it is unlikely that the practical hurdles to expulsion have disappeared. Member States could grant a residence permit, even though they are under no obligation to do so[45]. The granting of a permit would put the case outside the Return Directive's scope of application, and would render the case in line with our second axiom here, according to which whoever is in the Union must possess a valid title. But it would be sort of an artifice to keep the coherence of the system.

VII. Putting the legal ***acquis*** *to the test*

In recent years, the irregular crossing of the external borders of the Union has become more visible, due to the massive flows of people arriving mainly from the South-East and South, by sea from Northern Africa across Italy, or from Turkey across Greece and via the so-called Western Balkan route. The peak was reached in 2015, when the applications for international protection submitted in

43 ECJ, Decision of 30.11.2009 – Case C-357/09 PPU, *Kadzoev*, ECR 2009, p. I-11189, ECLI:EU:C:2009:741. For comments on the judgment, see G. Cornelisse, in: *Common Market Law Review*, 2011, p. 925 ff.; E. Mincheva, in: *European Journal of Migration and Law*, 2010, p. 361 ff.

44 The Court of Justice said that a State is not allowed to detain a foreigner who does not have a valid title to stay, if that delays the execution of an expulsion decision. But it is allowed when expulsion is not possible any more: ECJ, Decision of 06.12.2011 – Case C-329/11, *Achughbabian*, ECLI:EU:C:2011:807; Decision of 07.06.2016 – Case C-47/15, *Affum*, ECLI:EU:C:2016:408. For an overview of the case-law on the conditions under which the Member States retain the power to criminalize irregular migration, without infringing the Return Directive, see M. Savino, "Irregular migration at the crossroads, between administrative removal and criminal deterrence: The *Celaj* Case", in: *Common Market Law Review*, 2016, p. 1419 ff.

45 According to Art. 6 para. 4 of Directive 2008/115 'Member States may at any moment decide to grant an autonomous residence permit or other authorization offering a right to stay for compassionate, humanitarian or other reasons to a third-country national staying illegally on their territory. In that event no return decision shall be issued. Where a return decision has already been issued, it shall be withdrawn or suspended for the duration of validity of the residence permit or other authorisation offering a right to stay.' There is no obligation for the State to issue a residence permit, when the foreigner cannot be expelled: ECJ, Decision of 05.06.2014 – Case C-146/14 PPU, *Mahdi*, ECLI:EU:C:2014:1320, on which see D. Acosta Arcarazo, "The Charter, detention and possible regularization of migrants in an irregular situation under the Returns Directive: Mahdi", in: *Common Market Law Review*, 2015, p. 1361 ff.

the EU almost doubled compared to the previous year[46]. This has conveyed the impression that the legal regime in force is unable to cope with these events.

The arrivals have affected the Member States unevenly, showing that they are not on the same position regarding the burdens that controlling the external borders entail nor regarding the responsibilities that a great number of people seeking protection involve. Controlling borders is not an easy task, especially when they can be easily crossed due to geographical reasons. Controlling maritime borders is even more complex than controlling terrestrial borders, because of the limits on States' freedom that humanitarian reasons add to geographical constraints. In fact, the duty to rescue lives at sea, a principle deeply enshrined in law and practice, prevents States from simply physically denying access. Rendering physically impossible to cross the border by building walls or fences at their external terrestrial border has been the surprising response provided by some of the Member States[47].

Even if the number of people coming to the Union has greatly decreased during the months that followed the peak, the pressure on border States – and especially on Italy – is still high, since they have not only to monitor their borders, but also to provide assistance to those who come, fingerprint all of them and single out those who can apply for international protection[48]. People rescued at sea and taken to a port are more visible than those arriving irregularly via different routes, and the death toll is obviously higher.

In order to help Greece and Italy, the most affected countries, the Council decided to establish a relocation mechanism: the other member States should accept to examine a number of applications for which Greece and Italy would be competent under the Dublin Regulation, in exchange for more accurate control and identification. Under this system, hotspots are key concepts. Hotspots are places where people arrive and have to be duly equipped for identification with the aim of fingerprinting 100% of the arrivals[49]. The relocation mechanism re-

46 On the numbers of the so called 'refugee crisis', see E. Guild / S. Carrera, "Rethinking asylum distribution in the EU: Shall we start with the facts?", in: *CEPS Commentary*, 17.06.2016.

47 Hungary has proposed itself as good example of effective control of the external border of the Union.

48 Under the 'Dublin III Regulation', the State whose external borders have been crossed illegally is competent to process the application for international protection: Regulation 604/2013, establishing the criteria and mechanisms for determining the Member State responsible for examining an application for international protection lodged in one of the Member States by a third-country national or a stateless person (OJ L 180, 29.06.2013, p. 31).

49 See Decisions 2015/1523 (OJ L 239, 15.09.2015, p. 146) and 2015/1601 (OJ L 248, 24.08.2015, p. 80). The Slovak Republic and Hungary brought an annulment action against the second decision and the cases are pending: see Case C-643/15 and C-647/15 (OJ C 38, 01.02.2016, p. 41 ff.)

gards those who have a concrete prospect of being granted international protection because they come from countries which 'produce' asylum seekers[50]. The others are not involved in the relocation scheme. If they submit an application for international protection, Italy is competent to examine it[51], and it can grant protection or not, depending on the personal situation of the applicant. Those arriving are not always fleeing from persecution or other serious risks which are the grounds for international protection[52].

Those whose applications have been rejected and those who have not submitted any application are considered as irregularly present in Italy and should be returned to the country they came from. Those people often try to escape control and to reach other places in Europe, their actual final destination[53].

These events have highlighted the obvious connections among external borders control, migration and asylum, three issues that the Treaty keeps apart, because they are dealt with under different Treaty provisions and have to be regulated by measures adopted under different legal basis. Both asylum seekers and migrants cannot get to the Union without crossing an external border, and very often they all need a visa, since the countries which produce the higher flows of refugees happen to be on the list of third countries whose nationals need a visa

50 The European Commission updates the list of eligible nationalities every three months. In the aftermath of the adoption of the mechanism, the eligible nationalities were: Burundi, Central African Republic, Eritrea, Costa Rica, Saint Vincent and the Grenadines, Bahrain, Iraq, Maldives, Syria, and British overseas countries and territories (First report on relocation and resettlement, COM/2016/165). About one year later, they are: Syria, Eritrea, Burundi, Mozambique, Bahrain, Bhutan, Qatar and Yemen (Sixth report on relocation and resettlement, COM/2016/636).

51 According to data released by the Italian Ministry of Interior, the nationalities of people arrived by sea during 2015 were (in reverse order): Eritrea, Nigeria, Somalia, Sudan, Gambia, Syria, Mali, Senegal, Bangladesh, and Morocco. During 2016 (update at 14.11.2016): Nigeria, Eritrea, Guinea, Ivory Coast, Gambia, Sudan, Senegal, Mali, Bangladesh and Somalia. An additional 23% of arrivals each year comprises nationals of other States. Confronting these lists and the ones of eligible persons for relocation (see fn. 50), it is clear that Italy has still to take care of a significant percentage of arrivals.

52 The grounds for granting international protection are laid down by Directive 2011/95, on standards for the qualification of third-country nationals or stateless persons as beneficiaries of international protection, for a uniform status for refugees or for persons eligible for subsidiary protection, and for the content of the protection granted (OJ L 337, 20.12.2011, p. 9).

53 Italy for a while has encouraged the willing of people, turning a blind eye on their move towards the north of Europe. This attitude has been brought to a halt by the hotspot approach. The new category of 'transit migrants' appeared in the public discourse, to describe persons who arrived irregularly and directed northwards.

even for a short stay[54]. Since asylum seekers have a title to be admitted[55], there is an incentive for migrants to claim international protection. The rate of unfounded applications, which for some nationalities is up to 98%[56], is evidence of this attitude and makes it clear that all the three policies involved are challenged.

Some States along the routes followed by irregular migrants who escaped identification at the external borders and moved northwards reacted by reintroducing controls at their internal borders. When this trend was set in motion, the Schengen Borders Code then in force did not allow for reintroducing controls in such cases. The new Code, as already recalled, brings the States' reaction within EU law and under the control of the institutions.

The response given by the Union to provide a long-term solution to the crisis unfolds along different lines. The Commission tabled many initiatives and proposals[57]. The three axioms used in this paper to synthetize the legal *acquis* on EU migration and borders control policies seem to remain valid and have not been reversed by the amendments put forward. The focus is still on controlling the external borders, preventing unauthorized entries and stays, and returning those who are staying irregularly. The amendments already adopted or still on the table go in this direction.

The Council and the Parliament adopted a regulation to rebuild Frontex anew[58]. Under the new regulation, Frontex may assist a Member State by orga-

54 Regulation 539/2001 listing the third countries whose nationals must be in possession of visas when crossing the external borders and those whose nationals are exempt from that requirement (OJ L 81, 21.03.2001, p. 1). Article -1 of the Regulation lays down the illustrative criteria that have to be taken into account when deciding in which list to include each third country. The criterion relating to illegal immigration is among them. Many scholars have highlighted how the EU has rendered it more and more difficult for refugees to legally reach the territory of the Union. See M. Den Heijker / J. Rijpma / Th. Spijkerboer, "Coercion, Prohibition, and Great Expectations: The Continuing Failure of the Common European Asylum System», in: *Common Market Law Review*, 2016, p. 607 ff.; Th. Spijkerboer, "Minimalist reflections on Europe, Refugees and the Law", in: *European Papers*, 2016, p. 533 ff.

55 The right to stay pending the examination of the application for international protection is granted by Art. 9 of Directive 2013/32 on common procedures for granting and withdrawing international protection (OJ L 180, 29.06.2013, p. 60). When the application is lodged at the external border, the applicant is admitted if the decision on its case has not been adopted within 4 weeks (Art. 43).

56 According to statistical data released by EASO, less than half of the applications submitted in 2015 by nationals from Albania, Kosovo, Serbia, Pakistan, Nigeria and Russian Federation were granted.

57 The main Commission's communications are quoted above, fn. 37.

58 Regulation 2016/1624 on the European Border and Coast Guard and amending Regulation (EU) 2016/399 of the European Parliament and of the Council and repealing Regulation (EC) No 863/2007 of the European Parliament and of the Council, Council Regulation (EC) No 2007/2004 and Council Decision 2005/267/EC, OJ L 251, 16.09.2016, p. 1). On the impact of the establishment of the original Frontex on Member States' sovereignty, see R. Mungianu, "Frontex: Towards a Common Policy on External Border Control", in: *European Journal of Migration and Law*, 2013, p. 359 ff.

nizing joint operations or launching rapid border interventions, upon request of the State, or upon decision of the Council. The Council may decide to ask Frontex to act only if the functioning of the Schengen area is put in jeopardy by ineffective controls of the external borders. This may occur if the Member State concerned does not seek the support of the Agency to tackle the problem, or if it does not implement the measures suggested by the Agency. Anyhow, in order for an intervention to be deployed, the Agency and the State must agree on the operational plan. Should they fail to agree, the intervention cannot be deployed, but the Council might authorize other Member States to reintroduce controls along their internal borders.

The role of criminal networks of smugglers in facilitating irregular entry has been recognized too, reinforcing the trend to see irregular migration and criminality as intertwined phenomena, so that combating one side will inevitably have positive effects on the other side.

The hotspot approach tries to find a balance between the need to control whoever reaches the Union and to protect whoever is in need. While its actual implementation has been severely criticized[59], it makes evident that the external borders are not only crossed at the crossing points as envisaged by the law. The hotspot approach is tantamount to acknowledging that crossing the border outside the proper places does not happen by chance, but it is a 'normal' occurrence under the present circumstances.

No legal pathway for asylum seekers to get safely to the Union has been opened. But the Member States are invited to make the existing admission avenues (for students, work, family reunification, etc.) more easily available to those in need of international protection. In addition, the Commission has tabled a proposal to establish a permanent framework for voluntary resettlement to safely admit a number of persons in clear need of protection directly selected in third countries to the Union[60].

Returns are still at the core of EU policies. In order to ease their implementation, cooperation with third countries is to be reinforced. The more traditional approach made of readmission agreements is coupled with new forms of cooperation with third countries, in order to help them to reduce the flows coming to the Union. The Union seems so eager to invest in cooperating with third countries to prevent migration that it is even ready to negotiate with those States that produce asylum seekers with a good chance of success or that have a poor record on human rights.

59 See Amnesty International, *Hotspot Italy: Abuses of Refugees and Migrants*, November 2016.

60 Proposal for a Regulation of the European Parliament and of the Council, *establishing a Union Resettlement Framework and amending Regulation (EU) No 516/2014 of the European Parliament and the Council*, COM/2016/468, 13.07.2016.

The Union is also giving additional support to the Member States, to ease the enforcement of return decisions. The Council and the Parliament adopted a regulation establishing a document that can be released to third country nationals to return[61]. Frontex, too, assists Member States on an operational plan, by coordinating and organizing return operations on request. In case a return intervention is deployed, the Union bears the costs.

The difficulties that States are facing in coping with the crisis have not triggered a reappraisal of the philosophy underlying the external borders control and migration policies, to understand whether the present regime might amount to an (unintended) incentive for irregular migration. Nonetheless a positive remark on the proposals on the table is possible. The background is changing. Firstly, the Commission acknowledged the flaws of the present regime and even admitted that 'There are significant structural weaknesses and shortcomings in the design and implementation of European asylum and migration policy, which the crisis has exposed'[62]. Secondly, a more holistic and comprehensive approach to asylum, migration and border control seems to be emerging. The three areas remain as separate as the legal basis for their development. But the EU is becoming aware that they interfere with one another, reciprocally reinforcing or weakening each other. The recent Communications deal with all the three matters together, to an extent never reached before. Thirdly, the importance of opening some additional legal pathways to the Union is acknowledged, even though which ones and how to accomplish it are yet to be outlined. Granting a wider legal access to the Union would be a precious bargaining chip to offer to third countries in an effort to get to manage migration flows to the Union.

61 Regulation 2016/1953 on the establishment of a European travel document for the return of illegally staying third-country nationals, and repealing the Council Recommendation of 30 November 1994 (OJ L 311, 17.11.206, p. 13 ff.).

62 *Towards a Reform of the Common European Asylum System and Enhancing Legal Avenues to Europe*, COM/2016/197 final, p. 2.

Zweite Sitzung – Second Session – Deuxième Séance

Vorsitz – Chair – Présidence :

Michael Potacs

Schutz und Integration von Migranten im Recht der EU, der EMRK und des Europäischen Ausschusses für soziale Rechte

Legal protection and Integration of Migrants in EU Law, the ECHR and the Law of the European Committee of Social Rights

Protection juridique et intégration des migrants en droit de l'Union Européenne, de la CEDH et du Comité européen des droits sociaux

Developments in the case-law of the CJEU in the field of migration

Horatiu Radu[*]

Migration stands as one of the greatest challenges posed to our present society in general, and to the EU in particular. At EU level, it is only natural for the CJEU, as the institution ensuring the uniform interpretation of EU law, to intervene and deal with the administrative as well the judicial issues raised by migration at Member States level.

The analysis and understanding of the migration phenomenon from an EU law perspective require, as a mandatory precondition, serious consideration of the CJEU's rich jurisprudence, as recently developed by the Luxembourg court.

Bearing this in mind, I have set the benchmarks for my presentation – respectively, the most important judgments rendered by the CJEU in the first semester of 2016.

Despite the more limited scope of my presentation, I would like to note the variety of topics and issues raised by the Court in its recent jurisprudence, emphasizing all at the same time the presence of certain elements of novelty.

To start with, I would like to point out a few relevant, if not essential aspects in terms of migration.

First of all, I would like to showcase its complex nature. Accordingly, an in-depth assessment of the migration phenomenon implies an analysis of all its ramifications. As such, I would like to mention that the term "migration" embodies some of the most varied issues, such as:

– freedom of movement and conditions of access to the EU
– standards for obtaining the status of refugee or subsidiary protection
– establishing the Member State responsible for examining/processing the requests for international protection
– standards of entry for the applicants of international protection, as well as conditions/limitations in case of restriction of the applicants' rights (in particular, the possibility for Member States to make use of instruments of criminal law - such as detention - so as to ensure protection of national security and public order)
– ensuring return of third-country nationals in a situation of illegal entry/stay, while respecting, on the one hand, fundamental rights, as general principles

* *Professor, Universiy of Iași.*

of EU law, and, on the other hand, international law in the field of protection of refugees and human rights
- right of third-country nationals who have their legal residence on the territory of a Member State, to family reunification, in line with the obligation for protection of family and respect for family life, as recognized by international law standards.

Second of all, I would like to underline the existence of various sources of rights and obligations in the field of migration, such as: international law sources, developed at UN level (international conventions and human rights instruments); instruments developed by the Council of Europe; EU legislation and, last but not least, national law sources.

Considering the variety of sources of law, it is essential to stress the importance of regulations and directives adopted at EU level. The latter present 3 main features:
- they create rights for third-country nationals and obligations for Member States
- they are grounded in international conventions, whose provisions are thus developed and ensured a larger scope of application
- on the basis of the principle of supremacy, they take precedence over national legislation.

Accordingly, I would like to bring to your attention the analysis of 6 of the most recent preliminary rulings of the CJEU, while taking due note of the fact that:
- 5 of these rulings have been rendered by the Grand Chamber
- they illustrate many of the different issues related to the interpretation of legislation in the field of migration, as shown above.

Therefore, I would like point out the following specific issues of migration, as interpreted by the CJEU in its most recent case-law:
1. Free movement of beneficiaries of subsidiary protection status, in light of the purpose of achieving an appropriate distribution of budgetary burden among various institutions (cases C-443/14 and C-444/14, *Kreis Warendorf v. Ibrahim Alo* and *Amira Osso v. Region Hannover*)
2. Validity of detention aimed at ensuring national security/public order, considering the right to freedom and security[1] (C-601/15 PPU, *J.N. v. Staatssecretaris van Veiligheid en Justitie*)
3. Determination of the scope of application of the Directive on return, in case of an illegal entry/transit and alleged multilateral readmission arrangement (C-47/15, *Selina Affum v. Prefet du Pas-de-Calais, Procureur général de la cour d'appel de Douai*)

1 Provided for by article 6 of the EU Charter of Fundamental Rights: "Everyone has the right to liberty and security of person".

4. Extent of judicial scrutiny, in case of an appeal against a decision of transfer (C-63/15, *Mehrdad Ghezelbash v. Staatssecretaris van Veiligheid en Justitie*) and the possibility of invoking the incorrect application of the criteria for determining responsibility, in an action challenging a transfer decision (C-155/15, *George Karimn v. Migrationsverket*)
5. Evaluation of the condition regarding stable and regular resources which are sufficient for exercising the right to family reunification (C-558/14, *Mimoun Khachab v. Subdelegacion de Gobierno en Alavo*).

I. Free movement of beneficiaries of subsidiary protection[2]

The main issue raised by the national court and which benefitted from an extensive analysis by the CJEU, referred primarily to the interpretation of Directive 2011/95/EU[3], for the purpose of establishing if an obligation of residence (restricting/limiting residence to a certain geographical area) imposed on the beneficiary of subsidiary protection, amounts to a restriction on the freedom of movement and, in this context, the possible justifications for an obligation of residence, taking into account:

- the purpose of achieving an appropriate distribution of the burden of public social assistance among various institutions[4]
- the aim of facilitating the integration of third-country nationals in the Member State that has granted that protection[5].

In order to offer the requested answers to the preliminary questions posed, the CJEU referred to the provisions of Directive 2011/95/EU, as well as the Geneva Convention relating to the Status of Refugees – as key element of the international legal system for the protection of refugees.

Referring to the obligation of residence enforced upon the beneficiaries of subsidiary protection, the Luxembourg court noted the uniform status for all beneficiaries of international protection, as set by Directive 2011/95/EU. Accordingly, the beneficiaries of subsidiary protection enjoy the same rights and benefits as those afforded to refugees[6].

2 ECJ, Decision of 01.03.2016 – Joined cases C-443/14 and C-444/14, *Kreis Warendorf v. Ibrahim Alo* and *Amira Osso v. Region Hannover*, ECLI:EU:C:2016:127.
3 *Directive 2011/95/EU on standards for the qualification of third-country nationals or stateless persons as beneficiaries of international protection, for a uniform status for refugees or for persons eligible for subsidiary protection, and for the content of the protection granted*, OJ L337/5, 20.12.2011.
4 ECJ, Joined cases C-443/14 and C-444/14, para. 41-56.
5 Ibid., para. 57-64.
6 Ibid., para. 32-33.

In light of the above-mentioned, the Court underlined that:

1. the same legal regime applies to both refugees and beneficiaries of subsidiary protection, in terms of freedom of movement
2. article 26 of the Geneva Convention clearly provides that the freedom of movement comprises the right to move freely in the territory of the State that has granted refugee status, but also the right of refugees to choose their place of residence in that territory[7].

Moreover, the EU legislator chose to include, at the level of Directive 2011/95/EU, both of the above-mentioned rights, in line with the uniform status for all beneficiaries of international protection[8].

Accordingly, the freedom of movement, as mentioned in article 33 of Directive 2011/95/EU[9], includes the right to move freely in the territory of a Member State as well as the right to choose the place of residence within that territory. Consequently, a residence condition imposed on a beneficiary of subsidiary protection status constitutes a restriction of the freedom of movement guaranteed by that article[10].

The Court then proceeded to an evaluation of possible justifications for restrictions to the freedom of movement, on grounds of either

1. ensuring appropriate distribution of the burden of public social assistance among various institutions or
2. facilitating the integration of third-country nationals in the Member State that has granted protection.

Following a step by step approach, the Court carried on with a comparative analysis of the treatment granted to beneficiaries of subsidiary protection, in relation to:

a) the treatment afforded to nationals of the Member State granting the protection (when referring to the aim of ensuring appropriate distribution of the burden of public social assistance)
b) the treatment of third-country nationals legally residing in the Member State (when referring to the rationale of facilitating the integration of third-country nationals).

1. While analyzing the first ground, the Court stressed that beneficiaries of international protection are to receive, in the Member State that has granted such protection, social assistance as provided to nationals of that Member State. The con-

7 Ibid., para. 35.
8 Ibid., para. 37.
9 According to article 33 of Directive 2011/95/EU: "Member States shall allow freedom of movement within their territory to beneficiaries of international protection, under the same conditions and restrictions as those provided for other third-country nationals legally resident in their territories".
10 ECJ, Joined cases C-443/14 and C-444/14, para. 37, 40.

ditions under which beneficiaries of subsidiary protection status are eligible for the social assistance extended to them by the Member State that has granted them that protection must be the same as those under which such assistance is granted to nationals of that Member State[11].

Accordingly, residence conditions imposed on beneficiaries of subsidiary protection clearly qualify as a restriction in access to social benefits, considering that such beneficiaries will therefore be eligible for welfare benefits only if prepared to accept a residence condition[12].

Although the Court takes due note of the fact that the grant of social security benefits entails costs for the institution that is required to provide those benefits, such cost is irrespective of the type of beneficiary of social security – be it refugee, a third-country national who is legally residing or a beneficiary of subsidiary protection[13].

The movement of recipients of those benefits or the fact that such persons are not equally concentrated throughout the Member State concerned may thus mean that the costs entailed are not evenly distributed among the various competent institutions, irrespective of the potential qualification of such recipients for subsidiary protection status. *The first ground for justification cannot thus be upheld*[14].

2. Regarding the second ground, the Court brought forth the concerns in ensuring proper integration, depending on whether third-country nationals have obtained legal residence.

The Court came to show that Directive 2011/95/EU must be interpreted *as not precluding a residence condition from being imposed on a beneficiary of subsidiary protection status,* in receipt of certain specific social security benefits, with the objective of facilitating the integration of third-country nationals in the Member State that has granted that protection, if beneficiaries of subsidiary protection status are *not* in a situation that is objectively comparable, so far as that objective is concerned, with the situation of third-country nationals legally resident in the Member State concerned, it being for the referring court to determine whether that is the case[15].

11 Ibid., para. 48.
12 Ibid., para. 53.
13 Ibid., para. 55.
14 Ibid., para. 55-56.
15 ECJ, Joined cases C-443/14 and C-444/14, para. 64.

II. Validity of detention aimed at ensuring national security/public order, considering the right to freedom and security, guaranteed by art. 6 of the EU Charter of Fundamental Rights[16]

First, I would like to stress that the analysis performed by the Court in its judgment rendered in *J.N.* represents the first of its kind in terms of qualifying detention measures in light of the provisions of Directive 2013/33/EU[17].

As such, the Court pointed out that an examination of the validity of provisions regarding detention must be undertaken solely in light of the fundamental rights guaranteed by the Charter[18]. The ECHR does not constitute, as long as the European Union has not acceded to it, a legal instrument which has been formally incorporated into EU law[19]. Moreover, consistency is to be ensured between the Charter and the ECHR, without thereby adversely affecting the autonomy of Union law and that of the Court of Justice of the European Union[20].

A measure ordering detention which is based on Directive 2013/33/EU genuinely meets an objective of general interest recognised by the European Union. What is more, the protection of national security and public order also contributes to the protection of the rights and freedoms of others[21].

Nevertheless, a Member States may not hold a person in detention for the sole reason that he has made an application for international protection.

Detention can only be imposed when necessary and depending on individual conduct, for as short a period as possible, in line with the principle of proportionality and solely when the grounds relating to the protection of national security or public order continue to be valid[22].

Strictly confining the competence of Member States to make use of detention, the Court emphasized that placing or keeping an applicant in detention, when protection of national security or public order so requires[23], is, in view of the requirement of necessity, justified only if the applicant's individual conduct represents a genuine, present and sufficiently serious threat, affecting a fundamental

16 ECJ, Decision of 15.02.2016 – Case C-601/15 PPU, *J.N. v. Staatssecretaris van Veiligheid en Justitie,* ECLI:EU:C:2016:84.
17 *Directive 2013/33/EU laying down standards for the reception of applicants for international protection (recast)*, J.O. L 180/96, 29.06.2013.
18 ECJ, Case C-601/15 PPU, para. 46.
19 Ibid., para. 45.
20 Ibid., para. 47.
21 Ibid., para. 53.
22 ECJ, Case C-601/15 PPU, para. 62 and 73.
23 As provided by article 8 (3) first subparagraph, point e) of Directive 2013/33/EU:
"An applicant may be detained only:
(…)
e) when protection of national security or public order so requires (…)".

interest of society or the internal or external security of the Member State concerned[24].

In line with its previous jurisprudence, the Court *concluded that a return procedure, accompanied, as the case may be, by an entry ban, must be resumed at the stage at which it was interrupted, as soon as the application for international protection which interrupted it has been rejected at first instance*[25].

III. Determination of the scope of application of the Directive on return, in case of an illegal entry/transit and alleged multilateral readmission arrangement[26]

In case C-47/15, *Selina Affum*, the Court revisited the problem of detention, this time in light of Directive 2008/115/EU[27]. Thus, the Luxembourg court sought to offer an effective interpretation of the EU act, while clarifying aspects such as:

1. determination of the scope of application of Directive 2008/115/EU, in case of transit of territory of a Member State, where the third-country national, having as point of departure another Member State party to the Schengen Convention, seeks destination in a different Member State
2. the compatibility with EU law of national legislation under which a third-country national who has entered the territory of a Member State illegally is liable to a sentence of imprisonment, in case the return procedure has not been put in place and the person may be taken back by another Member State pursuant to an agreement concluded with that State prior to the entry into force of the Directive.

Referring to the first issue at hand, the Court underlined that the concept of "illegal stay", as found in Directive 2008/115/EU, is not subject to a condition requiring a minimum duration or an intention to remain on that territory. Thus, it must be recalled that a third-country national is staying illegally on the territory of a Member State and therefore falls within the scope of that directive when, without fulfilling the conditions for entry, stay or residence, he passes in transit through that Member State as a passenger on a bus from another Member State forming part of the Schengen area and bound for a third Member State outside that area[28].

24 ECJ, Case C-601/15 PPU, para. 66.

25 Ibid., para. 80.

26 ECJ, Decision of 07.06.2016 – Case C-47/15, *Selina Affum v. Prefet du Pas-de-Calais, Procureur général de la cour d'appel de Douai,* ECLI:EU:C:2016:408.

27 *Directive 2008/115/EU on common standards and procedures in Member States for returning illegally staying third-country national,* OJ L348/98, 24.12.2008.

28 ECJ, Case C-47/15, para. 48 and 50.

Regarding the second issue at hand, the Court mentioned, in line with its previous case-law[29], that Directive 2008/115/EU precludes legislation of a Member State laying down criminal penalties for illegal stays, in so far as that legislation permits the imprisonment of a third-country national who, though staying illegally on the territory of that Member State and not being willing to leave that territory voluntarily:

- has not been subject to the coercive measures referred to in the directive and
- has not, if placed in detention with a view to the preparation and carrying out of his removal, yet reached the end of the maximum term of that detention.

Nevertheless, Directive 2008/115/EU allows for a third-country national being placed in administrative detention with a view to determining whether or not his stay is legal and does not preclude national legislation which permits the imprisonment of a third-country national to whom the return procedure established by the directive has been applied and who is staying illegally on the territory of the Member State without a justified ground for non-return[30].

Taking into account the above-mentioned elements, the Court then examined, on a step by step approach, the applicability of Directive 2008/115/EU in case a third-country national is taken back by another Member State than the one in which he was detained, pursuant to an agreement concluded with that State prior to the entry into force of the Directive. The Court noted the following:

Since third-country nationals who have entered the territory of a Member State illegally are regarded as staying there illegally and fall under the scope of Directive 2008/115/EU, they must be subject to the common standards and procedures laid down by the directive for the purpose of their removal[31].

Considering that Directive 2008/115/EU establishes a *gradation of the measures to be taken in order to enforce the return decision in order to ensure observance of the fundamental rights of the third-country nationals*, the CJEU concluded that Member States cannot permit third-country nationals in respect of whom the return procedure has not yet been completed to be imprisoned merely on account of illegal entry, *as such imprisonment is liable to thwart the application of that procedure and delay return, thereby undermining the directive's effectiveness*[32].

Regarding the possibility for Member States not to apply the directive to third-country nationals who are apprehended or intercepted by the competent au-

29 ECJ, Decision of 06.12.2011 – Case C-329/11, *Achughbabian,* ECLI:EU:C:2011:807, para. 50.

30 ECJ, Case C-47/15, para. 54; Case C-329/11, para. 50.

31 Ibid., para. 61.

32 Ibid., para. 62-63.

thorities in connection with the irregular crossing[33], the Court underlined that the EU provision refers solely to cases of irregular crossing of external borders[34].

Also, in relation to that situation, apprehension or interception of the third-country nationals implies a direct temporal and spatial link with that crossing of the border; thus, the provision concerns solely apprehension or interception by the competent authorities at the very time of the irregular crossing of the border or near that border after it has been so crossed.

As a result, the possibility for Member States not to apply the directive to third-country nationals who are apprehended or intercepted by the competent authorities in connection with the irregular crossing cannot be applied to situations of irregular crossing of EU internal borders or apprehensions made after the act of irregular crossing has been committed[35].

Also, as made clear by the Luxembourg court in *Selina Affum*, the situation of an illegally staying third-country national who is taken back, pursuant to an agreement, by a Member State other than the one in which he has been apprehended, remains governed by the directive. As a result, the Member State which decides to transfer a third-country national to another Member State pursuant to that provision has to act within the framework of the common standards and procedures established by the Directive 2008/115/EU[36] (accordingly, respecting the principle of gradation of measures to be taken in order to enforce the return decision). Thus, the process by which a third-country national is taken back to another Member State, pursuant to an agreement, is incorporated into the return procedure, with the aim of applying common standards.

As to the applicability of the justification referring to the introduction, by Member States, of penalties for the unauthorised crossing of external borders at places other than border crossing points[37], the Court only stated that its scope did not cover cases of irregular crossing of internal borders[38].

33 Provided by article 2 (2) (a) of Directive 2008/115/EU: "Member States may decide not to apply this Directive to third-country nationals who:
(a) are subject to a refusal of entry in accordance with Article 13 of the Schengen Borders Code, or who are apprehended or intercepted by the competent authorities in connection with the irregular crossing by land, sea or air of the external border of a Member State and who have not subsequently obtained an authorization or a right to stay in that Member State;".

34 ECJ, Case C-47/15, para. 69.

35 Ibid., para. 68-69.

36 Ibid., para. 86.

37 Mentioned at article 4 (3) of the Schengen Borders Code: "Without prejudice to the exceptions provided for in paragraph 2 or to their international protection obligations, Member States shall introduce penalties, in accordance with their national law, for the unauthorised crossing of external borders at places other than border crossing points or at times other than the fixed opening hours. These penalties shall be effective, proportionate and dissuasive".

38 ECJ, Case C-47/15, para. 91.

It can thus be concluded that Directive 2008/115/EU must be interpreted as precluding legislation of a Member State which permits a third-country national in respect of whom the return procedure established by that directive has not yet been completed to be imprisoned merely on account of illegal entry across an internal border, resulting in an illegal stay.

That interpretation also applies where the national concerned may be taken back by another Member State pursuant to an agreement[39].

IV. Extent of judicial scrutiny, in case of an appeal against a decision of transfer[40]*. The possibility of invoking the incorrect application of the criteria for determining responsibility, in an action challenging a transfer decision*[41].

To carry on with, I will focus on the Court's examination in decisions *Mehrdad Ghezelbash* and *George Karimn.*

Considering certain similarities presented by the 2 cases, I will refer explicitly to the analysis performed in case *Mehrdad Ghezelbash.*

Both preliminary rulings offer interpretations of Regulation 604/2013[42].

The main legal issue posed by the ruling refers to the scope of application of the right to an effective remedy[43], to be more precise, the possibility for an asylum applicant, in an action for remedies, to invoke the incorrect application of the criteria for determining responsibility, when the foreign national was confronted with the request for assumption of responsibility to deal with the asylum application only after that request had been agreed to[44].

Relevant, in these circumstances, is the Court's decision in *Abdullahi*[45], where it was stated that the only way an asylum seeker can challenge the responsibility of a Member State, as Member State of the asylum seeker's first entry into EU

39 ECJ, Case C-47/15, para. 93.

40 ECJ, Decision of 07.06.2016 – Case C-63/15, *Mehrdad Ghezelbash v. Staatssecretaris van Veiligheid en Justitie,* ECLI:EU:C:2016:409.

41 ECJ, Decision of 07.06.2016 – Case C-155/15, *George Karimn v. Migrationsverket,* ECLI:EU:C:2016:410

42 *Regulation 604/2013 establishing the criteria and mechanisms for determining the Member State responsible for examining an application for international protection lodged in one of the Member States by a third-country national or a stateless person (recast),* OJ L180/96, 29.06.2013.

43 Provided by article 27 (1) of Regulation 604/2013:
"The applicant (...) shall have the right to an effective remedy, in the form of an appeal or a review, in fact and in law, against a transfer decision, before a court or tribunal".

44 ECJ, Case C-63/15, para. 29.

45 ECJ, Decision of 10.12.2013 – Case C-394/12, *Shamso Abdullahi v Bundesasylamt,* ECLI:EU:C:2013:813

territory, is by pleading systemic flaws in the asylum procedure and in the conditions for the reception of asylum seekers in that latter Member State.

Nevertheless, the Court raised doubts as to the validity/applicability of its previous jurisprudence to the circumstances of the present case, considering that the former decision referred to Regulation 343/2003[46], repealed by Regulation 604/2013 – whose interpretation was duly required.

Considering the wording of article 27 of Regulation 604/2013, it can be clearly established that:

1. the legal remedy provided for in that article must be effective and cover questions of both fact and law
2. the provision makes no reference to any limitation of the arguments that may be raised by the asylum seeker when availing himself of that remedy[47].

It is apparent from the general scheme of Regulation 604/2013 that its application is based essentially on a process for determining the Member State responsible as designated by the criteria listed in Chapter III of the regulation[48] – an element of crucial importance for the EU act.

The Court, thus, takes due notice of the fact that Regulation 604/2013 confers a right on the applicant to be informed, as well as the obligation of the Member State carrying out the determination of the Member State responsible to conduct a personal interview with the asylum seeker[49]; introduces various procedural safeguards, including the right to request within a reasonable period of time a court or tribunal to suspend the implementation of the transfer decision[50].

The CJEU established that the EU legislature intended to involve asylum seekers in the process for determining the Member State responsible and, as a consequence, asylum seekers are entitled to plead, in an appeal against a decision to transfer, the incorrect application of one of the criteria for determining responsibility[51].

As such, Regulation 604/2013 must be interpreted as meaning that an asylum seeker is entitled to plead, in an appeal against a decision to transfer him, the incorrect application of one of the criteria for determining responsibility laid down in Chapter III[52] *of the regulation.*

46 *Regulation 343/2003 establishing the criteria and mechanisms for determining the Member State responsible for examining an asylum application lodged in one of the Member States by a third-country national,* OJ L50/1, 25.02.2003.
47 ECJ, Case C-63/15, para. 36.
48 Ibid., para. 41.
49 Ibid., para. 48.
50 Ibid., para. 49-50.
51 Ibid., para. 51.
52 For the purpose of determining the Member State responsible within the meaning of Article 3(1) of Regulation No 604/2013, Chapter III of the regulation sets out a list of objective criteria in hierarchical order.

I would like to take this occasion to stress that, following a similar reasoning that re-echoed that in *Mehrdad Ghezelbash*, the Luxembourg court established, in *George Karimn,* that an *asylum applicant may, in an action challenging a transfer decision made in respect of him, invoke an infringement of the rule set out in the second subparagraph of Article 19 (2) of that Regulation*[53]. *In a situation in which a third-country national, having made a first asylum application in a Member State, left the territory of the Member States for a period of at least three months before making a new asylum application in another Member State, article 19 (2) of Regulation 604/2013 requires the Member State in which the new asylum application has been made to complete, on the basis of the rules laid down in that regulation, a new process for determining the Member State responsible for examining that new application.*

What is more, article 19 (2) of Regulation 604/2013 *is applicable to a third-country national who, after having made a first asylum application in a Member State, provides evidence that he left the territory of the Member States for a period of at least three months before making a new asylum application in another Member State*[54].

V. Evaluation of the condition regarding stable and regular resources which are sufficient, for exercising the right to family reunification[55]

The decision in *Mimoun Khachab* refers particularly to the interpretation of Directive 2003/86/EC[56] on the right to family reunification.

Article 7(1) of Regulation No 604/2013 provides as follows:
"The criteria for determining the Member State responsible shall be applied in the order in which they are set out in this Chapter".

53 According to article 19 (2) of Regulation 604/2013:
"The obligations specified in Article 18(1) shall cease where the Member State responsible can establish, when requested to take charge or take back an applicant ... that the person concerned has left the territory of the Member States for at least three months, unless the person concerned is in possession of a valid residence document issued by the Member State responsible.
An application lodged after the period of absence referred to in the first subparagraph shall be regarded as a new application giving rise to a new procedure for determining the Member State responsible".

54 ECJ, Case C-155/15, para. 17.

55 ECJ, Decision of 21.04.2016 – Case C-558/14, *Mimoun Khachab v. Subdelegacion de Gobierno en Alavo,* ECLI:EU:C:2016:285.

56 *Directive 2003/86/EC on the right to family reunification*, OJ L 251/12, 03.10.2003.

First of all, I would like to mention that Member States are to authorise the entry and residence of, inter alia, the sponsor's spouse, pursuant to the conditions set forth in the EU act[57].

Hence, when the application for family reunification is submitted, the Member State concerned may require the person who has submitted the application to provide evidence that the sponsor has stable and regular resources which are sufficient to maintain [himself] and the members of [his] family, without recourse to the social assistance system of the Member State concerned[58].

Furthermore, Member States may reject an application for entry and residence for the purpose of family reunification where the conditions laid down by the Directive are not or are no longer satisfied[59].

Thus, the main legal issue which the Court confronted was whether the provisions of the directive referring directly to the condition of stable and regular resources[60] are to be interpreted as allowing the competent authorities of a Member State to refuse an application for family reunification on the basis of a prospective assessment of the likelihood of the sponsor retaining, or failing to retain, the necessary stable and regular resources which are sufficient to maintain himself and the members of his family, without recourse to the social assistance system of that Member State, in the year following the date of submission of that application, that assessment being based on the pattern of the sponsor's income in the six months preceding that date[61].

It should be recalled that the general objective of Directive 2003/86/EC is that of facilitating the integration of third-country nationals in Member States by making family life possible through reunification[62]; any exception to this rule must be interpreted strictly[63].

What stems, logically, from the above-mentioned considerations, is the obligation for Member States to examine applications for reunification with a view to promoting family life[64].

57 According to article 4 (1) a) of Directive 2003/86/EC:
"The Member States shall authorise the entry and residence, pursuant to this Directive and subject to compliance with the conditions laid down in Chapter IV, as well as in Article 16, of the following family members:
(a) the sponsor's spouse;"

58 According to Chapter IV of Directive 2003/86, entitled "*Requirements for the exercise of the right to family reunification*", article 7 (1) (c).

59 According to article 16(1)(a) of Directive 2003/86.

60 Provided by article 7(1)(c) of Directive 2003/86/EC.

61 ECJ, Case C-558/14, para. 22.

62 ECJ, Decision of 27.06.2006 – Case C-540/03, *Parliament v. Council*, ECLI:EU:C:2006:429, para. 69.

63 ECJ, Case C-558/14, para. 25.

64 Ibid., para. 28.

As to what concerns the condition of stable, regular and sufficient resources, the Luxembourg court noted that those financial resources must have a certain degree of permanence and continuity, so as to allow Member States to ensure that neither the sponsor nor the members of his family are likely to become a burden on the social assistance system during their period of residence[65].

Also, as made evident in the Court's previous case-law, Directive 2003/86/EC requires Member States:

1. to examine applications for reunification on a case-by-case basis[66]
2. to make a balanced and reasonable assessment of all the interests in play[67].

Applying the proportionality test, the Court *decided that Directive 2003/86/EC must be interpreted as allowing the competent authorities of a Member State to refuse an application for family reunification on the basis of a prospective assessment of the likelihood of the sponsor retaining, or failing to retain, the necessary stable and regular resources which are sufficient to maintain himself and the members of his family, without recourse to the social assistance system of that Member State*[68].

65 Ibid., para. 30, 39.
66 ECJ, Decision of 09.07.2015 – Case C-153/14, *K and A*, ECLI:EU:C:2015:453, para. 60.
67 ECJ, Decision of 06.12.2012 – Joined cases C-356/11 and C-357/11, *O and S*, ECLI:EU:C:2012:776, para. 81.
68 ECJ, Case C-558/14, para. 45-46, 48.

Migration im Spiegel der Rechtsprechung des Europäischen Gerichtshofs für Menschenrechte*

*Angelika Nussberger***

Es ist ein Paradoxon: Weder in der Europäischen Menschenrechtskonvention noch in einem der ergänzenden Protokolle ist ein Recht auf Asyl enthalten. Zudem findet sich in allen Entscheidungen des Europäischen Gerichtshofs für Menschenrechte, die Aufenthaltsrechte betreffen, folgende formelhafte Wendung:

> „Nach ständiger Rechtsprechung des Gerichtshofs haben die Vertragsstaaten, nach geltendem Völkerrecht und abhängig von den jeweiligen Vertragsverpflichtungen, das Recht, Einreise, Wohnsitz und Ausweisung von Fremden zu bestimmen."[1]

Nichtsdestotrotz ist der Gerichtshof in den letzten Jahren, wenn nicht zum obersten Asylgericht, so doch zum höchsten europäischen Gericht in Flüchtlingsfragen geworden.

Die folgende Darstellung zeichnet die wesentlichen Linien dieser Entwicklung nach und thematisiert vor diesem Hintergrund die gegenwärtig offenen Fragen.

I. Entwicklung der Rechtsprechung des EGMR

A. Schwerpunktbildung in der Rechtsprechung

Der erste Fall zum Flüchtlingsrecht wurde 1991 entschieden, etwa drei Jahrzehnte nach dem ersten Urteil des Gerichtshofs. Zwanzig Jahre später bewegte sich die Zahl von Urteilen, die die Rechte von Flüchtlingen betreffen, immer noch nur im zweistelligen Bereich. Seit 2010 dagegen schnellte die Zahl sprunghaft nach oben. Die Anzahl der einstweiligen Verfügungen, mit denen der Gerichtshof die Suspendierung einer Ausweisung oder Auslieferung anordnen kann, geht in die

* Der vorliegende Text basiert auf einer in der *NVwZ*, 2016, S. 815 ff. veröffentlichten ausführlichen Darstellung der Rechtsprechung des Europäischen Gerichtshofs für Menschenrechte zu Fragen der Staatenverantwortung in Migrationsfragen; er gibt ausschließlich die persönliche Meinung der Verfasserin wieder und bindet den Europäischen Gerichtshof für Menschenrechte in keiner Weise.

** *Richterin am Europäischen Gerichtshof für Menschenrechte; Professorin.*

1 Vgl. z.B. EGMR, Urteil vom 28.05.1985, *Abdulaziz, Cabales und Balkandali./.Vereinigtes Königreich* (Beschwerde Nr. 9214/80, 9473/81, 9474/81, A94), Ziff. 67; EGMR, Urteil vom 21.10.1997, *Boujlifa./.Frankreich* , Reports 1997-VI (Beschwerde Nr. 25404/94), Ziff. 42.

Tausende[2]. Insgesamt machen Fälle, die die Rechte von Asylsuchenden und Migranten betreffen, in der Rechtsprechung des Gerichtshofs bereits einen Schwerpunkt aus. Dies gilt insbesondere mit Blick auf die in der Großen Kammer entschiedenen Grundsatzurteile.

B. Weichenstellungen in den 90er Jahren

Ausgangspunkt der Rechtsprechung des EGMR ist Art. 3 EMRK, das Verbot der unmenschlichen Behandlung und Folter, sowie Art. 2 EMRK, das Recht auf Leben. Grundlegendes Credo ist, dass es eine Konventionsverletzung darstellen würde, jemanden, dem in einem anderen Staat eine existenzielle Gefahr für Leib oder Leben droht, dorthin zu verbringen. Anders als in der Genfer Flüchtlingskonvention ist damit nicht die Fluchtursache, die Frage, warum jemand gekommen ist, das entscheidende Kriterium. Vielmehr gilt es zu prüfen, was den Betroffenen in der Zukunft bei der Rückkehr in das Heimatland erwartet. Im Ergebnis wird mit dem Ansatz des Gerichtshofs allerdings ein wesentlich umfassenderer Schutz erreicht.

Die Ausgangsentscheidung, die den Weg für eine innovative Rechtsprechung geebnet hat, ist das im Jahr 1989 gefällte Urteil *Soering./.Vereinigtes Königreich*[3]. Dabei ging es nicht um die Ausweisung eines Flüchtlings, sondern um die Auslieferung eines des Doppelmordes an den Eltern seiner Freundin verdächtigen jungen Deutschen, der in England Zuflucht gesucht hatte und in den Vereinigten Staaten damit rechnen musste, zum Tode verurteilt zu werden. Der Gerichtshof stellte eine potentielle, keine tatsächliche Rechtsverletzung fest. Zwar würde das Vereinigte Königreich den Beschwerdeführer nicht selbst unmenschlich behandeln – der Gerichtshof stellte vor allem auf dessen Leid in der death row ab –, wohl aber für dieses Leid eine zurechenbare Kausalursache setzen[4].

2 Zwischen 2012 und 2015 gingen 6.947 Anträge auf einstweilige Verfügungen nach Rule 39 ein. Davon waren 2.926 außerhalb des Anwendungsbereichs. In 3.433 Fällen wurde die Anwendung von Rule 39 verweigert, in 588 Fällen wurde Rule 39 angewandt; vgl. http://www.echr.coe.int/Documents/Stats_art_39_01_ENG.pdf.

3 EGMR, Urteil vom 07.07.1989, *Soering./.Vereinigtes Königreich*, A161 (Beschwerde Nr. 14038/88).

4 EGMR, Urteil vom 07.07.1989, *Soering./.Vereinigtes Königreich*, A161 (Beschwerde Nr. 14038/88), Ziff. 91: "In sum, the decision by a Contracting State to extradite a fugitive may give rise to an issue under Article 3 (art. 3), and hence engage the rsponsibility of that State under the Convention, where substantial grounds have been shown for believing that the person concerned, if extradited, faces a real risk of being subjected to torture or to inhuman or degrading treatment or punishment in the requesting country. The establishment of such responsibility inevitably involves an assessment of conditions in the requesting country against the standards of Article 3 (art. 3) of the Convention. Nonetheless, there is no question of adjudicating on or establishing the responsibility of the receiving country, whether under general international law, under the Convention or otherwise. In so far as any

Zwei Jahre später wurde dieser Rechtsprechungsansatz im Fall *Cruz Varas./.Schweden*[5] auf die Ausweisung einer Flüchtlingsfamilie nach Chile in der Zeit von Pinochet übertragen. Auch wenn im Ergebnis aufgrund von inkonsistenten Aussagen und einer Änderung der Situation in Chile die Beschwerde für unbegründet erklärt wurde, so wurde doch der Schutzmechanismus für Flüchtlinge über Art. 3 EMRK etabliert[6]. Dabei stellt der Gerichtshof in einer immer wiederholten Formel klar, dass er nicht die internationale Verantwortlichkeit des Drittstaats, sondern ausschließlich die potentielle Konventionsverletzung des jeweiligen Vertragsstaats beurteilt.

C. Ausweitung des Schutzes über die Garantien der Genfer Flüchtlingskonvention hinaus

1. Gefährdung durch Private

Im Jahr 1997 erweiterte der Gerichtshof im Fall *H.L.R../.Frankreich*[7] die Rechtsprechung weiter aus und bezog auch eine Gefährdung des Lebens im Zielstaat ein, die nicht den staatlichen Autoritäten, sondern Privaten zuzurechnen wäre, dies jedenfalls dann, wenn der Staat dagegen keinen wirksamen Schutz würde bieten können[8]. Dies gelte, so der Gerichtshof, auch dann, wenn dem Schutzbedürftigen selbst kriminelle Handlungen vorzuwerfen seien[9]. Im konkreten Fall hatte der Beschwerdeführer vorgetragen, von kolumbianischen Drogenhändlern, die er verraten hatte, drohe ihm Rache. Damit ging der Gerichtshof in zweifacher

liability under the Convention is or may be incurred, it is liability incurred by the extraditing Contracting State by reason of its having taken action which has as a direct consequence the exposure of an individual to proscribed ill-treatment."

5 EGMR, Urteil vom 20.03.1991, *Cruz Varas./.Schweden*, A20 (Beschwerde Nr. 115576/89).

6 Vgl. auch EGMR, Urteil vom 30.10.1991, *Vilvarajah./.Vereinigtes Königreich*, A215 (Beschwerde Nr. 13163/87, 13164/87, 13165/87, 13447/87, 13448/87); hier wurde das Prinzip bestätigt, gleichfalls bei einer Ausweisung von Tamilen nach Sri Lanka aber keine Verletzung festgestellt.

7 EGMR, Urteil vom 29.04.1997, *H.L.R../.Frankreich* Reports 1997-III (Beschwerde Nr. 24573/94).

8 Vgl. EGMR, Urteil vom 29.04.1997, *H.L.R../.Frankreich*, Reports 1997-III (Beschwerde Nr. 24573/94), Ziff. 40: "Owing to the absolute character of the right guaranteed, the Court does not rule out the possibility that Article 3 of the Convention (art. 3) may also apply where the danger emanates from persons or groups of persons who are not public officials. However, it must be shown that the risk is real and that the authorities of the receiving State are not able to obviate the risk by providing appropriate protection."

9 Vgl. EGMR, Urteil vom 29.04.1997, *H.L.R../.Frankreich*, Reports 1997-III (Beschwerde Nr. 24573/94), Ziff. 35: "The Court further reiterates that Article 3 (art. 3), which enshrines one of the fundamental values of democratic societies (…), prohibits in absolute terms torture or inhuman or degrading treatment or punishment, irrespective of the victim's conduct."

Weise über das in der Genfer Flüchtlingskonzeption enthaltene Schutzkonzept hinaus, indem er grundsätzlich auch Schutz gegenüber von Privaten ausgehenden Gefahren zu gewähren bereit war und die Tatsache, dass der Beschwerdeführer selbst als Drogenhändler nicht-politische Straftaten begangen hatte, nicht berücksichtigte.

2. Gefährdung in „failed States"

Dass es dann auch verboten sein muss, jemanden in einen „failed State" abzuschieben, in dem es überhaupt keinen staatlichen Schutz vor kriminellen Übergriffen gibt, ist nur konsequent; im Fall *Sufi und Elmi./.Vereinigtes Königreich*[10] hat der Gerichtshof dies für Somalia bejaht, dabei aber den Ausnahmecharakter einer derartigen Feststellung betont[11]. Aufgrund der innerstaatlichen Veränderungen nimmt er zur Situation in Somalia inzwischen wieder eine differenziertere Stellung ein[12]. Für Syrien hat der Gerichtshof noch nicht explizit eine allgemeine Gefährdungslage bejaht, dies aber nur, da er aufgrund des Abschiebungsmoratoriums der europäischen Staaten dazu keinen Anlass hatte. In dem jüngst entschiedenen Fall *L.M../.Russland* hat er in einer geplanten Abschiebung von Russland nach Syrien eine Verletzung von Art. 2 EMRK gesehen, die Festlegung einer allgemeinen Gefährdungslage aber trotz des in UN-Berichten enthaltenen Verweises auf das „unermessliche Leid der Zivilisten" vermieden, da dies für die Entscheidung des konkreten Falls nicht relevant war[13].

10 EGMR, Urteil vom 28.06.2011, *Sufi und Elmi./.Vereinigtes Königreich* (Beschwerde Nr. 8319/07, 11449/07).

11 Vgl. die Klarstellung in EGMR, Urteil vom 15.10.2015, *L.M../.Russland* (Beschwerde Nr. 40081/14, 40088/14, 40127/14), Ziff. 119: "The Court notes that a general situation of violence will not normally in itself entail a violation of Article 3 in the event of expulsion (…), however, it has never ruled out the possibility that the general situation of violence in a country of destination may be of a sufficient level of intensity as to entail that any removal to it would necessarily breach Article 3 of the Convention. Nevertheless, the Court would adopt such an approach only in the most extreme cases of general violence, where there is a real risk of ill-treatment simply by virtue of an individual being exposed to such violence on return (…)."

12 EGMR, Urteil vom 05.09.2013, *K.A.B../.Sweden* (Beschwerde Nr. 886/11).

13 EGMR, Urteil vom 15.10.2015, *L.M../.Russland* (Beschwerde Nr. 40081/14, 40088/14, 40127/14), Ziff. 123. „Turning to the present case, the Court notes that it has not yet adopted a judgment to evaluate the allegations of a risk of danger to life or ill-treatment in the context of the ongoing conflict in Syria. This is undoubtedly at least in part due to the fact that, as it appears from the relevant UNHCR documents, most European countries do not at present carry out involuntary returns to Syria. In October 2014 the UNHCR "welcomed the positive protection practices of many European States with respect to Syrian nationals, including a de facto moratoria on returns to Syria, the decision to process Syrian claims in most countries, and high protection rates" The latest UN reports describe the situation as a "humanitarian crisis" and speak of "immeasurable suffering" of the civilians, massive vio-

3. Gefährdung durch fehlenden Gesundheitsschutz

Die auf humanitären Erwägungen beruhende Entscheidung *D../.Vereinigtes Königreich* abstrahiert von jeder Form von Verfolgung und lässt auch eine im Zielstaat nicht behandelbare Krankheit ausreichen[14]. Allerdings wurde dies als Extremfall verstanden. Im Fall der Ausweisung einer an HIV erkrankten Frau nach Uganda ließ der Gerichtshof alleine die Tatsache, dass in einem europäischen Staat die Gesundheitsversorgung besser und damit die Lebenserwartung höher sei, nicht ausreichen, um eine Abschiebung als potentielle Konventionsverletzung zu brandmarken[15]. Allerdings ist fraglich, inwieweit dieser Grundsatz noch gilt, da ähnlich gelagerte Fälle, die die Kammer nach diesen Leitlinien entschieden hatte, an die Große Kammer verwiesen worden sind; das Urteil im Fall *Paposhvili./.Belgien* ist in Kürze zu erwarten[16].

4. Schutz des Privatlebens

Neben Art. 3 EMRK wurde auch Art. 8 EMRK, das Recht auf Schutz der Privatsphäre und des Familienlebens, fruchtbar gemacht, um Abschiebungen zu verhindern; auch hierzu gibt es mittlerweile eine reichhaltige Rechtsprechung[17].

5. Ermöglichung einstweiligen Rechtsschutzes

Der Schlussstein in der Architektur des neu errichteten Rechtsprechungsgebäudes ist *Mamatkulov und Askarov./.Türkei*[18], da darin den Eilentscheidungen des Gerichtshofs, abweichend von der früheren Rechtsprechung, bindende Wirkung

lations of human rights and humanitarian law by all parties and the resulting displacement of almost half of the country's population (see paragraphs 76, 77, 80 and 81 above)."

14 EGMR, Urteil vom 02.05.1997, *D../.Vereinigtes Königreich* (Beschwerde Nr. 30240/96).

15 EGMR, Urteil vom 27.05.2008, *N../.Vereinigtes Königreich,* RJD 2008 (Beschwerde Nr. 26565/05).

16 EGMR, Urteil vom 17.4.2014, *Paposhvili./.Belgien* (Beschwerde Nr. 41738/10); EGMR, Urteil vom 26.02.2015, *M. T../.Schweden* (Beschwerde Nr. 1412/12).

17 Vgl. J. Pätzold, „Art. 8", in: Karpenstein / Mayer (Hrsg.), *EMRK. Kommentar*, München, 2015 (2. Auflage), Rdnr. 84; F.Schüller, „Strategien und Risiken. Zur Durchsetzung migrationsrelevanter Menschenrechte vor dem Europäischen Gerichtshof für Menschenrechte", *ZAR*, 2015, S. 64; I. Kraft, „Vom Konflikt zur Konvergenz. Zur Rezeption der ausländerrechtlichen Rechtsprechung des EGMR durch die deutschen Verwaltungsgerichte", *NVwZ*, 2014, S. 969.

18 EGMR (GK), Urteil vom 04.02.2005, *Mamatkulov und Askarov./.Türkei*, RJD 2005-I (Beschwerde Nr. 46827/99 und Nr. 46951/99).

zuerkannt wurde. Ein Zuwiderhandeln stellt eine sanktionierbare Konventionsverletzung dar.

II. Rechtsprechung zu aktuellen Problemen – offene Fragen

Viele Fragen zum Flüchtlingsrecht sind offen und stehen aufgrund des Zustroms Hunderttausender im Mittelpunkt von mit großer Schärfe geführter politischer Auseinandersetzungen. Konsens besteht darüber, dass eine Überarbeitung des „Dublin-Systems" erforderlich ist; strittig ist allerdings, inwieweit die noch *de iure* gültigen Regeln angewandt werden dürfen. Außerdem ist über die Grundfrage des Bleiberechts hinaus auch die Frage, welche Form von materieller Grundversorgung zumindest temporär – während der Bearbeitung des Antrags – den Flüchtlingen zu gewähren ist, relevant. Schließlich ist unklar, inwieweit die Asylsuchenden in geschlossenen Zentren eingesperrt werden dürfen. Die Definition, wann eine Abschiebung als „Kollektivabschiebung" zu qualifizieren ist, ist ausschlaggebend für die praktische Durchführung von Rückführungsabkommen. Und schließlich wird befürchtet, unter den Flüchtlingen könnten sich Terroristen und Kriegsverbrecher befinden. Auch hier wird über die rechtlichen Konsequenzen diskutiert.

A. Schutz vor Abschiebung innerhalb der EU

Eine der gegenwärtig wohl besonders kritischen Fragen ist, inwieweit Flüchtlinge von einem EU-Mitgliedsstaat in einen anderen gebracht werden dürfen. Dies gebietet eigentlich das Dublin-System, wonach der erste Staat, der mit einem Fall befasst ist, für das gesamte Verfahren zuständig ist[19]. Wie aber ist die Rechtslage, wenn dieser Staat, wie Griechenland, völlig überfordert ist, so dass der Flüchtling nicht nur ohne jede Versorgung bleibt, sondern wegen eines ineffizienten Asylverfahrens auch ein refoulement zu befürchten hat? Einen entsprechenden Missstand in Griechenland hat der Gerichtshof im Fall *M.S.S../.Belgien und Griechenland*[20] schon für die Zeit vor 2011 festgestellt. Diese Entscheidung war sicherlich der erste Sargnagel im Dublin-System, denn Rückführungen nach

19 VO (EG) 604/2013 vom 26.06.2013 (Dublin III-Verordnung), Kapitel III Kriterien zur Bestimmung des zuständigen Mitgliedsstaats.

20 EGMR (GK), Urteil vom 21.01.2011, *M.S.S../.Belgien und Griechenland*, RJD 2011, (Beschwerde Nr. 30696/09).

Griechenland waren damit konventionsrechtlich ausgeschlossen. Der EuGH bestätigte die Rechtsprechung, soweit „systemische Defizite" vorliegen[21].

Der zweite zentrale Fall, *Tarakhel./.Schweiz*[22], betraf die Rückführung einer afghanischen Familie mit sechs Kindern von der Schweiz nach Italien[23]. Hier fand der Gerichtshof eine Konventionsverletzung darin, dass die Schweizer Behörden keine Zusicherung der italienischen Behörden eingeholt hatten, dass die Bedingungen, unter denen die Familie untergebracht würde, adäquat seien. Dies hielt der Gerichtshof aufgrund des allgemeinen Mangels von Unterbringungsmöglichkeiten für Familien für unabdingbar; auf systemische Defizite stellte der Gerichtshof insoweit nicht ab. Allerdings betonte der Gerichtshof die Unterschiede zwischen der Situation in Italien und derjenigen in Griechenland und stellte auf die besondere Bedürftigkeit einer Großfamilie mit sehr kleinen Kindern ab. In nachfolgenden Fällen klärte der Gerichtshof, dass dies in Italien nicht allgemein, etwa für junge, alleinstehende Männer gälte[24]. Auch wurde die Rechtsprechung nicht auf Ungarn ausgeweitet[25].

Die Anwendung der Dublin-Verordnung war auch relevant für den Fall einer serbischen Roma-Familie, die von Belgien nach Frankreich gebracht werden sollte[26]. Die belgischen Behörden hatten sich, nachdem die Rückführungsanordnung vollziehbar geworden war, zunächst geweigert, die Familie noch weiter materiell zu versorgen, dann aber eine von Brüssel weit entfernte Unterbringung angeboten, in der die Familie nie ankam. Vor der Rückkehr nach Serbien hauste sie unter extremen Bedingungen auf einem Bahnhof; das behinderte Kind starb wenig später nach der Rückkehr nach Serbien. Da die Rechtsanwältin allerdings

21 EuGH, Urteil vom 21.12.2011 – verb. Rs. C-411/10 und C-493/10, *N.S. u.a.*, Slg. 2011 I-13905; vgl. auch die Verwendung des Begriffs „systemische Defizite" in der Rechtsprechung des EGMR, Entscheidung vom 02.04.2013, *Mohammed Hussein./.Niederlande und Italien* (Beschwerde Nr. 27725/10; EGMR, Entscheidung vom 20.03.2001, *Halimi./.Österreich* (Beschwerde Nr. 50614/99); EGMR, Entscheidung vom 18.06.2013, *Abubeker./.Österreich und Italien* (Beschwerde Nr. 73874/11); EGMR, Urteil vom 06.06.2013, *Mohammed./.Österreich* (Beschwerde Nr. 2283/12); EGMR, Urteil vom 05.12.2013, *Sharifi./.Österreich* (Beschwerde Nr. 60104/08).

22 EGMR, Urteil vom 04.11.2014, *Tarakhel./.Schweiz,* RJD 2014 (Beschwerde Nr. 29217/12). Vgl. dazu C. Costello / M. Mouzourakis, "Reflections on reading Tarakhel: Is ‚How Bad is Bad Enough' Good Enough?", *A & M*, 2014, Nr. 10, S. 404 ff; sehr kritisch zu dem Urteil P. Tiedemann, "Rückführung von Asylbewerbern nach Italien", *NVwZ*, 2015, S. 121 ff.

23 Eine kurz zuvor eingereichte Beschwerde im Fall EGMR, Entscheidung vom 02.04.2013, *Mohammed Hussein./.Niederlande und Italien* (Beschwerde Nr. 27725/10), die die Rückführung einer Mutter mit zwei kleinen Kindern nach Italien betraf, war von der Kammer noch für unzulässig erklärt worden.

24 EGMR, Entscheidung vom 13.01.2015, *A.M.E../.Niederlande* (Beschwerde Nr. 51428/10) (unzulässig); vgl. auch EGMR, Urteil vom 30.06.2015, *A.S../.Schweiz* (Beschwerde Nr. 39350/13).

25 EGMR, Urteil vom 06.06.2013, *Mohammed./.Österreich* (Beschwerde Nr. 2283/12).

26 EGMR, Urteil vom 07.07.2015, *V.M../.Belgien* (Beschwerde Nr. 60125/11).

bereits vor dem Kammerurteil den Kontakt zu ihren Mandanten verloren hatte, konnte die Große Kammer, an die der Fall referiert worden war, in der Sache nicht mehr entscheiden, sondern strich den Fall aus ihrer Liste[27]. Damit sind auch die in der Kammerentscheidung enthaltenen Aussagen nicht Teil des „caselaw“ des Gerichtshofs; die entsprechenden Fragen sind weiterhin als unentschieden zu betrachten.

B. Pflicht zur Versorgung der Flüchtlinge während des Verfahrens

Im bereits erwähnten Fall *M.S.S../.Griechenland und Belgien* stellt der Gerichtshof zwar fest, dass den Mitgliedsstaaten keine allgemeine Pflicht obliegt, Flüchtlinge mit finanziellen Zuwendungen zu unterstützen, um einen bestimmten Lebensstandard aufrechtzuerhalten[28]. Allerdings sei, so der Gerichtshof, Griechenland vorzuwerfen, dass es die im EU-Recht festgelegten[29] und ins griechische Recht transformierten Mindeststandards nicht eingehalten habe; dies habe voraussehbare Konsequenzen für eine verletzliche und unterprivilegierte Gruppe gehabt. Die besonderen Lebensumstände des Beschwerdeführers, eines afghanischen Übersetzers, beschreibt der Gerichtshof als „besonders dramatisch“:

> „Angeblich lebte er monatelang in einem Zustand äußerster Armut, war unfähig für seine allergrundlegendsten Nöte zu sorgen: Essen, Hygiene und einen Platz zum Leben. Dazu kam die andauernde Furcht davor, angegriffen und ausgeraubt zu werden und das völlige Fehlen der geringsten Chance darauf, dass sich seine Situation verbessern könnte.“[30]

Die Tatsache, dass der Staat es unterlässt, in irgendeiner Weise Abhilfe zu schaffen, obwohl er die Notlage hätte erkennen müssen, wertet der Gerichtshof als „entwürdigende Behandlung“.

Dies ist der Maßstab, an dem zukünftige Beschwerden zu messen sein werden.

27 EGMR (GK), Urteil vom 17.11.2016, *V.M../.Belgien* (Beschwerde Nr. 60125/11).

28 EGMR (GK), Urteil vom 21.01.2011, *M.S.S../.Belgien und Griechenland,* RJD 2011 (Beschwerde Nr. 30696/09), Ziff. 249.

29 Richtlinie 2003/9/EG zur Festlegung von Mindestnormen für die Aufnahme von Asylbewerbern in den Mitgliedstaaten.

30 EGMR (GK), Urteil vom 21.01.2011, *M.S.S../.Belgien und Griechenland,* RJD 2011 (Beschwerde Nr. 30696/09), Ziff. 254.

C. Rechtmäßigkeit einer Freiheitsentziehung

Eine nach nationalem Recht rechtmäßige Inhaftierung lässt die Konvention nach Art. 5 Abs. 1 (f) zu: „zur Verhinderung der unerlaubten Einreise sowie bei Personen, gegen die ein Ausweisungs- oder Auslieferungsverfahren im Gange ist.“ Sie ist auch grundsätzlich nicht am Verhältnismäßigkeitsgrundsatz zu prüfen, da der Schutz schwächer ist als bei sonstigen Freiheitsentziehungen nach Art. 5 Abs. 1 (c)[31]. Allerdings gilt dies nach der Rechtsprechung des Gerichtshofs nur, solange das Ausweisungsverfahren läuft und mit Sorgfalt betrieben wird[32].

Schließlich verlangt der Gerichtshof einen besonderen Schutz für kleine Kinder, die grundsätzlich nur für sehr kurze Zeit und nur in kindgerechte geschlossene Aufnahmeeinrichtungen gebracht werden dürfen[33].

D. Probleme der Massenausweisungen

In den meisten der politischen Kommentare zu dem Abkommen zwischen der EU und der Türkei wird gerügt, es würde sich um konventionswidrige Kollektivausweisungen handeln. Der Gerichtshof hat in dem Fall *Conka./.Belgien*[34], in dem es um die Ausweisung einer Roma-Familie aus der Slowakei zusammen mit einer Vielzahl weiterer Roma ging, die Standards für die Anwendung von Art. 4 des 4. Zusatzprotokolls erstmals definiert und dabei vor allem auf die konkreten Begleitumstände, die Verlautbarungen der Behörden, die identischen Endbescheide, die nicht auf die individuellen früheren Bescheide Bezug nahmen, und die eine Vielzahl von Personen umfassende Polizeiaktion abgestellt[35]. Diese Spruchpraxis wurde auf die Fälle *Hirsi Jamaa./.Italien*[36], *Khlaifia./.Italien*[37] und

31 EGMR, Urteil vom 22.09.2015, *Nabil./.Ungarn* (Beschwerde Nr. 62116/12), Ziff. 28: “As to the second limb of Article 5 § 1 (f), the Convention does not require that the detention of a person against whom action is being taken with a view to deportation be reasonably considered necessary, for example to prevent his committing an offence or fleeing. In this respect Article 5 § 1 (f) provides a different level of protection from Article 5 § 1 (c) (…).”

32 EGMR, Urteil vom 22.09.2015, *Nabil./.Ungarn* (Beschwerde Nr. 62116/12), Ziff. 29: „Nevertheless, any deprivation of liberty will be justified only for as long as deportation or extradition proceedings are in progress. If such proceedings are not prosecuted with due diligence, the detention will cease to be permissible under Article 5 § 1 (f) (…).”

33 EGMR, Urteil vom 13.07.2006, *Popov./.Frankreich* (Beschwerde Nr. 26853/04).

34 EGMR, Urteil vom 05.02.2002, *Conka./.Belgien,* RJD 2002-I (Beschwerde Nr. 51564/99).

35 EGMR, Urteil vom 05.02.2002, *Conka./.Belgien*, RJD 2002-I (Beschwerde Nr. 51564/99), Ziff. 61 f; vgl. dazu kritisch M. Bossuyet, “Judges on thin ice: The European Court of Human Rights and the treatment of asylum seekers”, *Interamerican and European Human Rights Journal*, Volume 3, 2010, Nr. 1-2, S. 3-47: “It was thus completely artificial to separate those measures of implementation from the initial orders.” (S. 13).

36 EGMR (GK), Urteil vom 23.02.2012, *Hirsi Jamaa./.Italien*, RJD 2012 (Beschwerde Nr. 27765/09).

37 EGMR, Urteil vom 01.09.2015, *Khlaifia./.Italien* (Beschwerde Nr. 16483/12).

Sharifi./.Italien und Griechenland[38] übertragen. In dem Grundlagenurteil *Hirsi Jamaa./.Italien*, das die Rückführung nach Libyen von Flüchtlingen aus Eritrea und Somalia, die die italienische Marine auf dem Mittelmeer aufgegriffen hatte, betraf, erklärt der Gerichtshof, die Tatsache, dass die relevanten Bescheide bei einer Vielzahl von Betroffenen identisch sind, sei für sich genommen noch nicht ausreichend, um eine Konventionsverletzung festzustellen:

> "In their case-law, the bodies of the Convention have furthermore indicated that the fact that a number of aliens are subject to similar decisions does not in itself lead to the conclusion that there is a collective expulsion if each person concerned has been given the opportunity to put arguments against his expulsion to the competent authorities on an individual basis (…)."[39]

Im Fall *Hirsi Jaama* wurde die Identität der am Boot befindlichen Menschen aber überhaupt nicht festgestellt und dementsprechend auch nicht die je individuelle Notlage berücksichtigt. Dies wurde als Verletzung von Art. 3 EMRK mit Blick auf die in Libyen drohende unmenschliche Behandlung ebenso wie mit Blick auf das potentielle refoulement nach Eritrea und Somalia angesehen; zudem wurde eine Verletzung des Verbots der Kollektivausweisung festgestellt. Im Fall *Sharifi* hatten die Betroffenen mangels Information in einer verständlichen Sprache keine Chance einen Asylantrag zu stellen; es ging um automatische Rückführungen von Italien nach Griechenland. Während die Verstöße gegen das Verbot der Kollektivausweisung bei diesen Fällen unumstritten waren, war der Fall *Khlaifia* schwieriger, da dort Überprüfungen stattgefunden hatten, die Bescheide allerdings stereotyp waren und nicht auf individuelle Problemlagen eingingen. Dieser Fall, bei dem ein Sondervotum die Verletzung von Art. 4 des 4. Zusatzprotokolls in Frage stellt[40], ist gegenwärtig vor der Großen Kammer anhängig.

38 EGMR, Urteil vom 21.10.2014, *Sharifi./.Italien und Griechenland* (Beschwerde Nr. 16643/09).

39 EGMR (GK), Urteil vom 23.02.2012, *Hirsi Jamaa./.Italien,* RJD 2012 (Beschwerde Nr. 27765/09), Ziff. 183.

40 Sondervotum der Richter Sajo und Vucinic, Ziff. 17: „In the present case the applicants were not expelled on the basis of membership of an ethnic, religious, or national group. They were returned to a safe country and were not, in any event, asylum-seekers; thus there was no issue of non-refoulement. …. The return was ordered for each individual applicant by an Italian judicial authority. The streamlined process created by the two countries to deal with the sudden change in migratory flow did not disregard the individual migrant, but rather took into account the necessary considerations when deciding on removal."

E. Einbeziehung von mutmaßlichen Terroristen in das Schutzregime

Nun gibt es neben dem, was allgemein als „Migrationskrise" tituliert wird, aufgrund der Terroranschläge in Paris und Brüssel noch eine zweite Krise in Europa. In den an den Gerichtshof herangetragenen Fällen überlagern sich beide Stränge, wenn es um die Entscheidung über die Ausweisung von Flüchtlingen geht, die zugleich Terrorverdächtige oder verurteilte Terroristen sind. Dem Schutzregime der Genfer Flüchtlingskonvention unterfallen sie, wie bereits erwähnt, nicht. Der Gerichtshof aber interpretiert den Schutz nach Art. 3 EMRK als absolut. Jeder soll geschützt werden.

Auch wenn der Gerichtshof den Kampf gegen den Terror als unbedingte Notwendigkeit anerkennt, so ist doch keine Ausnahme von der Schutzgewährung aufgrund des absoluten Charakters von Art. 3 EMRK möglich:

> "The Court notes first of all that States face immense difficulties in modern times in protecting their communities from terrorist violence (...). It cannot therefore underestimate the scale of the danger of terrorism today and the threat it presents to the community. That must not, however, call into question the absolute nature of Article 3."[41]

III. Schlussbemerkung

Die Forderung nach einem der Konvention entsprechenden Schutz der Flüchtlinge verleiht der Hoffnung Ausdruck, dass Europa sein menschliches Gesicht bewahren möge. Bei Massenzuwanderung und krisenhaften Situationen scheinen allerdings selbst die Mindeststandards in Gefahr zu geraten, nicht mehr realisiert werden zu können. Bisher ist der Gerichtshof allerdings nicht davor zurückgeschreckt, gerade auch an massenhaften Konventionsverletzungen Kritik zu üben, man denke etwa an die Verurteilungen wegen unmenschlichen Gefängnisbedingungen, die ein systemisches Problem in wohl fast der Hälfte der Mitgliedsstaaten darstellen. Der Gerichtshof hat es geschafft, Verbesserungen zu erreichen, auch wenn der Erfolg jahrelang auf sich warten lässt und der Spruch „steter Tropfen höhlt den Stein" noch die optimistische Variante der Sachverhaltsbeschreibung ist.

Aufgrund des absoluten Charakters von Art. 3 EMRK hat er auch bei Fragen des Flüchtlingsschutzes, auch wenn er die Schwierigkeiten anerkennt, mit denen die Konventionsstaaten konfrontiert sind, eine sehr klare Linie durchgesetzt:

41 EGMR, Urteil vom 28.02.2008, *Saadi./.Italien,* RJD 2008 (Beschwerde Nr. 37201/06), Ziff. 137.

> "The Court has already had occasion to note that the States which form the external borders of the European Union are currently experiencing considerable difficulties in coping with the increasing influx of migrants and asylum-seekers. It does not underestimate the burden and pressure this situation places on the States concerned, which are all the greater in the present context of economic crisis (...). It is particularly aware of the difficulties related to the phenomenon of migration by sea, involving for States additional complications in controlling the borders in southern Europe.
> However, having regard to the absolute character of the rights secured by Article 3, that cannot absolve a State of its obligations under that provision."[42]

Wenn Europa, wie der Träger des Friedenspreises des deutschen Buchhandels Navid Kermani schreibt, mit dem „Einbruch von Wirklichkeit" konfrontiert ist, muss es sich auf seine bewährten Methoden zur Lösung von Konflikten besinnen. Die Politik trägt die Verantwortung und hat ein gewisses Gestaltungspotential. Das Recht steckt dazu den Rahmen ab.

Aber immer ist zu berücksichtigen, dass es nicht um Fälle oder Zahlen, sondern um menschliche Schicksale geht.

42 EGMR (GK), Urteil vom 23.02.2012, *Hirsi Jamaa./.Italien*, RJD 2012 (Beschwerde Nr. 27765/09), Ziff. 122.

Le régime des migrants dans le cadre de la Charte Sociale Européenne et de la pratique du Comité européen des droits sociaux

*Antonis Bredimas**

I. Introduction

La Charte Sociale Européenne est ratifiée par les 43 des 47 états membres du Conseil de l'Europe[1], et, surtout, par ceux qui sont les principaux destinataires des flux migratoires. L'importance de la Charte dans le chef de la protection des droits des migrants va diminuant dans le temps, en raison de deux facteurs : le *premier* est dû au fait que des 43 états Parties à la Charte (originelle ou révisée), les 28 sont déjà membres de l'Union Européenne, qui a adopté des règles détaillées concernant les migrants[2]. Cependant, cela n'empêche par le Comité Social, organe principal du contrôle de l'application de la Charte, d'appliquer aux états parties, qui sont en même temps des membres de l'Union Européenne, les règles de la Charte, à l'exclusion de celles de l'Union Européenne, lorsque ses règles sont plus favorables pour les migrants[3].

Une *deuxième* raison de la diminution de l'importance de la Charte est la disposition de l'Annexe à la Charte Sociale Révisée, qui prévoit que ses réglementations ne s'appliquent que seulement en relation avec les migrants en prove-

* *Professeur émérite, Faculté de droit, Université d'Athènes.*

1 N'ont pas ratifié la Charte Sociale les états membres suivants : Suisse, Liechtenstein, Monaco, San Marino (situation du 21.03.2016).

2 V. en général, J.-Y. CARLIER / Ph. DE BRUYCKER (éds.), *Immigration and asylum law of the E.U.: current debates*, Bruxelles, 2005, B. MELIS, *Negotiating Europe's immigration frontiers*, 2001. Cf. "*The Global Approach to Migration and Mobility of the European Union*", 2014.

3 « *Lorsque les états parties acceptent des dispositions contraignantes qui se réfèrent à des questions régies par la Charte, il leur appartient, tant lors de l'élaboration dudit texte que de sa mise en œuvre dans leur droits internes, de tenir compte des engagements qu'ils ont souscrit par la ratification de la Charte* ». CEDS, décision sur le bien-fondé du 07.12.2012, *Fédération des pensionnés salariés de Grèce* (IKA - ETAM) *c. Grèce* (Réclamation n °76/2012), para. 51. Cf., en relation avec les directives de l'U.E., Conclusions XIV-1 (1998), Introduction générale, p. 28. V. dans le même sens le jugement de la CJCE, arrêt du 27.06.2006 – affaire C-540/03, *Parlement c. Conseil*, ECLI:EU:C:2006:429, cité par le Comité Social dans certaines de ses Conclusions (2011 – République Slovaque). Et, en général, O. DE SCHUTTER, « L'adhésion de l'Union européenne à la Charte Sociale Européenne », *Rev. Trim. Dr. Homme*, 2015, p. 270 s.

nance des états Parties à la Charte[4]. Cette limitation a des conséquences pratiques considérables, dans la mesure où les migrants en provenance des états non parties constituent une partie importante des migrants dans les pays européens[5]. Cette limitation est, sans doute, atténuée, mais en partie seulement, du fait que la Charte s'applique aux *réfugiés*[6], tandis que le Comité Social s'efforce, comme nous allons le constater plus loin, d'élargir l'application de la Charte aux migrants irréguliers, sans grand succès cependant.

Un dernier point qui doit être mentionné est la relation de la Charte Sociale Européenne avec d'autres textes européens, tels que la Convention EDH ou la législation de l'Union Européenne et leur interaction. Dans le premier cas, de la CEDH, l'approche est unifiée, dans le sens que les deux textes – Charte et CEDH – fonctionnent dans la logique de la protection des droits de l'homme, avec l'interaction entre elles favorisant plutôt la CEDH[7]. On trouve, également, l'interaction entre la Charte et la législation de l'U.E.[8], bien que ces deux textes partent de logiques différentes : la Charte, de la logique de la protection des droits sociaux, le droit de l'U.E. de la logique de protection du marché intérieur[9]. Malgré cela, l'interaction existe, fonctionnant cette fois en faveur, surtout, du

4 Partie I, para. 19 : « *Les travailleurs migrants ressortissants de l'une des Partie et leurs familles ont droit à la protection et à l'assistance sur le territoire de toute autre Partie* ».

5 Les flux migratoires vers l'Europe viennent des pays de la Méditerranée du Sud, de l'Afrique de l'Ouest, du Corne de l'Afrique et des pays au Sud de Sahara, mais aussi du Moyen Orient et de certains pays Eurasiatiques. Parmi eux, une partie – environ 8 millions – étaient (en 2009) des migrants irréguliers dans l'Union Européenne. V. European Commission, *Communication on an Area of Freedom. Security and Justice serving the citizen: wider freedom in a safer environment*, COM (2009) 262 (10.06.2009), p. 4.

6 L'Annexe à la Charte Sociale Révisée prévoit expressément que : « *Chaque Partie accordera aux réfugiés répondant à la définition de la Convention de Genève du 28 juillet 1951 relative au statut des réfugiés et du Protocole du 31 janvier 1967, et résidant régulièrement sur son territoire, un traitement aussi favorable que possible et en tout cas non moins favorable que celui auquel elle s'est engagée en vertu de la convention de 1951, ainsi que de tous autres accords internationaux existants et applicables aux réfugiés mentionnés ci-dessus* ».

7 V. J.-F. Flauss, « Les interactions normatives entre instruments européens relatifs à la protection des droits sociaux », in : J.-F. Flauss (dir.), *Droit sociaux et droit européen. Bilan et perspective de la protection normative*, Bruxelles, 2002, p. 96-98.

8 Op.cit., p. 99 s.

9 Dans une décision récente, le Comité Social a considéré que « *les règles juridiques relatives à l'exercice de libertés économiques établies par les états parties de manière directe (droit interne) on indirecte (via la législation de l'Union Européenne) doivent être interprétées de façon à ne pas imposer des restrictions disproportionnées à l'exercice des droits des travailleurs tels qu'ils figurent, non seulement dans la Charte, mais aussi dans les textes de loi nationaux, dans la législation de l'Union européenne et dans d'autres instruments normatifs internationaux ayant force contraignante, Comité Social, LO et TCO c. Suède*, décision sur la recevabilité et le bien - fondé (03.07.2013). Comme on l'a très bien remarqué [Le Comité] met les droits collectifs des travailleurs au centre de son argumentation et place par conséquent les libertés économiques au second plan ». V. N. Moizard, « Le droit d'action collective en droit de l'Union après la décision *LO et TCO c. Suède* du Comité européen des droits sociaux », *Rev. Trim. dr. h.*, 2015, p. 609.

droit de l'U.E.[10] N'oublions que la révision de la Charte Sociale, en 1996, était le fait, en partie certes, du besoin d'harmoniser la Charte avec le droit de l'U.E., tout au moins au niveau formel, étant donné que cette harmonisation avait été déjà effectuée à travers l'interprétation du Comité Social[11].

Dans le rapport qui suit, sont examinés deux aspects *substantiels* de l'application des règles de la Charte : d'une part, si, et dans quelle mesure, la Charte peut s'appliquer aux *migrants irréguliers ;* et, d'autre part, ce qui se passe avec une question importante, celle concernant la *réunion familiale* des migrants. Ces deux questions seraient précédées d'un paragraphe consacré à l'évolution procédurale dans le cadre des travaux du Comité Social.

II. Aspects procéduraux de l'application de la Charte

Après l'adoption de la Charte Social Révisée (1996), le Comité Social a procédé progressivement au renforcement de ses fonctions de contrôle, tant à travers l'examen des *rapports nationaux* des états parties, que de ses *Décisions*, à la suite de plaintes collectives. Ce renforcement au niveau de l'examen des rapports nationaux, en ce qui concerne les migrants consiste à l'examen continu des règlementations spécifiques, au réexamen des législations nationales, soit dans le cas où elles ne semblent pas varier en comparaison avec les cycles précédent d'examen des rapports, soit, et en particulier, lorsque des changements législatifs ont eu lieu.

Il est indicatif de l'effort du Comité Social pour un contrôle plus efficace que l'investigation des règlementations ambigües et en particulier les manquements, dans les rapports, des points spécifiques des législations. Le résultat est, plusieurs fois, la suspension par le Comité de l'adoption de Conclusions sur la violation ou la non-violation de la Charte, les états parties concernés ayant l'obligation de fournir des explications pertinentes lors du prochaine cycle d'examen[12], sans que cela empêche, et cela se passe assez souvent, que ces explications soient fournies dans l'intervalle[13]. Dans le cas où l'état partie continue d'éviter à répondre à cette obligation le Comité Social l'avertit que si ce manquement de ré-

10 J.-F. Flauss, op.cit., p. 99 s., 102-103.

11 Op.cit., p. 100. Cf. Ch. Pettiti, « La Charte Sociale Révisée », *Rev. Trim. des Dr. Homme*, 1997, p. 8 s.

12 Ces cycles interviennent tous les deux ans.

13 Par ailleurs, les états parties fournissent des informations sur le follow-up des décisions du Comité relativement à l'application effective des droits jugés. V. p.ex. Résolution CM/ResChs (2010) 8. Collective complaint N° 58/2009 by the *Centre on Housing Right and Evictions (COHRE) against Italy* (adopted by the Committee of Ministers on 21 October 2010 at the 1096th meeting of the Ministers' Deputies).

ponse concrète continue, il n'y a n'aura rien qui prouvera que la situation est en conformité avec les dispositions de la Charte[14].

Un autre point, où l'on observe une certaine évolution relativement aux rapports nationaux, est que le Comité procède à l'examen non seulement des dispositions de la Charte qui ont été acceptées par les états parties, mais même de celles qui n'ont pas été acceptées[15]. Cet examen se fait non pas article par article, comme il se passait auparavant, mais état par état, dans le but d'inciter les états parties à accepter des dispositions supplémentaires[16].

Déjà en 2002 le très expérimenté Secrétaire du Comité Social, *R. Brillat*, notait que les innovations procédurales adoptées par la Charte Sociale Révisée auraient besoin d'un horizon temporel jusqu'à ce qu'elles se forment et se stabilisent, et ceci semble, être accompli à nos jours[17].

En ce qui concerne les réclamations collectives[18], on peut observer, en effet, leur utilisation augmentée avec le temps – les réclamations de maintes organisations syndicales grecques en raison des conséquences des mesures d'austérité en

14 V. p.ex. Conclusions 2011 – Arménie, 20, Germany, XIX-4-United Kingdom, - 2011 - Slovenia. Ceci ne s'applique pas cependant de façon absolue. On voit, p.ex., dans le cas d'examen du rapport de Finlande, que le Comité, bien qu'il eût, lors de l'examen précédent, demandé des informations sur le revenu social du migrant, sans avoir reçu des explications, il s'est borné à référer sa question et demander que le rapport suivant donne les précisions nécessaires. Conclusions 2011 – Finlande.

15 L'article 22 de la Charte Sociale prévoit deux catégories de dispositions : celles qui sont obligatoirement acceptées par l'état partie, et celles qui ne le sont. Cela aboutit à une différentiation des obligations prises par chaque état partie en relation avec la deuxième catégorie des dispositions. Pour une liste du nombre des paragraphes acceptées par chaque état partie, v. D. Harris / J. Darcy, *The European Social Charter*, 2nd ed., New York, 2001, p. 36. Les obligations découlant de l'article 19 de la Charte Sociale, relatif à la protection des droits des migrants, appartiennent à la première catégorie, le « noyau dure » de la Charte. Op.cit., p. 37. Cependant, on a remarqué que « le Comité européen des droits sociaux, ainsi que la CourEDH ont en recours à différentes méthodes d'interprétation pour limiter les effets négatifs de cette liberté, posant alors la question de la légitimité de leur jurisprudence par rapport à l'engagement initial des états. V. P. Ducoulombier, « La liberté des états parties à la Charte Sociale européenne dans le choix de leur engagement : une liberté surveillée », *Rev. Trim. des Dr. Homme*, 2013, p. 829 s.

16 V. R. Brillat, « L'activité pré-conventionnelle et para-conventionnelle du Conseil de l'Europe dans le domaine des droits sociaux », in : J.-F. Flauss (dir.), op.cit., p. 140.

17 R. Brillat, op.cit., p. 134.

18 V. en général, F. Sudre, « Le protocole additionnel à la Charte Sociale Européenne prévoyant un système de réclamations collectives », *RGDIP*, 1996, p. 715 s. Cf. C. Gallant, *Recent developments in the field of social right. Background paper,* Council of Europe, CDDH (2006), 022 (17.10.2006), p. 32 s., R. Churchill / U. Khaliq, « The Collective complaints system of the European Social Charter: An effective mechanism for ensuring compliance with economic and social rights? », *European J. of International Law*, 2004, p. 417 s. étant donné que les décisions du Comité Social ont en caractère juridictionnel, on a à juste titre, soutenu que « la procédure des réclamations collectives doit devenir plus contradictoire, davantage publique et d'avantage juridictionnelle », R. Brillat, op.cit., p. 240.

sont indicatives[19]. Mais dans le cas aussi des migrants, on trouve un certaine nombre de réclamations collectives, contre, de façon indicative, la Grèce[20], la Bulgarie[21], la France[22], les Pays Bas[23], l'Italie[24], la Belgique[25] où la Suède[26].

Sous le régime de la Charte Sociale Révisée, on peut constater une autre évolution : le Comité lors de l'examen tant des législations et pratiques nationales que, surtout, des réclamations collectives ne se borne pas à mentionner, de façon exclusive, les dispositions concrets pertinentes de la Charte – y compris les dispositions de l'article 19 concernant les migrants –, mais il effectue la *conjonction* de ces dispositions avec d'autres dispositions de la Charte, d'un caractère plus général, comme p.ex. l'article 30 (relatif à la protection contre le pauvreté et l'exclusion sociale) ou l'article E (concernant l'interdiction des mesures discriminatoires) avec l'article 30 (relatif à la protection contre la pauvreté et l'exclusion sociale)[27] avec l'article 31 (relatif (au droit au logement)[28], avec l'article 16 (relatif au droit des familles à la protection sociale, légale et économique appropriée)[29], ou avec l'article 19 (relatif aux migrants)[30]. Cette conjonction offre au Comité la possibilité de couvrir un éventail de situations plus large en faveur des migrants[31].

19 V. pour une présentation de toutes les décisions « grecques » relatives aux mesures d'austérité, A. Bredimas, *Crise économique et droit des travailleurs. La Grèce face à l'Organisation Internationale du Travail et la Charte Sociale Européenne*, Athènes, 2015 (en grec).

20 V. entre autres, P. Stangos, « Les répercussions juridiques sur l'Union européenne des décisions du Comité européenne des droits sociaux relatives aux mesures d'austérité de la Grèce », *Rev. Tr. D. H.*, 2015, p. 909 s.

21 CEDS, Décision sur le bien-fondé du 03.12.2008, *Centre européen des droits des Roms (CEDR) c. Bulgarie* (Réclamation n°46/2007).

22 CEDS, Décision sur le bien-fondé du 19.10.2009, *Centre européen des droits des Roms (CEDR) c. France* (Réclamation n°51/2008).

23 CEDS, Décision sur le bien-fondé du 02.07.2014, *Fédération européenne des Associations nationales travaillant avec les Sans-abri (FEANTSA) c. Pays Bas* (Réclamation n °86/2012).

24 CEDS, Décision sur le bien-fondé du 25.06.2010, *Centre on Housing Rights and Evictions (COHRE) c. Italie* (Réclamation n°58/2009).

25 CEDS, Décision sur le bien-fondé du 23.10.2012, *Défense des Enfants International (DEI) c. Belgique* (Réclamation n°69/2011).

26 CEDS, Décision sur la recevabilite et le bien-fonde du 03.07.2013, *Confédération générale du travail de Suède (LO) et Confédération générale des cadres, fonctionnaires et employés (TCO) c. Suède* (Réclamation n°85/2012).

27 CEDS, *Centre on Housing Rights and Evictions (COHRE) c. Italie*, op.cit., para. 92 s; CEDS, Centre européen des droits des Roms (CEDR) c. France, op.cit., para. 97 s.

28 CEDS, *Centre on Housing Rights and Evictions (COHRE) c. Italie*, op.cit., para. 49 s; CEDS, *Centre européen des droits des Roms (CEDR) c. France*, op.cit., para. 72 s.

29 CEDS, *Centre européen des droits des Roms (CEDR) c. France*, op.cit., para. 111 s.

30 CEDS, *Centre on Housing Rights and Evictions (COHRE) c. Italie*, op.cit., para. 133 s; CEDS, Centre européen des droits des Roms (CEDR) c. France, op.cit., para. 97 s.

31 V. plus analytiquement, sur cette technique d'interprétation, P. Ducoulombier, op.cit., p. 845.

III. La Charte et les migrants irréguliers

La question des migrants irréguliers a attiré l'attention tant des états que des théoriciens. Des premiers, en raison de l'augmentation continue de leur nombre[32], des théoriciens en raison de la répercussion de leur statut sur leurs droits de l'homme[33]. Ce n'est seulement pas les états qui se sont penchés sur cette question, mais aussi les organisations internationales, telles que les Nations Unies[34], l'Union Européenne[35], le Conseil de l'Europe[36], ou l'Organisation Internationale du Travail[37].

La question se pose, dès le début, en relation avec l'application de la Charte *rationae personae*. Cette question est régie, en principe, par l'Annexe de la Charte, qui détermine, de façon générale, que

> « ... *les personnes visées aux article 1 à 17 et 20 à 31 ne comprennent les étrangers, que dans la mesure où ils sont des ressortissants des autres Parties résidant légalement ou travaillant régulièrement sur le territoire de la Partie intéressée, étant entendu que les articles susvisés seront interprétés à la lumière des dispositions des articles 18 et 19* ».

32 V. R. Cholewinski, *Migrant workers in international human rights law. Their protection in the countries of employment*, Oxford, 1997, p. 21 s. En Europe la montre des migrants irréguliers s'élevait approximativement à 5,5 millions. V. J. Greenway, *Regularisation programmes for irregular migrants*, Council of Europe Committee on Migration, Refugees and Population 11350, 2005, p. 1. On a cependant, exprimé des doutes relativement à l'augmentation éventuelle des flux migratoires, tout au moins vers l'Europe, comme conséquence des politiques restrictives de l'Union Européenne. Ainsi, en 2012, il y a eu une baisse de 12% des migrants non-européennes. V. OECD, "Is migration really increasing"?, *Migration Policy Debates* (May 2014).

33 R. Cholewinski / P. Guchteneire / A. Pécoud (ed.), *Migration and human rights. The United Nations Convention on migrant worker's rights*, Cambridge, 2009.

34 V. sur la Convention des Nations Unies, R. Cholewinski et al., op.cit. (note précédente).

35 On a cependant remarqué que "Little attention has been given total impact European Union labour marked dynamics has on pull factors for irregular migration and the suffering of undocumented migrant workers in the European Union". V. Unga, Human Rights Council, *Report of the Special Rapporteur on the human rights of migrants, François Crépeau*, A/HRC/29/36 (08.05.2015), p. 12. Cf. S. Carrera / M. Merlino, *Assensing E.U. policy on irregular immigration under the Stockholm Programme*, Center for European Policy Studies, October 2010.

36 V. R. Cholewinski, *Study on obstacles to effective access of irregular migrants to social rights*, Council of Europe, 2005, p. 7 s.

37 L'OIT a adopté un certain nombre de Conventions (et Recommandations) Internationales de Travail, comme la R. 86 (1949), la C 143 (1975) et la R. 151 (1975). Ces textes s'occupent, d'une façon ou l'autre, de la réunion familiale – y compris les migrants irréguliers – mais leur force juridique n'est suffisamment forte. V. R. Cholewinski, op.cit., (note 33), p. 117 s.

L'interprétation *textuelle* de ce texte – qui constitue la première et principale méthode d'interprétation des textes conventionnels internationaux[38] – semble exclure l'application de la Charte aux migrants irréguliers. En plus, cette même conclusion résulte à une autre approche d'interprétation du texte, qui est basée sur *l'intention* des parties[39], étant donné que l'intention générale des Parties lors de la conclusion de la Charte était l'assurance réciproque des bénéfices en faveur seulement de leurs ressortissants. Il s'agit de l'adoption de ce qu'on appelle *« solidarité interne »*[40].

Ces deux approches interprétatives ne constituent, cependant, les seules approches selon le droit international. Bien que la Convention de Vienne de 1969 ne mentionne pas expressément *l'interprétation téléologique* (ou finaliste)[41], elle trouve une place particulière dans les décisions des juridictions internationales, surtout en Europe[42], et principalement dans les arrêts de la CourEDH[43], qui présente un attachement « viscéral », comme on l'a caractérisé[44], à l'interprétation téléologique. Si, il faut le dire, cette interprétation sert, parfois, à confirmer l'interprétation textuelle du texte[45], cela ne l'empêche pas d'aller plus loin. Ainsi, la CourEDH a, par un « procédé dynamique » d'interprétation de la Convention, accepté l'assurance de certains droits sociaux pour tous les migrants, y compris les migrants irréguliers (éducation, sécurité sociale et autres)[46].

Cette même approche téléologique d'interprétation est utilisée par le Comité de la Charte, qui – notons le – est chargé d'interpréter la Charte[47]. Bien qu'il y ait peu de cas où l'on trouve des dispositions, si non identiques, tout au moins

38 V. J.-M. Sorel / V. Boré Eveno, « Article 31 1969 Vienna Convention », in : O. Corten / P. Klein (eds.), *The Vienna Convention on the law of treaties*, Oxford, 2011, paras. 29-31, 34.

39 Op.cit., para. 38.

40 M. Mikkola, *Social human rights under the European Social Charter*, 2008, http://www.helsinki.fi/oikeustiede/omasivu/mikkola_matti/pdf/migrants.pdf, p. 36. Une autre version de cette conception est celle qui soutient que les États ne devraient être obligés à accorder aux étrangers sans documents rien d'autre que les protections des droits fondamentaux de l'homme, parce qu'ils ne sont pas parties aux contrat social qui engage la communauté nationale. V. D. Martin, « Due process and membership in the national community », *Univ. of Pittsburgh L.R.,* 1983, p. 231, P. Schack / R. Smoth, *Citizenship without consent*, New Haven, London, 1985, p. 131 s. Dans une perception relativiste des droits de l'homme, Hanna Arendt considère ces derniers comme une création d'une société donnée associée avec un groupe donné et de sa pratique à un moment donné. V. F. Michelman, « Parsing a right to home rights », *Constellations*, 1996, p. 204.

41 Article 31,1 de la Convention de Vienne.

42 Pour une description analytique de cette méthode interprétative (ou « dynamique »), v. P. Ducoulombier, op.cit., p. 852-854.

43 J.-M. Sorel / V. Boré Eveno, op.cit., para. 54.

44 Ibid.

45 Ibid.

46 Pour plus de détailles, V. P. Ducoulombier, op.cit., p. 852 s.

47 Cette compétence d'interprétation appartient tant au Comité Social qu'au Comité Intergouvernemental (Protocole de 1991 qui amende la Charte Sociale de 1961). Cependant, la juri-

analogues dans les deux textes –ConventionEDH - Charte Sociale Européenne –, chose qui favorise l'autonomie interprétative de chacun de ces textes[48], il n'existe pas une ligne de séparation nette entre eux, et ceci facilite leur interaction et, en particulier, l'influence de la ConventionEDH et de sa jurisprudence sur la « jurisprudence » du Comité de la Charte[49]. Il est caractéristique de cette possibilité d'interaction que le Comité Gouvernementale de la Charte a invité le Comité Social à ne pas hésiter à tenir compte de la jurisprudence de la ConventionEDH pour interpréter certaines dispositions de la Charte[50].

En effet, le Comité a examiné, en 2004[51], la possibilité de l'extension de la protection de la Charte aux personnes qu ne sont pas ressortissants des états parties. A cet effet, il a profité de l'énoncé de l'Annexe à la Charte Révisée qui dispose que « *Les Parties peuvent étendre l'application de la Charte à des personnes autres que celles qui sont couvertes par l'Annexe* », pour conclure que sont couverts les ressortissants migrants en provenance d'états non-parties à la Charte[52]. Bien que cette position ait, sans doute, un caractère « révolutionnaire », elle fut en même temps tempérée par une réserve fonctionnelle qui annule, en quelque sorte, cette révolution. En effet, le Comité, ayant conscience du fait que l'application de cette position aurait des conséquences sérieuses en relation avec les droits des migrants irréguliers, il a assortie l'affirmation précédente par l'admission que les obligations des états parties ne tombent pas, *en principe*, dans sa compétence de surveillance[53]. Autant dire, qu'il n'existe pas une obligation des états parties vis-à-vis des migrants irréguliers.

Dans un jeu de rejet et d'admission des droits des migrants irréguliers, le Comité a tempéré la restriction absolue de ces doits, en affirmant que l'application de certaines dispositions de la Charte pourrait, dans *des situations spécifiques*,

diction d'appliquer la Charte d'un point de vue juridique appartient exclusivement au Comité Social. V. D. HARRIS, « The European Social Charter and social rights in the European Union », in : L. BETTEN / DELMA MACDEVITT (eds.), *The protection of fundamental social rights in the European Union*, La Haye, 1996, p. 108, note (4). De l'autre côté, le Comité n'est pas lié par l'interprétation qu'il donne aux dispositions de la Charte. Il peut changer de position, bien qu'il s'abstient de le faire souvent. V. DE HARRIS / J. DARCY, op.cit. (note 15), p. 322. Cf. R. BRILLANT, op.cit. (note 16), p. 112.

48 J.-F. FLAUSS, op.cit., p. 92. Cependant, comme il fut remarqué, « A partir du moment où la Cour européenne, est amenée à commenter la signification des dispositions de la Charte, il en résulte une érosion de l'autonomie du pouvoir à appréciation du CEI – CSE ». Op.cit., p. 98.

49 Op.cit., p. 92.

50 Op.cit., p. 98. En d'autres termes, le Comité Social peut être amené à changer d'avis pour tenir compte de la jurisprudence de la Cour.

51 Conclusions 2004, *Statement of interpretation*, p. 10.

52 Ibid.

53 *Digest*, 10/2006, p. 168.

exiger l'égalité totale de traitement[54]. Quelles pourraient être ces « situations spécifiques » ?

Le Comité n'a pas eu l'occasion de le faire par un « Statement of interpretation » ou autrement. Cela a été fait de manière informelle par son ancien Président (le Finlandais *Mati Mikkola*), dans les termes suivants :

> « *Dans le cadre des droits de l'homme, il est difficile de comprendre pourquoi des personnes en provenance de pays tiers n'auraient pas droit face à un danger environnemental, ou pourquoi des enfants en provenance de pays tiers pourraient servir à des fins le travail bon marché, ou devenir objets d'exploitation sexuelle ou de mal traitement, sans aucune protection et sans sanctions. La même chose pourrait être dit à propos des travailleurs adultes en provenance des pays tiers, qui sont utilisés pour un travail forcé ou qui accomplissent un travail malsain et dangereux, ou deviennent l'objet d'harassement sexuel ou de travail bon marché, qui violent les standards impératifs de l'emploi* »[55].

Tous ces droits ont le caractère commun d'être qualifiés comme des « *droits de dignité négatifs* ».

Ce qui fut, et continue à l'être, objet de contestation, est la question de l'application éventuelle aux migrants irréguliers des droits qu'on appelle « *droits de dignité positifs* », dans lesquels on peut inclure, p.ex. *la protection de la vie privée, la garantie d'un revenu minimum, le logement provisoire nécessaire*, ou *le traitement médical*[56]. Tous ces droits s'appliquent, dans le cadre de la ConventionEDH, en relation avec la totalité des personnes se trouvent dans le territoire des états parties (principe de *l'application universelle*)[57]. Ces droits ne sont pas pris en compte, tout au moins en principe, par le Comité Social, qui adopte une position très restrictive.

Il faut, cependant, reconnaître que le Comité a fait un certain progrès dans certains domaines des droits sociaux, tels que *le logement* ou *la santé* des migrants irréguliers. Ainsi, le Comité, examinant la question du *logement approprié* des migrants irréguliers, a considéré que les états parties sont obligés de sauvegarder ce droit[58]. Mais, il a, parallèlement, ajouté une restriction : que les migrants irréguliers n'ont pas droit *au même niveau minimum* des conditions de logement ap-

54 Ibid.

55 M. Mikkola, op.cit., p. 35-36.

56 Op.cit. Sur la distinction entre droits négatifs et droits positifs, v. in extenso, R. Hirschl, « "Negative" rights vs "positive" entitlements: a comparative study of judicial interpretations of rights in an emerging neo-liberal economic order », *Human Rights Quarterly*, 2000, p. 1060 s.

57 Ibid.

58 Mais, en adoptant des mesures pour sauvegarde le droit au logement, les états disposent d'une marge d'appréciation, en tenant compte de l'équilibre de l'intérêt général avec l'intérêt d'un group spécial, ainsi que des choix qui doivent être pris en compte du point de vue des priorités et des ressources. CEDS, Décision sur le bien-fondé du 18.10.2006, *Centre européen des droits des Roms* (CEDR) *c. Bulgarie* (Réclamation n°31/2005), para. 35.

proprié en comparaison avec la population générale, et que, simplement, il faut que certaines conditions soient remplies, telles que la sécurité, la santé et l'hygiène (eau propre, éclairage, chauffage)[59].

En ce qui concerne, plus particulièrement, la question de *la santé* des migrants irréguliers[60], le Comité a adopté une position, en principe positive, accompagnée cependant de certaines restrictions. Ainsi, il a accepté le droit à la protection de la santé des mineurs non- accompagnés, ayant combiné la disposition de l'article 17 de la Charte – qui est relative à la protection des enfants – avec l'article E de la Charte Révisée, qui ne permet pas l'exigence de « Résidence légale »[61]. Mais, d'autre part, le Comité a considéré que le droit à la santé ne s'applique pas aux parents migrants irréguliers que seulement en relation avec les besoins de traitement médical urgent, c'est-à-dire lorsqu'il y a menace contre leur vie[62].

Cette approche restrictive du Comité en matière de protection des droits sociaux positifs des migrants irréguliers a causé la réaction négative de son ancien Président (*Matti Mikkola*), pour le motif que le principe de la dignité constitue une *obligation universelle*, qui signifie qu'il doit, comme il se passe dans le cadre de la ConventionEDH, comprendre les droits de dignité positifs, comme p.ex. le niveau du revenu, le logement provisoire, le traitement médical urgent et le traitement social urgent[63].

Dans la mesure où la Charte est un texte juridique qui est supplémentaire à la ConventionEDH, on ne peut restreindre l'étendue des personnes qui est prévue par la Convention. Dès le moment où ces deux textes (Convention et Charte) appartiennent à un système interdépendant, il est difficile d'éviter la possibilité, à travers cette interprétation de l'Annexe de la Charte, d'appliquer les réglementations de la Convention et la jurisprudence de sa Cour relativement à la protection de la dignité des migrants irréguliers[64]. Cette « déviation » dans l'interprétation de la Charte en relation avec les migrants irréguliers est dûe au fait que l'adoption de ces mesures positives de protection de la dignité, p.ex. le logement ou les

59 CEDS, Décision sur le bien-fondé du 20.10.2009, *Défense des Enfants International (DEI) c. Pays-Bas* (Réclamation n°47/2008), para. 37. Cf. G. SCAPPUCCI, « Access to housing for undocumented migrants. Decision of the European Committee of Social Rights in *Defense of Children International v. the Netherlands* », in: S. CARRERA / M. MERLINO, op.cit. (note 35), p. 28 s.

60 V. en général, Sh. ALEXANDER, « Humanitarian bottom League? Sweden and the right to health for undocumented migrants », *Europ. J. of Migration and Law*, 2010, p. 215 s.

61 CEDS, Décision sur le bien-fondé du 08.09.2004, *FIDH c. France* (Réclamation n°14/2003).

62 Le Comité a discuté cette question dans le cadre des articles 19 par. 1 et 13 par. 4 de la Charte.

63 Op.cit. (note 40), p. 38.

64 CEDS, Décision sur le bien-fondé du 08.09.2004, *FIDH c. France* (Réclamation n°14/2003).

services de santé, a un *coût considérable* pour les états[65]. Même si l'intention des états parties, lors de la conclusion de l'Annexe à la Charte Révisée, était précisément d'éviter de pendre en charge ce coût[66], rien n'empêche pas l'adoption d'une interprétation élargie au profit des migrants irréguliers, dans la mesure où cela serait permis par la situation économique des états parties. Mais, si l'on tient compte de la crise économique qui s'abat en Europe à partir de 2008, et qui ne semble pas être à son bout, une pareille interprétation en faveur des migrants irréguliers semble illusoire[67]. C'est peut-être la raison pour laquelle le Comité a choisi de rester circonspect en la matière.

IV. La réunion familiale des migrants

Cette question constitue, actuellement, le sujet le plus important dans le domaine de la protection des droits des migrants, étant donné que la réunion familiale a pris un essor considérable ces dernières décennies, de façon que, désormais, les membres de la famille des migrants constituent une partie considérable du nombre total des migrants[68].

Cette importance est reconnue tout d'abord dans le cadre de l'U.E., qui a adopté une Directive concernant exclusivement la réunion familiale[69]. La réunion familiale est par ailleurs l'objet d'une disposition spécifique de la Charte, celle de l'article 19 § 6. Cette disposition se borne à mentionner simplement le droit des migrants à la réunion familiale, sans d'autres explications. Ceci

65 Cependant, comme on l'a été remarqué, tout au moins à propos du logement des migrants irréguliers, … "it is not unusual for public authorities to spent a lot of money on the provision of hotel accommodation to undocumented or irregular migrants when these funds would be better spent on constructing social housing". V. R. CHOLEWINSKI, *Study on obstacles to effective access of irregular migrants to minimum social rights*, Council of Europe, 2005, p. 34.

66 M. MIKKOLA, op.cit. (note 40), p. 36.

67 « A l'heure où l'Europe traverse une crise économique et sociale majeure, il est peu probable que les états renoncent à une marge de manœuvre alors pourtant que, comme le rappelle, le Comité européen des droits sociaux « … *les gouvernements se doivent … de prendre toutes les mesures nécessaires pour faire en sorte que ces droits soient effectivement garantis au moment où le besoin se fait le plus sentir* », P. DUCOULOMBIER, op.cit., p. 857.

68 Dans les états Occidentaux, là où des chiffres existent, on compte les migrants familiaux au 40%-60% du nombre total des migrants, v. K. GROENENDIJK, « Family reunification as a right under Community law », *Europ. J. of Migration and Law*, 2006, p. 215. Même en 1990, l'immigration familiale était l'un des deux principaux flux d'entrée des étrangers en France, à côté des demandeurs d'asile politique. V. J. MASSOT, « L'immigré et sa famille : le regroupement familiale », in : E. ALÉFANDARI, *Immigration et protection sociale*, 2e *éd., Paris, 1990.*

69 Council Directive 2003/86/E.C., V. K. GROENENDIJK, op.cit., p. 215 et s. V. sur cet aspect, R. PLENDER, *International Migration Law*, Revised, 2nd ed., Dordrecht, 1988, p. 374 s.

est fait par l'Annexe à la Charte Révisée relativement à cette disposition, qui définit comme « famille du travailleur étranger » au moins l'épouse et les enfants non-mariés, qui sont considérés par l'état receveur comme mineurs et dépendant du migrant. Cette règle continue, malgré certaines améliorations, ne cesse pas d'être imparfaite, en vue surtout de l'évolution que l'on observe ces dernières décennies en relation avec la notion de la famille[70]. Ce manquement est corrigé par le Comité de la Charte, tantôt en accord tantôt en désaccord avec la ConventionEDH et l'évolution respective de la jurisprudence de la Cour. Ainsi :

(a) le terme « conjoint » comprend désormais aussi l'époux[71],

(b) le terme « épouse » se réfère en principe à l'épouse *devant la loi*[72]. On ne mentionne pas les couples (heterosexuels) *non-marriés,* ni, *à fortiori,* les couples du même sexe, et on laisse cette question à *la compétence discrétionnaire* de l'état d'accueil[73]. Ceci se trouve en opposition avec la jurisprudence de la CourEDH, qui a considéré (en 2010) sur la base de l'article 8, que la relation du couple homosexuel, qui maintient une relation de facto stable, est comprise dans le sens de la vie familiale[74], Il est, d'autre part, inacceptable par le Comité que la législation prévoit que la réunion familiale ne comprend pas les épouses des étrangers de deuxième génération[75] ou que l'épouse doit avoir un âge minimum de 21 ans[76]. Par contre, il à a pas eu à s'occuper des législateurs telles que celle du Danemark, de se pas reconnaître, au titre de la réunion familiale, le mariage qui a lieu entre des personnes ayant des liens étroits (p.ex. cousins) qui est considéré comme non mariage forcé. Il n'agit d'une présomption, qui permet quand même à l'épouse de prouver qu'elle est entrée en mariage par sa propre libre volonté[77].

(c) relativement à la question qui peut être considéré comme « enfant », et quelles sont les relations entre parents et enfants, la Charte de 1961 stipulait qu'est « enfant » celui d'un âge inférieur à 21 ans, mais ceci a créé des difficultés aux états qui considéraient comme enfant celui au-dessous de 18 ans.

70 V. CourEDH, arrêt du 24.06.2010, *Schalk et Kopf c. Autriche* (Requête n° 30141/04), para. 93-95.

71 V. D. Harris / J. Darcy, op.cit. (note 15), p. 270.

72 D. Harris / J. Darcy, op.cit., p. 225.

73 Il est à noter que la Cour de Strasbourg permet aux états une certaine marge d'appréciation relativement à l'article 8 de la CEDH, contrairement à la Directive Européenne sur la réunion familiale qui prévoit que les restrictions à l'exercice de ce droit doivent être interpretées de façon restrictive. V. K. Groenendijk, op.cit., p. 219.

74 CourEDH, arrêt du 24.06.2010, *Schalk et Kopf c. Autriche* (Requête n° 30141/04), para. 91-94.

75 Conclusions XVIII-1 – Germany.

76 Conclusions 2015 – Netherlands, 2015 – Cyprus.

77 V. sur cette question, H. Thomassen, « The Danish rules of family reunification », in : J.-V. Carlier / Ph. de Bruycker, op.cit., (note 2), p. 529.

Cette difficulté est corrigée dans l'Annexe de la Charte Sociale Révisée, qui prévoit que, désormais, la notion de l'enfant est déterminée par le droit de l'état de réception[78]. Ainsi, le Comité a conclu que la Grèce – qui n'avait, à ce moment, ratifié la Charte Sociale Révisée – était liée par la Charte de 1961 et, par conséquent, elle la violait, du moment qu'elle acceptait comme enfants des migrants seulement ceux au-dessous de 18 ans[79]. Une dimension on importante de cette question est son application dans le cas des enfants entre 18 et 21 ans. Si, en principe, l'état de destination n'est pas obligé d'accepter la réunion familiale pour ces enfants, le Comité insiste à ce qu'ils sont inclus à la réunion familiale[80]. Par ailleurs, le Comité considère que la législation qui prévoit que les jeunes qui ont un seul parent résistant dans le pays de la situation, n'ont pas droit à la réunion familiale – sont dans des ces spéciaux n'est pas en conformé avec l'article 19 § 6 de la Charte[81].

En ce qui concerne les relations parents – enfants, le Comité n'a pas eu l'occasion de s'en occuper dans le cadre des réclamations collectives, tandis que les Rapports des états parties avaient un caractère tellement général en la matière que le Comité n'a pu procédé à l'examen de certains aspects de la réunion familiale. La Cour de Strasbourg, par contre, s'est occupée, dans le cadre de l'article 8 de la ConventionEDH, des questions comme l'existence d'un lien entre enfants et parents, même dans le cas où l'enfant ne reste pas avec l'un des parents ou lorsque l'absence de cohabitation de l'enfant avec le parent n'exclut pas les de facto liens familiales, tout au moins sous certaines conditions[82]. Ou, encore, de ce qu'on doit faire lorsque l'un des enfants se trouve dans un état membre du Conseil de l'Europe et l'autre dans le pays de provenance[83].

Une autre question qui a tiré l'attention du Comité Social est celle des *restrictions* posées par la Charte Sociale à l'exercice du droit de réunion familiale. Ces restrictions ont leur source à l'article G de la Charte Sociale Révisée, qui a un caractère général et qui permet ces restrictions pour des raisons de protection de *l'intérêt public*, de *la sécurité nationale*, de *la santé publique*, ainsi que de la *morale publique*, tout cela sous la condition que les restrictions soient *propor-*

78 Article 19 de la Charte de 1961. V. en général D. Harris / J. Darcy, op.cit., p. 225.

79 Conclusions XIX-4 – Grèce.

80 Conclusions 2015 – Austria, XIX-Austria, XIX-4 – Spain, XVIII-1 – Germany, XVIII-1 – Greece (in law or in practice), XVIII-1 – Spain, XVIII-1 – Turkey, XVIII-1 – United Kingdom, XIX-4 – Poland.

81 Conclusions XVIII-1 – Germany.

82 CourEDH, arrêt du 11.07.2000, *Ciliz c. Pays-Bas* (Requête n° 29192/95), para. 59, CourEDH, arrêt du 27.10.1994, *Kroon et autres c. Pays-Bas* (Requête n° 18535/91), para. 30, CourEDH, arrêt du 26.05.1994, *Keegan c. Irlande* (Requête n° 16969/90), para. 45.

83 CourEDH, arrêt du 21.12.2001, *Sen c. Pays-Bas* (Requête n° 31465/96), para. 31.

tionnelles et nécessaires dans une société démocratique[84]. Le Comité contrôle, lors de l'examen de chaque rapport des états parties, s'il existe, dans leurs législations nationales, des mesures qui imposent des discriminations injustifiées – lesquelles sont interdites par l'article E de la Charte Sociale Révisée[85] – en relation avec la réunion familiale. Ainsi, le Comité:

(a) a considéré que l'exigence, par plusieurs législations nationales, que les migrants disposent d'un *revenu suffisant* pour répondre aux coûts de vie de la famille – sans, cependant, tenir en compte les allocations sociales – [que cette exigence] est excessive et que l'on ne doit pas écarter, lors du calcul du « revenu suffisant », les bénéfices du soutien social[86]. Cette position du Comité diverge de la jurisprudence de la Cour de Strasbourg, qui exclut de manière absolue la prise en compte de ces bénéfices[87]. Par ailleurs, le Comité examine si le « niveau de revenue suffisant » des migrants, ainsi que déterminé par la législation nationale, ne soit pas excessivement élevé, de façon qu'il ajoute des obstacles à la réunion familiale[88], [89],

(b) une deuxième restriction est celle relative à la *santé*, y compris l'usage de drogue et la maladie mentale. Le Comité a observé, de manière constante, que les états parties ne peuvent refuser l'entrée dans leur territoire, dans le but de la réunion familiale, pour des motifs de santé[90]. Ce n'est que seulement dans des cas spécifiques de maladie que l'interdiction de la réunion familiale est permise[91],

84 *« 1. Les droits et principes énoncés dans la partie I, lorsqu'ils seront effectivement mis en œuvre, et l'exercice effectif ces droits et principes, tel qu'il est prévu dans la partie II, ne pourront faire l'objet de restrictions ou limitations non spécifiées dans les parties I et II, à l'exception de elles prescrites par la loi et qui sont nécessaires, dans une société démocratique, pour garantir le respect des droits et des libertés d'autrui ou pour protéger l'ordre public, la sécurité nationale, la santé publique ou les bonnes mœurs. »*
2. « Les restrictions apportées en vertu de la présente Charte aux droits et obligations reconnus dans celle-ci ne peuvent être appliquées que dans le but pour lequel elles ont été prévues. »

85 « *La jouissance des droits reconnus dans la présente Charte doit être assurée sans distinction aucune fondée notamment sur la race, la couleur, le sexe, la langue, la religion, les opinions politiques ou toutes autres opinions, l'ascendance nationale ou l'origine sociale, la santé, l'appartenance à une minorité nationale, la naissance ou toute autre situation* ».

86 Conclusions XIX-4-Spain, 2011-Ireland, 2011-Italy, 2011 – Netherlands.

87 CourEDH, décision du 20.10.2005, *Haydarie et autres c. Pays-Bas* (Requête n°8876/04).

88 Conclusions XIX-4-Germany, XVIII-1-Spain.

89 Cette position du Comité ne l'a pas empêché de considérer que l'octroi d'un soutien financier spécifique est de nature à empêcher la réunion familiale. Cela, cependant, ne se réfère pas aux allocations de l'assurance nationale. Conclusions 2015 – Norway.

90 Conclusions 2011 – Turkey.

91 Ces « cas spécifiques » sont les maladies (diseases) qui exigent la mise en quarantaine et sont prévues par les « *International Health Regulations* » (1969/2005) de l'Organisation Mondiale de la Santé, ainsi que certaines autres maladies, telles que la tuberculose ou le syphilis. Certaines autres situations de santé, comme l'état sérieux du membre de la famille en raison de l'utilisation de drogues ou la maladie mentale peuvent justifier le refus de la

(c) une troisième restriction est celle qui exige que le migrant dispose d'un *logement suffisant ou approprié*. Le Comité considère constamment que cette restriction ne devrait pas être si étroite, que la réunion familiale soit entravée[92]. Les états parties peuvent, certes, imposer en la matière de restrictions, mais, en faisant cela, elles doivent tenir compte du principe de la proportionnalité[93]. Ainsi qu'exprimé par le Comité : "State parties should not apply such requirement in a blanket manner"[94],

(d) le Comité s'est occupé, encore, de la restriction imposée par certains états parties en relation avec *la durée* de la résidence légale du migrant dans le pays de réception avant la réunion familiale[95]. Le Comité considère, sur une base constante, que cette durée ne doit pas dépasser une année[96], [97].

réunion familiale, mais seulement lorsqu'il est établi par les autorités, sur une base cas par cas, qu'elles constituent un danger pour l'ordre public ou la sécurité. V. Conclusions XVI-2000 (Grèce), XV-I-2000 (Finlande), 2015 (Chypre), 2015 (Lettonie).

92 Conclusions 2015 – United Kingdom, XVIII-1-Netherlands.

93 Dans son *Statement of Interpretation* "*The Committee recalls that restrictions on family reunion which take the form of requirements for sufficient or suitable accommodation to house family members should not be so restrictive as to prevent any family reunion (Conclusions IV (1975), Norway). The Committee considers that states are entitled to impose such accommodation requirements in a proportionate manner so as to protect the interests of the family. Nevertheless, taking into account the obligation to facilitate family reunion as far as possible under Article 19 § 6, States Parties should not apply such requirements in a blanket manner which precludes the possibility for exemptions to be made in respect of particular categories of cases, or for consideration of individual circumstances. The Committee considers that restrictions on the exercise of the right to family reunion should be subject to an effective mechanism of appeal or review, which provides an opportunity for consideration of the individual merits of the case consistent with the principles of proportionality and reasonableness*" (XX-4-035-05/EN) et (2015-163-05-EN).

94 Conclusions 2015-Slovak Republic. D'ailleurs le Comité s'est penché sur cette question dans son *Interprétative Statement* aux termes suivants : "*The Committee acknowledges that States may take measures to encourage the integration of migrant workers and their family members. It notes the importance of such measures in promoting economic and social cohesion,*
However, the Committee considers that requirements that family members pass language and/or integration tests or complete compulsory courses, whether imposed prior to or after entry to the State, may impede rather than facilitate family reunion and therefore are contrary to Article 19 § 6 of the Charter where they:
a) have the potential effect of denying entry or the right to remain to family members of a migrant worker, or
b) otherwise deprive the right guaranteed under Article 19 § 6 of its substance, for example by imposing prohibitive fees, or by failing to consider specific individual circumstances such as age, level of education or family or work commitments", (XX-4-035-04/EN) at (2015-163-04/EN).

95 Conclusions 2015-Esthonia (2 ans).

96 Conclusions XIX-4 - Germany, 2015-Germany.

97 Conclusions XIX-4-Greece, 2011-Cyprus,– 2015-Cyprus (2 ans), XVIII-1-Grèce (2 ans), 2006 – Esthonia (5 années), 2011-France (18 mois). Relativement à la France, cette période de temps était 12 mois, mais elle a passé à 18 mois après 2003, comme conséquence de l'introduction, cette année, de la Directive Européenne sur la réunion familiale. V. L. Block / S. Bonjour, « Fortress Europe or Europe of rights? The European' section of fa-

(e) le Comité s'est occupé, également, et fréquemment, avec la restriction imposée par certains états parties[98] aux membres de la famille[99] – pour qu'ils puissent être acceptés dans le cadre de la réunion familiale – de passer des *examens de langue ou de tests d'intégration*[100], ou même de *suivre des cours obligatoires de langue,* soit avant soit après leur entrée dans le pays de réception[101]. Le Comité considère que des restrictions pareilles violent l'article 19 § 6 de la Charte Sociale, au motif qu'elles empêchent plutôt que facilitent la réunion familiale[102], tandis qu'elles ne tiennent pas compte des situations personnelles spécifiques, comme p.ex., l'âge, le niveau d'éducation ou autres obligations[103],

(f) une dernière restriction à la réunion familiale est celle qu'on rencontre dans la législation de certains états parties et concerne *l'expulsion* des membres de la famille du migrant. Cette question est régie, actuellement, par l'article 19 § 6 de la Charte, relatif à la réunion familiale, tandis que dans le passé on la traitait dans le cadre de l'article 19 § 8 de la Charte, qui concerne l'expulsion du migrant[104]. Le Comité a conclu que les membres de la famille du migrant, qui ont été réunis avec celui-ci, possèdent désormais un *droit indé-*

mily migration policies in France, Germany and the Netherlands », *European J. of Migration and Law*, 2013, p. 206.

98 V. S. Bonjour, « Between integration provision and selection mechanism. Party politics, judicial constraints, and the making of French and Deutsch policies of civic integration abroad », *European J. of Migration and Law*, 2010, p. 299 s. Cf. *l'Interprétative Statement* du Comité : *"The Committee considers that upon a proper construction of the text of the Charter the possibility of the expulsion of the family members of a migrant worker is more properly dealt with under Article 9 § 6 on the facilitation of family reunion, rather under Article 19 § 8 which concerns only the expulsion of a migrant worker. It therefore decides henceforth to assess whether the expulsion of family members of a migrant worker is in conformity with the Charter under Article 19 § 6".*

99 Même si les enfants ont un âge de 16-18 ans. Conclusions XIX-Germany, Conclusions 2015-Germany.

100 Conclusions 2011 – Netherlands.

101 Conclusions 2015 – United Kingdom. Cf. R. Feik, « Compulsory integration courses in EU member states », in: J.-Y. Carlier / Ph. De Bruycker (éds.), op.cit. (note 2), p. 617 s.

102 Conclusions 2011 – Netherlands. Cf. *Statement of interpretation*: 2015-163-04/EN.

103 Il est à noter que le programme néerlandais est plus restrictif que le programme français : tandis qu'en France il y a seulement une obligation de participation à l'évaluation et à des cours organisés et financés par l'état, les Pays-Bas dépendent l'entrée du membre de la famille du migrant d'un examen, sans, en plus, offrir des cours. V. S. Bonjour, op.cit., p. 299.

104 "*The Committee considers that upon a proper construction of the text of the Charter, the possibility of the expulsion of the family members of a migrant worker is more properly dealt with under Article 19 § 6 on the facilitation of family reunion, rather than under Article 19 § 8 which concerns only the expulsion of a migrant worker. It therefore decides henceforth to assess whether the expulsion of family members of a migrant worker is in conformity with the Charter under Article 19 § 6*".

pendant de résidence dans le pays et ne peuvent pas être expulsés en cas de l'expulsion du migrant[105].

Certaines autres questions concernant la réunion familiale.

Le Comité a eu à occuper avec certaines questions touchant la réunion familiale ainsi :

- il a examiné la question de l'existence d'*un droit d'appel* de la décision de l'Administration rejetant la réunion familiale devant un organe indépendant. Bien qu'il existe une disposition spécifique de la Charte sur ce sujet en relation avec les migrants (article 19 § 7), le Comité a cru bon de l'appliquer en tant que partie de la protection de la réunion familiale. Dans un cas, le Comité a considéré l'absence d'un mécanisme pareil comme une violation de l'article 19 § 6[106], tandis que dans un autre cas, il a demandé l'état partie de rapporter s'ils existent des mécanismes analogues[107]
- la deuxième question concerne un cas particulier, à savoir si un état partie dispose d'une législation qu'interdit l'octroi d'un permis de résidence dans le cas où l'étranger a fait son service militaire dans un autre état, si cela peut s'appliquer aux membres de la famille dans le cadre de la réunion familiale. Le Comité *"asks under that circumstances this ground for refusal would apply, and whether family members who have previously served in a foreign military service remain eligible for family reunion"*[108].

V. Conclusions

Il est indéniable que la Charte Sociale Européenne a gagné, cette dernière décennie, du terrain tant au niveau politique que juridique. Au niveau politique, parce qu'elle demeure, en Europe, le seul texte relatif à la protection des droits sociaux, et au niveau juridique parce qu'on a commencé à admette le caractère juridic-

105 Conclusions 2015 – Latvia, 2015 – "Former Yugoslav Republic of Macedonia", 2015 – Serbia. Le Comité considère, par ailleurs, que les législations qui demandent que les membres de famille du migrant doivent résider au moins trois ans pour avoir un droit indépendant de résidence ne sont pas en conformité avec l'article 19 § 6 de la Charte. Conclusion 2015 – Turkey.

106 Conclusions 2015 – Armenia.

107 "The Committee considers that restrictions on the exercise of the right to family reunion should be subject to an effective mechanism of appeal or review, which provides an opportunity for consideration of the individual merits of the case consistent with the principles for proportionality and reasonableness. The Committee asks what appeal mechanisms exist to challenge decisions against the grant of family reunion", Conclusions 2015 - Latvia.

108 Conclusions 2015 – Latvia.

tionnel des décisions du Comité Social et l'importance juridique de ses Conclusions, en tant qu'interprétation de la Charte. La juridictionnalisation des droits sociaux dans le cadre du Pacte de l'ONU sur les droits économiques, sociaux et articles a contribué, sans doute, au renforcement des travaux du Comité.

Cette évolution n'a pas laissé indifférente la question de la protection des droits des migrants. Des pas importants ont été faits dans la pratique du Comité Social et ceci fut reflété particulièrement en relation avec la protection du droit a *la réunion familiale*. La raison semble être que ce droit a un caractère « humanitaire », qui est influencé grandement par le principe, consacré par la CourEDH, de *la « dignité humaine »*, sans son aspect tant négatif que positif.

Différente est, pourtant, la situation en relation avec la protection des droits *des migrants irréguliers*. Bien que des efforts été faits dans cette direction, les résultats sont plutôt décevants dans la mesure où le Comité n'a pas osé, dans le cadre de ses fonctions interprétatives, à faire le saut qualitatif de reconnaître des droits positifs en leur faveur, sauf en cas d'exceptions de nature secondaire. Le Comité a adopté cette approche prudente en tenant justement compte de l'attitude des états parties, en ces temps difficiles de la crise économique, mais aussi de leur position constante même en cas de prospérité économique. Est indicative de cette position qu'aucun état Partie n'a ratifié, et continue à ne pas ratifier, la Convention des Nations Unies qui s'applique également aux migrants irréguliers. Il serait donc illusoire d'attendre, dans l'avenir, un changement de politique juridique de la part du Comité Social.

L'intégration des migrants dans la vision de l'Organisation Internationale du Travail

*Andrei Popescu**

1. Depuis sa création, il y a presqu'un siècle, l'OIT a accordé une attention particulière aux travailleurs migrants, dans les circonstances spécifiques qui ont caractérisé la période d'après la première guerre mondiale, qui avait mis en branle de larges masses de gens, d'un bout à l'autre de l'Europe.

Le préambule de la Constitution de l'OIT mentionne entre autres objectifs, « la défense des intérêts des travailleurs occupés à l'étranger ». Cette préoccupation originaire pour la situation des travailleurs migrants est renforcée par les deux premières recommandations adoptées pendant la première session de la Conférence OIT de 1919, qui contiennent des dispositions relatives à la coopération internationale en vue d'assurer le traitement égal des travailleurs migrants (Recommandation numéro 1/1919 relative au chômage et Recommandation numéro 2/1919 sur la réciprocité de traitement).

Pendant les deux décennies qui ont suivi, l'OIT n'a eu de cesse d'inclure dans ses conventions et recommandations des dispositions relatives aux travailleurs migrants.

1939 a été l'année de l'adoption de la première Convention en la matière (Convention numéro 66/1939) qui, vu les circonstances historiques malheureuses, n'a jamais été ratifiée et n'est jamais entrée en vigueur.

2. En 1949, l'OIT et l'ONU concluent un accord de délimitation des compétences des deux organisations en matière de migration. Pendant la même année sont adoptées la Convention numéro 97/1949 (révisée) et la Recommandation numéro 86/1949 relatives aux travailleurs migrants.

Jusqu'en 1974, plusieurs instruments OIT ont été adoptés qui, sans avoir un lien direct avec les travailleurs migrants, ont inclus des clauses y relatives, parmi lesquels nous rappellerons la Convention numéro 117/1962 sur la politique sociale (objectifs et normes de base) et la Convention numéro 118/1962 sur l'égalité de traitement (sécurité sociale).

En dépit du fait qu'avait été adoptées de façon réitérée des résolutions des Conférences de l'OIT qui mettaient en exergue la nécessité d'élaborer des instruments idoines relatives aux migrants, conformes aux nouvelles réalités, ce n'est qu'en 1975 que sont adoptées la Convention numéro 143/1975 sur les tra-

* *Professeur, Juge au Tribunal de l'Union européenne.*

vailleurs migrants (dispositions complémentaires) et la Recommandation 151/1975 sur les travailleurs migrants, qui se sont fixées pour but de couvrir des problèmes non-règlementés ou « mal » couverts par la Convention 97/1949, respectivement la Recommandation 86/1949.

3. Les quatre instruments ont été soumis à un examen d'ensemble dans le cadre de la Conférence OIT de cette année (2016), à la suite de la décision du Conseil d'administration de juin 2014, qui faisait observer notamment que, dans un monde toujours plus globalisé, les migrations internationales de main-d'œuvre sont devenues une question essentielle qui évolue rapidement et qui touche presque tous les pays, qu'il s'agisse de pays d'origine, de destination ou de transit »[1].

Pour pouvoir évaluer l'impact de ces instruments internationaux sur le monde du travail, il est naturel de se demander où en est leur ratification.

Dès le départ, je dois concéder que le tableau est loin d'être optimiste. Ainsi, parmi les 186 États membres de l'OIT, 49 ont ratifié la Convention numéro 97/1949 et seulement 23 la Convention numéro 143/1975 ; ce ne sont que 17 États qui ont procédé à la ratification des deux conventions.

La Convention numéro 97/1949 comprend de nombreuses clauses qui la rendent souple. Sur les 49 États qui l'ont ratifiée, 18 ont exclu explicitement les dispositions des 3 annexes (bien plus exigeantes que le texte proprement dit de la Convention), 5 États ont écarté les dispositions de l'Annexe III et 2 États celles de l'Annexe II.

La Roumanie n'a ratifié aucune de ces Conventions.

4. La Convention numéro 66/1939 – précurseur de la Convention numéro 97/1949 – n'a enregistré aucune ratification. En 1949, la Conférence de l'OIT qui a adopté la Convention numéro 97/1949 a dû identifier les solutions juridiques à même de prévenir l'échec de la Convention de 1939 et aussi de protéger la migration pour cause de travail, massive après la seconde guerre mondiale, en octroyant une protection la plus large possible aux travailleurs migrants.

25 ans après, en 1975, pendant l'élaboration de la Convention numéro 145/1975, le problème des migrants était devenu un problème important avec des implications extrêmement graves[2].

La raison d'être des deux nouveaux instruments était la complémentarité et l'interdépendance avec ceux qui avaient été élaborés en 1949. Les documents de la Conférence OIT de 1974 mettent en exergue de façon explicite le fait que la Recommandation 86/1949 et la Convention 97/1949 doivent rester « les instru-

1 Document Conseil d'administration.321/INS/7, para. 10.

2 Bureau International du Travail, *Compte rendu des travaux*, Conférence Internationale du Travail, 59e session, Genève, 1974, para. 778.

ments fondamentaux en la matière, dont l'objectif est de s'assurer que les travailleurs migrants ne seront pas les victimes de la discrimination »[3].

La Convention numéro 97/1949 a réglementé les conditions pour les migrations organisées (légales, normales), tout en interdisant les traitements discriminatoires entre travailleurs migrants en situation légale sur le territoire de l'État respectif et les travailleurs nationaux et cela sur quatre grands axes : les conditions de travail et de vie, la sécurité sociale, les impôts afférents au travail fourni et l'accès à la justice (art. 6 para. 1). La Partie I de la Convention de 1975 est l'expression de la volonté de la communauté internationale représentée par l'OIT de réglementer, pour la première fois, les problèmes causés par les migrations non contrôlées et l'utilisation illégale des migrants. Elle impose une obligation générale pour les États membres de respecter les droits fondamentaux de l'homme. Dans la même Partie I, sont établies certaines mesures de protection pour les migrants qui ont perdu leur emploi ou qui se trouvent en situation illégale (art. 1-9). La Partie II de la Convention 143/1975 élargit de manière significative le domaine d'application du principe de l'égalité entre travailleurs migrants en situation de séjour légal et les travailleurs nationaux et l'étend à l'égalité des chances (art. 10-14).

Ce qui mérite d'être observé est que les deux conventions visent le processus de migration de la main d'œuvre dans son ensemble et imposent des obligations pour tous les pays, soient-ils d'origine, de destination ou de transit[4].

La Convention 143/1975 réitère et complète le principe de l'égalité et de la non-discrimination, déjà reconnu par la Convention 111/1958, et exige de la part des États qui la ratifient de mettre en œuvre une politique nationale apte à promouvoir, par des méthodes adaptées aux pratiques et aux conditions propres à chaque pays, l'égalité de chances et de traitement dans le domaine de l'emploi et de la profession, en vue d'éliminer toute discrimination basée sur la race, la couleur, le sexe, la religion, la nationalité, l'opinion politique et l'origine sociale[5].

Un aspect méritant d'être signalé pour témoigner de l'esprit pragmatique des auteurs de la Convention 97/1949 est le fait qu'elle impose, par son article 3, aux États membres, « dans la mesure où leur législation nationale le permet », de prendre des mesure contre la propagande trompeuse relative à l'émigration. C'est ce qui s'appelle en termes généraux une *clause de souplesse*, qui permet aux États qui la ratifient l'adaptation des mesures stipulées dans la Convention aux circonstances nationales.

3 Ibidem, para. 780.
4 Conférence Internationale du Travail, *Promouvoir une migration équitable*, 105 session, 2016, para. 82 et 83.
5 Ibidem, para. 84-87.

En substance, si la Convention 97 se fixe pour objectif de garantir aux travailleurs migrants en situation légale un traitement non moins favorable que celui accordé aux ressortissants nationaux, la Convention 143 y rajoute aux moins trois objectifs : (1) prévenir la migration illégale, y compris l'utilisation illégale des travailleurs migrants (2) assurer le respect des droits fondamentaux de l'homme pour tout travailleur migrant, y compris pour ceux qui n'ont pas un statut légal sur le territoires d'un autre État (3) garantir l'égalité de chances et de traitement des travailleurs migrants légaux par rapport aux nationaux.

Nous pouvons estimer que l'OIT a adopté toute une série de mesures pour combattre les abus qui peuvent être exercés sur les travailleurs migrants, surtout sur ceux qui se trouvent en situation non réglementaire (illégale), avec la prise en compte de l'équilibre complexe inhérent à l'immigration sur tous les plans (social, économique et politique).

Les Conventions sur lesquelles nous nous sommes penchés sont dans la plus large mesure possible compatibles avec les exigences du monde d'aujourd'hui. Certes, nous pouvons considérer que certaines dispositions sont „périmées" au vu de l'évolution contemporaine des phénomènes migratoires qui ne pouvaient être aucunement anticipés lors de l'élaboration des conventions, en 1949, respectivement 1975[6].

5. Telles étant les réglementations de l'OIT, la question qui surgit naturellement est quel est le nombre de migrants, conformément à la définition de l'OIT, auxquels ces réglementations s'appliqueraient potentiellement.

Conformément aux estimations de l'OIT, en 2013, dans le monde entier, étaient enregistrés 150,3 millions de travailleurs migrants en situation légale, dont 83,7 millions hommes et 66,6 millions femmes, ce qui correspond à un pourcentage de 55,7% hommes et 44,3% femmes. La notion de « travailleur migrant » s'applique à toutes les migrations internationales, et comprennent à un moment donné les migrants employés, au chômage ou à la recherche d'un autre emploi dans le pays de résidence[7].

En général, l'OIT estime que les migrations économiques sont un phénomène qui vise tous les pays du monde. Environ la moitié des migrants (48,5%) sont concentrés dans deux sous-régions – Amérique du Nord et Europe du Nord, Sud et Ouest. En Europe de l'Est sont enregistrés 9,2% du total des migrants. L'immense majorité des 150,3 millions de travailleurs migrants, à savoir 112,3 millions (74,7%) se trouvent dans des pays ayant un haut degré de développement économique. Les travailleurs migrants sont canalisés dans certains secteurs de

6 Ibidem, para. 652.

7 *Estimations mondiales de l'OIT concernant les travailleuses et les travailleurs migrants* - Résumé, Genève, 2016, p. iiii.

l'activité économique – services (71%), production manufacturière et bâtiment (17,8%), agriculture (11,1%).

La crise des migrants de 2015 a été ressentie comme la plus grande crise après la seconde guerre mondiale, tous les pays étant plus ou moins touchés par le phénomène de la migration. Il s'agit bien évidemment en tout premier lieu d'une crise humanitaire, mais pour l'OIT c'est une question d'identification des solutions pour créer des emplois pour les personnes réfugiées. Chaque État membre de l'OIT doit identifier des solutions en coopération avec les partenaires sociaux (syndicats, patronats) pour intégrer les migrants et, le cas échéant, gérer leur retour dans leurs pays d'origine une fois la paix restaurée.

The future as object of judicial proceedings

Krzysztof Wojtyczek[*]

1. A conference on asylum and immigration is an excellent occasion to highlight certain - not often noticed - features of judicial proceedings which may be of special interest for legal theory. A superficial look at the judicial proceedings may give the impression that their purpose is to establish certain past facts, relevant for the adjudication in a specific case. A study of asylum proceedings brings to the attention of lawyers the fact that the matter is much more complicated. As brilliantly highlighted by *Boštjan Zupančič* (former Slovenian judge) in his separate opinions to the judgments of the European Court of Human Rights one of the peculiarities of asylum proceedings is that the competent administrative bodies and the courts have to establish not only past and present facts but also future facts[1].

These features are particularly visible when one reads the judgments of the European Court of Human Rights. A few typical quotes may illustrate this fact:

> *the expulsion of an alien by a Contracting State may give rise to an issue under Article 3, and hence engage the responsibility of that State under the Convention, where substantial grounds have been shown for believing that the person in question,* if deported, *would face a real* risk *of being subjected to treatment contrary to Article 3 in the destination country. In these circumstances, Article 3 implies an obligation not to deport the person in question to that country*[2].

In another judgment the European Court of Human rights expressed the following views:

> *In the light of the particular circumstances of this case, the Court finds that the first applicant and the two other members of his family who are applicants in this case would face a real* risk *of continued persecution by non-State actors* if returned to Iraq. *(...)*[3]
> *The Court is therefore not convinced, in the particular circumstances of the applicants' case, that the Iraqi State would be able to provide them with effective protec-*

* *Professor Jagiellonian University, Krakow; Judge at the European Court of Human Rights.*

1 B. Zupančič, Concurring opinion to ECHR (GC), Decision of 28.02.2008,*Saadi./.Italy* (Application no. 37201/06); idem, Dissenting opinion to ECHR, Decision of 04.06.2015, *J.K. and others./.Sweden* (Application no. 59166/12); see also, in the context of family law, B. Zupančič, Concurring opinion to ECHR, Decision of 13.07.2000, *Scozzari and Giunta./.Italy* (Applications no. 39221/98 and 41963/98).

2 ECHR, Decision of 23.03.2016, *F.G../.Sweden* (Application no. 43611/11), para. 111 (emphasis added).

3 ECHR (GC), Decision of 23.08.2016*J.K. and others./.Sweden* (Application no. 59166/12), para. 117 (emphasis added).

> *tion against threats by al-Qaeda or other private groups in the current situation. The cumulative effect of the applicants' personal circumstances and the Iraqi authorities' diminished ability to protect them must therefore be considered to create a real* risk *of ill-treatment* in the event of their return to Iraq[4].

2. The assessment of future facts may also be necessary in other types of asylum cases. If an illegal migrant crosses illegally the border of a State the question arises whether he should be placed in a detention centre[5]. Such a detention may be justified if there is a risk that he will not comply with a decision to expel him from the State. The authorities have therefore to assess whether he will comply or not with such a decision.

The need to establish future facts is also present in other branches of law. In criminal proceedings a judge may have to decide on pre-trial detention of a suspect. For this purpose, he has to assess *inter alia* whether the accused may abscond or try to interfere with the investigation[6]. If a convicted criminal requests a conditional release from serving a full imprisonment sentence the judge will have to decide *inter alia* on the question whether there is a risk that he reoffends. In environment law, it may be necessary to assess the potential environmental impact of a development project if the latter were to be carried out[7]. In judicial review proceedings before a constitutional court it is often necessary to assess future consequences of newly enacted statutes. A newly enacted statute will be declared compatible with or contrary to the Constitution depending on the practical effects it is expected to produce in the future. Sometimes a constitutional court has also to assess the potential (future) consequences of the decision to declare a statute contrary to the Constitution[8]. In proceedings before civil courts concerning parental rights it may be necessary to take into account the future development of the child[9].

The question of future in judicial proceedings may also arise in yet another configuration. It may happen that a judge has to assess past findings concerning

4 Ibidem, para. 121 (emphasis added).

5 See for instance the ECHR (GC), Decision of 21.01.2011, *M.S.S../.Belgium and Greece* (Application no. 30696/09).

6 See for instance the ECHR, Decision of 28.09.2010, *Mangouras./.Spain* (Application no. 12050/04).

7 See for instance the Directive 2001/42/EC of the European Parliament and of the Council of 27 June 2001 on the assessment of the effects of certain plans and programmes on the environment, OJ L 197, 21.07.2001, p. 30-37.

8 See for instance the judgment of the Polish Constitutional Court of 24.10.2007, SK 7/06, Orzecznictwo Trybunału Konstytucyjnego. Zbiór Urzędowy (Case-law of the Constitutional Court. Official Collection), 2007, no. 7/A, item. 108; TK ZU 2007, nr. 9A, poz. 108; for a broader discussion of those questions see in particular K. Wojtyczek, *Sądownictwo Konstytucyjne w Polsce, Wybrane Zagadnienia* [Constitutional Justice in Poland. Selected Issues], Warszawa, 2013, p. 190 ff.

9 See for instance the judgment of 13.07.2000 in the case of *Scozzari and Giunta./.Italy*, cited above.

future facts. More precisely, the facts to establish belonged to the future at the moment they were established by a State organ, but they belong to the past at the moment when those findings are reassessed by a court. Such a reassessment may be necessary in civil suits against State organs for negligence. Did a State organ take all necessary measures to protect the life, health and property of the citizens in the context of the information available at the moment when the measures were taken or should have been taken?

There is no doubt that the significance of the question how to deal with the future facts in judicial proceedings goes well beyond asylum proceedings.

3. If the need to establish specific future facts arises only in some proceedings, the future is present in all judicial proceedings. Every rational human action is oriented toward the future because it has to be taken with due consideration of what will happen in the future. In other words, to act rationally one has to have in mind the possible and necessary future consequences of present actions. As reminded by *Gesta Romanorum, quidquid agis, prudenter agas et respice finem*[10]. Therefore, practical rationality (practical reason) presupposes a certain vision of the future, preferably with alternative scenarios taking into account certain contingent future events.

Criminal proceedings, even if they aim at establishing past facts, lead to the imposition of a punishment which is to be determined with due consideration for its future consequences such as general prevention as well as resocialization of the criminal. Similarly, civil proceedings typically aim at producing certain consequences in the future: for instance, at providing redress in the future for a past breach of contract or tort. More complicated is the case of administrative proceedings. Their object may vary considerably. In simple matters like the delivery of a passport, the administrative authority does not have to consider any future consequences of its decision. However, in some proceedings it is necessary to assess future facts such as the above-mentioned impact of a project on the environment. Similarly, in delivering a concession for broadcasting TV programmes it may be necessary to look at the planned profile of the channel and operation of the broadcaster which will begin in the future.

4. Yet most of the studies devoted to cognitive process in judicial proceedings, judicial method and truth focus on establishing past facts and justifying statements concerning past facts. The paradigm of judicial method and truth as studied by legal theory is oriented toward the past[11]. The role of the judge is sometimes compared to the role of a historian and the cognitive process in judicial

10 *Gesta Romanorum, Cap. 103,* http://digital.ub.uni-duesseldorf.de/ink/content/pageview/3648017 (all Internet documents accessed on 15.10.2016).

11 See for instance M. Zieliński, *Poznanie sądowe a poznanie naukowe*, Poznań, 1979.

proceedings is compared to research in history[12]. If legal scholarship points at fundamental differences between judicial and historical cognition they see nonetheless certain common features: both the judge and historian have to formulate and justify statements about certain past events. The paradigm of research in history may therefore be an interesting point of departure for the assessment of the judicial reasoning aimed at establishing past events. However, as the example of asylum proceedings shows, such a model does not suffice to deal with all questions that arise in judicial proceedings. Courts cannot completely avoid formulating statements about future facts. In some proceedings those statements are not only decisive for the outcome of the case but constitute the gist of the case. As most statements formulated by the judge, they require a justification. This justification has to take into account the specific nature of utterances about future facts.

A deeper understanding of the cognitive process in which a court establishes future facts touches upon the most fundamental questions of philosophy: the ontological status of the future, the semantic status of the utterances about future facts and the question whether it is possible to assess such utterances in terms of truth and falsehood. The issues is a challenge for legal theory.

5. The reflexion about the future begins in ancient Greece with *Aristotle* and *Diodorus Cronos*. *Aristotle* in his work *On Interpretation* considers the case of a future navy battle and the possibility of assessing utterances about such a future event in terms of truth and falsehood[13]. For *Aristotle* utterances about contingent future events can neither be true nor false[14].

The issue was revisited by the Lvov-Warsaw school of philosophy[15] at the beginning of the 20th century and inspired seminal publications. One has to name here *Tadeusz Kotarbiński's* article on the existence of the future[16] as well as *Jan Łukasiewicz's* studies on utterances about contingent future events[17]. The latter in order to solve the problem of such propositions proposed to introduce a system

12 Ibidem, p. 24.

13 Aristotle, *De Interpretatione* in Aristotle, *"Categories" and "De Interpretatione"*, trans. J.L. Ackrill, Oxford, 1963, p. 52-53.

14 Ibidem, p. 53.

15 On the Lvov-Warsaw school see in particular J. Woleński, *Filozoficzna szkoła lwowsko-warszawska*, Warszawa, 1985; an English version of this monograph is available: J. Woleński, *Logic and Philosophy in the Lvov-Warsaw School*, Dordrecht, 1989; see also: J. Woleński, "Lvov-Warsaw School", *The Stanford Encyclopedia of Philosophy*, Winter 2015 Edition, E. N. Zalta (ed.), URL = <http://plato.stanford.edu/archives/win2015/entries/lvov-warsaw/>.

16 T. Kotarbiński, „Zagadnienie istnienia przyszłości" [The Issue of Existence of the Future], *Przegląd filozoficzny*, vol. 16, 1913, no. 4.

17 See the collections of his earlier works: J. Łukasiewicz, *Z zagadnień logiki i filozofii. Pisma wybrane*, Warszawa, 1961; for a short survey of Łukasiewicz's views see for instance D. Łukasiewicz, "On Jan Łukasiewicz's many-valued logic and his criticism of determinism", *Philosophia Scientia*, vol. 15, 2011 no. 2.

of multi-value logic based on the denial of the principle of bi-valence. Besides the values of truth and falsehood, *J. Łukasiewcz* proposed a third value: undecided (1/2). Utterances about future contingent facts are neither true nor false but have to be valued as undecided. *J. Łukasiewicz's* writings triggered the development of multi-value logics as well a debate about future contingents[18].

6. Without entering into a deeper analysis of those fundamental philosophical questions, it suffices – for the purpose of the analysis of judicial proceedings – to present a few general remarks. It is commonly assumed that present things exist and presents facts occur and that all belong to reality. Past things did exist and past facts did occur and they also belong to reality, although in a different way. Whether the future exists is a question which is much more complicated and the answer much less obvious[19]. Future things, if they already exist at all, exist in a different way and future events, if they already belong to the sphere of reality, belong to it in a different way from present and past facts. The question arises whether "future facts" can be named facts at all. The present paper does not try to give an answer to this question and the term future facts is used only for the sake of convenience.

Future facts may have different natures. Some of them may be determined by causal links. For instance, movements of stellar corpses or solar eclipses are determined by the laws of mechanics. There are also future facts whose occurrence may depend on human decisions based on free will. The nature of some facts may be undecided as we do not know whether they are subject to causal links or not. Scientific laws governing links between phenomena are not always known. We may suspect that certain phenomena are governed by laws of the nature without knowing the content of those laws.

7. If future facts differ from present and past facts, then utterances about future facts are also different from statements about past or present facts. Statements about past or present facts describe what existed or exists. They can be valued as true or false. Utterances about future facts are utterances about facts which are viewed as necessary or possible[20]. Whether such utterances can be valued as true or false is a question which is disputed by philosophers.

Utterances about future facts quite often express present convictions (or conjectures) of the speaker about the likeliness of future events. This subjective conviction may be based on a pure guess or on a deeper knowledge of reality. There-

18 See for instance: J. VUILLEMIN, « Le chapitre IX du De Interpretatione d'Aristote : vers une réhabilitation de l'opinion comme connaissance probable des choses contingentes », *Philosophiques*, vol. 10, 1983, n° 1, p. 15-52.

19 On this question see interesting paper: S. SNIHUR, "W sprawie istnienia i statusu ontologicznego przyszłości" [On Existence and Ontological Status of the Future], *Filozofia Nauki*, vol. 5, 1997 no. 3, p. 101-112.

20 See D. ŁUKASIEWICZ, op. cit., p. 14-17.

fore, an utterance about future facts may convey the message that the speaker knows about facts which under the scientific knowledge of laws establishing causal links between events will produce certain causes in the future with a certain probability which may well approach certainty[21]. In any event, the process of assessing the reasonableness of utterances about future facts is different from assessing propositions about past or present events in terms of truth and falsehood.

It is interesting to note that in an utterance the reference to the future may be introduced through different linguistic tools. It may be expressed by the use of a verb in the appropriate (future) tense (for instance: *will meet* or *will be meeting*). It may be expressed by the use of an adverbial of time (for instance: *on 1 June 2020*). It may also be expressed by the use of certain substantives. The link between the present and the future appears in certain notions used in natural languages. One can give here a few examples: *possibility, risk, threat, prospect, probability, opportunity, germ, aim, objective, goal.* To illustrate this issue let us take the notion of risk. It encompasses the idea that a certain detrimental event may occur. The notion of present risk refers to the probability of future events. Moreover, the notion under consideration links the present and the future in yet another way. The awareness that an unpleasant event may happen in the future may also considerably trouble the present and become a problem in the present, causing anxiety and the feeling of insecurity.

Similarly, the notion of possibility is also an implicit reference to the future. Something may happen or not at some point of time in the future. In all those notions certain future developments are apprehended from the perspective of the present.

8. An utterance about facts requires a justification. This justification has to follow a certain methodology. There are paradigms for accepting or rejecting statements about future and past facts worked out in the methodology of the different sciences. Utterances about future facts are often conjectures that require corroboration. Corroborating utterances about future human behaviours or future social facts is a particularly difficult task because in this case the assessment of the rationality of a reasoning is more complicated.

There are also paradigms for justifying such statements in judicial proceedings. They are based on fallible methods of reasoning. It is important to stress in this context that quite often the judge in order to establish past facts has to resort to fallible but nonetheless rational methods of reasoning.

9. The distinction between facts that are determined by causal links and facts that are not determined causally, especially decisions subject to the free will of

21 See D. Łukasiewicz, op. cit., p. 17 ff.

man, is of crucial importance from the viewpoint of the topic of the present report. The knowledge of general laws establishing causal links between facts enables us to predict future facts. In particular, if certain facts belonging to a causal chain of events have already occurred or are currently occurring then we may predict their consequences in the future[22].

Generally speaking, prediction is the domain of natural sciences. Natural sciences are able to predict future facts with an extremely high level of probability in some areas whereas they are not able to make such predictions. The spheres of reality where predictions of future facts are relatively easy include the world governed by the laws of Newtonian mechanics. For instance, we can predict with probability close to certainty phenomena such as solar or lunar eclipses.

The fact that a certain sphere of reality is totally ruled by laws establishing causal links between facts does mean that in this sphere we can easily predict future facts. Firstly, certain facts cannot be predicted because of our imperfect knowledge of the relevant data. Secondly, there are future facts which cannot be predicted because we do not know sufficiently the causal links. We thus cannot predict the precise consequences of climate change for the living areas of many biological species or the dates of future earthquakes.

Generally speaking, social sciences are not able to establish general laws with sufficient precision which would enable the scholars to predict future facts. However, certain facts pertaining to social life or economics may be predicted with a high level of probability. In particular, the general knowledge of man and society enables us to predict that a certain number of facts belonging to a certain class will happen during a specific period: for instance that the number of accidents in a certain country in 2018 will oscillate about X and the number of violent crimes in 2019 in that country will be probably about Y or that every third marriage concluded in 2016 in another country will end up with divorce. It is also possible to predict short term demographic trends. We thus can evaluate quite accurately the number of children who will pass the A level exam not only in 15 years but also in 20 or 30 years.

Finally, there are future facts which are not predictable on the basis of the laws governing causal links because they are not subject to causal links. This is the case of future human behaviours. I may decide to go for holiday to Switzerland next year, I may go elsewhere, but even I, I do not know yet what I will decide in the future. The existence of this category of facts may be questioned by those who reject the existence of free will.

Human decisions are usually not predictable although sometimes certain symptoms may announce the decision which is about to be taken. Furthermore,

22 Compare D. Łukasiewicz, op. cit., p. 17.

the existence of external or internal compulsion may make it difficult for someone to decide against it. If someone is, for instance, a drug addict then it is highly probable that he will take drugs many times, although it may be difficult to predict the exact time when the drugs will be taken. On the other hand, one cannot exclude that the person in question will decide – within a short time – to undergo a disaccustoming treatment and stop taking drugs. The situation is even more complicated because even if future behaviours of specific persons are unpredictable, in a large population we may still detect certain strong trends or culturally conditioned attitudes that are subject to generalizations.

Actually, predictions may be based not only on general laws establishing causal links between facts but also on sufficiently strong correlations between certain facts established with the help of mathematical apparatus. In such situations, we observe that if a phenomenon A occurs then in a high number of cases (for instance 80%) a phenomenon B will occur, even if we are not able to explain the link between them. Such predictions are based on the apparatus of probability calculus and more precisely on Bayes theorem[23].

Paradoxically, psychology enables us to make certain predictions about future behaviours with a relatively high level of probability. Predictions are based on the profiling of persons: for this purpose, certain sets of characteristics are selected. It is therefore necessary to verify the correlation of those characteristics with certain behaviours. If collected data are sufficiently large, it is possible to draw general conclusions and establish the probability that a certain behaviour will occur, if the person in question has a certain characteristic.

Certain features are more likely to conduct to certain behaviours. A whole set of relevant features enables us to calculate the probability of certain behaviours with the use of mathematical instruments of probability calculus. This method was used by *Sheldon Glueck* to create the famous Social Prediction Tables[24].

However, the approach aimed at the evaluation of probabilities especially under the Bayesian theorems has its limits. It is not applicable in many fields. As judge *Zupančič* rightly points out in asylum cases, there is no sufficient sample to establish predictions on the basis of Bayes theorem[25].

10. The facts to be established in judicial proceedings may be roughly divided in two categories: (i) individual facts, i.e. facts concerning specific persons at a specific place and moment and (ii) general facts (or social facts), i.e. facts con-

23 See B. ZUPANČIČ, Concurring opinion in the case of *Saadi./.Italy*, cited above, para. 1; idem, Dissenting opinion in the case of *J.K. and others./.Sweden*, cited above, part I.

24 For a critical assessment see K. WEIS, "The Glueck Social Prediction Table - An Unfulfilled Promise", *Journal of Criminal law and Criminology*, vol. 65, 1974, p. 397-404, quoted by B. ZUPANČIČ, Dissenting opinion in the case of *J.K. and others./.Sweden*, cited above.

25 B. ZUPANČIČ, Dissenting opinion in the case of *J.K. and others./.Sweden*, cited above.

cerning whole groups of persons, territories or whole countries. An individual fact is therefore a specific crime committed by X on the 31st of December 2015 in the city Z. Another example is the fact that the asylum seeker Y was tortured on day A in the city W. Among general facts, one can name the political situation in the country to which a person is to be expelled or the situation of an ethnic group or other group to which a person belongs. One can give here the following example of a description of general facts: *It appears from various reports from reliable and objective sources that persons who collaborated in different ways with the authorities of the occupying powers in Iraq after the war have been and continue to be targeted by al-Qaeda and other groups. (...) The reports single out certain particularly targeted groups, such as interpreters, Iraqi nationals employed by foreign companies, and certain affiliated professionals such as judges, academics, teachers and legal professionals…*"[26]. Both individual and general facts may be past, present or future.

11. Establishing future facts in judicial proceedings is a particularly difficult task because – as stressed by *B. Zupančič* – a judge is poorly equipped to approach the future[27]. The analysis of asylum cases enables to identify difficulties a judge faces when establishing future facts. The purpose of the procedure is to answer the questions whether an asylum seeker will face persecution or ill-treatment if returned, which type of ill-treatment he may face and what is the probability that the ill-treatment will occur. To answer these questions the authorities have at their disposal the following information:

- partial evidence concerning the individual plight of an asylum-seeker consisting mainly of his testimony and sometimes certain documents or press reports;
- reports depicting the general situation in the country prepared by the authorities of different States or non-governmental organizations;
- reports concerning the situation of certain vulnerable or targeted groups.

The available evidence is not sufficient to mathematically evaluate the probability of ill-treatment but it is only a point of departure for more or less speculative conjectures concerning the degree of risk. This risk is always expressed in vague and intuitive terms. It is qualified as "real", "serious"[28] or "not real", "not serious" or "not strong risk": *In the light of these considerations the Court finds that substantial grounds have not been established for believing that the applicants would be exposed to a real risk of being subjected to inhuman or degrading tre-*

26 The judgment of 23.08.2016 in the case of *J.K. and others./.Sweden*, cited above, para. 116.

27 See B. Zupančič, Concurring opinion in the case of *Saadi./.Italy*, cited above, para. 1; idem, Dissenting opinion in the case of *J.K. and others./.Sweden*, cited above, part I.

28 See for instance the ECHR, Decision as to the admissibility of 07.03.2000, *T.I../.the United Kingdom* (Application no. 43844/98).

atment within the meaning of Article 3 (art. 3) on their return to Sri Lanka in February 1988[29].

12. As noted above social sciences are of little help to the judge as their capacity to predict future facts is limited. However, if helpful knowledge gathered by these sciences is available in publications there are no obstacles to use them for the purpose of adjudication. The attitude of the approach of the judge depends on a large extent on the attitude of the parties. If the latter brings clear and convincing social science evidence to corroborate their positions about future facts the judge will be forced to take a stance on the material provided and if appropriate to use them. Such situations are rare hitherto.

The lack of evidence and of general knowledge in social sciences has to be compensated by other tools. In the first place one has to mention here presumptions and certain legal directives concerning establishing future facts. Such directives may be either established in a statute or created by the judge. They may also be formulated in soft law which may then be a source of inspiration for the judge.

Presumptions may be based either on certain regularities or on certain axiological choices connected with the weight of the different colliding values we want to protect. They give the answer which values and to which extent are to be sacrificed and which values are to be protected in a situation of uncertainty. Such presumptions have been established in both the soft law of the UNHCR and in the case-law of the ECHR. *The Court considers that the fact of past ill-treatment provides a strong indication of a future, real risk of treatment contrary to Article 3, in cases in which an applicant has made a generally coherent and credible account of events that is consistent with information from reliable and objective sources about the general situation in the country at issue. In such circumstances, it will be for the Government to dispel any doubts about that risk*[30].

However, there is a field where the operation of established presumptions ends and where the acceptance or refutation of potential future facts under consideration has to be made. In this field it is necessary to develop a reasoning based on common sense and intuitions. This reasoning has to stick to the possible extent to the canons of legal reasoning accepted in a specific legal system by the community of lawyers. The community of lawyers is the ultimate referee which has to be convinced by the judge[31].

29 ECHR, Decision of 30.10.1991, *Vilvarajah and others./.the United Kingdom* (Application nos. 13163/87; 13164/87; 13165/87; 13447/87; 13448/87), para. 115.

30 The judgment of 23.08.2016 in the case of *J.K. and others./.Sweden*, cited above, para. 102.

31 Compare C. PERELMANN, *Traité de l'argumentation. La nouvelle rhétorique*, Bruxelles, 1959.

13. Assumptions based on common sense are common in judicial reasoning. One can provide here a few examples. It is impossible to predict what a specific person will do at a specific moment in the future. However, past experience may allow to predict prevailing types of attitudes and behaviours in certain circumstances of a specific person. Past experience enables also to predict some general trends in human behaviours in the future: for instance, the persistence of certain types of attitudes in a specific society. One can give here also the example of the general assumption that a situation in a specific country will not significantly change in the future, i.e. that current risks will persist. If the political situation is marked by the persecution of a specific group we may expect that this situation will last until major political changes occur. Such an approach transpires in the following statements of the ECHR:

> *The above-mentioned reports provide little or no support for the assumption – which transpires from the domestic decisions – that threats from al-Qaeda must have ceased once the first applicant terminated his business relationship with the American forces*[32].
> *Consequently, the Court concludes that the violence in Mogadishu is of such a level of intensity that anyone in the city, except possibly those who are exceptionally well-connected to "powerful actors", would be at real risk of treatment prohibited by Article 3 of the Convention*[33].

Past experience allows us also to assess the risk that a particular event will occur to a specific person: for instance what is the probability that a specific person may cause a traffic accident or that the same person may be a victim of burglary. The common sense assumption is that if a person does something there is a high probability that the same person will do the same more times. In criminal proceedings, the fact that a suspect has tried to abscond in the past is considered to be an indication that he will try it again in the future.

In establishing facts in a specific case it is necessary to refer as much as possible to our knowledge about similar situations. The *argumentum ad exemplum* is inevitable but its persuasive force depends on the nature and quantity of the examples.

Quite often the judge resorts to intuitions. If we see a clear trend in a certain area of social life (such as for instance the growing number of road traffic accidents or the decreasing number of children per women) and no reasons that this trend will stop we may intuitively, but nonetheless reasonably assume that this trend will continue. Such intuitions are also present for instance in the assessment of risks for the purpose of deciding on pre-trial detention.

32 The judgment of 23.08.2016 in the case of *J.K. and others./.Sweden*, cited above, para. 117.

33 ECHR, Decision of 28.06.2011, *Sufi and Elmi./.the United Kingdom* (Application nos. 8319/07 and 11449/07), para. 250.

14. Judicial decisions concerning the future have to be placed in the context of the general philosophy of the type of procedure in which they are taken. If the future is to be assessed in an adversarial procedure then it is up to the interested parties to bring convincing evidence and arguments that show what the future facts will be. The role of the judge is much more comfortable. If a party does not meet the burden of proof then it has to bear the consequences of this failure. If a procedure is based on the inquisitorial principle or at least contains certain inquisitorial elements, then the role of the judge is much more difficult. He has to establish himself future facts and convince – in the reasoning – both parties and the public about the rightness of his findings in this respect.

The legality of judicial decisions pertaining to future facts has to be assessed from the *ex tunc* (*ex ante*) perspective. The essential question is not whether a judicial decision appears to be justified in the light of subsequent developments, but the question whether it was justified in the context of the information available at the moment the decision was taken. There is always an unavoidable risk that a judicial decision will not properly assess the probability of future facts. This element of uncertainty cannot be eliminated but has to be incorporated into the judicial decision-making process.

15. Establishing future facts almost always involves an element of uncertainty. Quite often there is a situation of double uncertainty. Not only there is no certainty about what will happen but there is also uncertainty about the degree of probability of possible developments. As noted above, this uncertainty about the future may be a direct problem for the present because of the feeling of insecurity it entails.

Establishing future facts in judicial proceedings is part of a decision-making process. Factual findings about the future are the basis for taking a judicial decision. The judge has either to choose himself between possible alternatives ways of solving an issue or assess the choice made by another State organ. The question arises whether a rational judicial decision is at all possible in such circumstances.

Taking a judicial decision based on factual findings pertaining to the future is not a matter of pure cognition, but a matter of practical reason. Such decisions may not be taken rationally on the sole basis of the assessment of probabilities. One has to introduce a second dimension: the potential costs and benefits. Probabilities disclose their sense only in the context of the potential costs and benefits of the available alternatives. It seems that the notion of risk not only links the future with the present, but also integrates the two elements: the question of probability of a future development and the calculus of potential costs and benefits, if it occurs or does not occur. Decisions concerning the future have usually certain elements of gambling about potential benefits.

In the sphere of economics, costs and benefits may be expressed in money. Measurement with the homogenous instrument of money makes the assessment of costs and benefits relatively easy. Let us examine the example of an economic actor X who is about to take an economic decision. The decision is taken in the context of uncertainty about certain conditions. If the assumption A (for instance the assumption that the exchange rate of the dollar in euro will decrease in one year) is true, then the decision will bring the benefit B. If the assumption A is false, then the decision will generate the loss L[34]. The question is whether an economic actor wants to take a certain risk that an action AC will bring the benefit B if the assumption A on which it is based is correct or entail the loss L if the assumption A on which it is based is erroneous[35]. The ratio between the potential cost and the sum between the potential benefit and the potential cost determines the measurement of the risk to be taken[36]. The highest risk that X is ready to take by undertaking an action AC (which will bring the benefit B if A is true or generate the cost C if A is false) reflects the certainty with which X admits the assumption A[37].

The question of establishing future facts and taking decisions in the context of uncertainty may be formalized. However, such a formalization seems of little value for the purpose of judicial proceedings. In the sphere of law the benefits and costs are expressed not in money but in terms of values. Decision-making requires balancing of different conflicting values[38]. The State organ which makes a decision has to identify the values at stake, determine their weight and solve the conflict between them by trying to find a solution which ensures the best balance between the different values given their weight. The greater the weight of a value the higher the degree of its observance required. The lower the weight of the value the bigger the extent to which it may be sacrificed.

In the context of assessment of future events, the weight of values at stake determines the tolerable threshold of the risk. The smaller the weight of a value the higher the threshold of tolerable risk. If the values at stake are less precious, the level of tolerable risk will be much higher. The greater the weight of a value at stake the lower the threshold of tolerable risk. If there is a particularly precious value at stake, then even the small probability of a detrimental event will command the utmost caution. It may happen that the value which may be infringed if the assumption A is false and the potential benefit if the assumption A is true,

34 See K. Ajdukiewicz, „*Zagadnienia racjonalności zawodowych sposobów wnioskowania*" [The Issue of Rationality of Fallible Methods of Reasoning], in: K. Ajdukiewicz, *Język i poznanie* [Language and Cognition], vol. 2, Warszawa, 1985, p. 282-283.

35 Ibidem, p. 283.

36 Ibidem, p. 283.

37 Ibidem, p. 283.

38 Compare R. Alexy, *A Theory of Constitutional Rights*, Oxford, 2010, p. 100 ff.

that the only option is to accept that the assumption A is false and decides accordingly, irrespective of the high probability that A is true. The weight of the value at stake commands then a procedure with zero risk. The assessment of the future is therefore first and foremost a matter of axiological choices. Judicial decision making in the context of uncertainty about the future is a kind of exercise in risk management.

The notion of "strength of risk" or "seriousness of risk" seems to combine two elements: the probability that a fact will happen and that it may affect certain values. A risk may be strong if a future fact is very probable but its effects on values may be limited or if a future fact is not so probable but its effect may strongly affect very precious values. Let us consider the following example. Experts alert on the risk that there may be an explosion in a nuclear plant which may kill thousands of persons and disturb the life of hundreds of thousands. The risk of such an explosion is 10%. *Prima facie* the probability considered as such may appear limited. However, the weight of legal goods at stake makes the risk so serious that it justifies to stop the operation of the plant.

Human dignity implying in particular freedom from torture and inhuman or degrading treatment has a particular weight. Yet, this weight is not sufficiently high to justify a complete elimination of risk of ill-treatment by granting asylum to all asylum seekers. The limited resources of the host State and the burden it has to bear have also to be taken into account. In this context the question arises when asylum procedures are satisfactory from the perspective of human dignity. If national authorities take the right decision in 90% of cases and 10% of asylum seekers whose applications are rejected face ill-treatment upon return in their country, is this a satisfactory result from the perspective of human rights protection? Or is a procedure in which only 2% of asylum seekers face ill-treatment upon expulsion satisfactory? The answer is even more difficult because no one knows how many persons sent back to their home countries were really persecuted or at least had to go into hiding in order to avoid imminent persecution[39].

16. The reasoning of the judge cannot be free from explicit or implicit axiological choices. Therefore for the sake of its persuasive force it is preferable to explain those choices: to identify and name values to be protected, determine their respective weight and explain how their conflict is to be solved[40]. At the end the persuasive force of such judgments depends on the concordance between the vision of the world presented by the judge and the vision of the world en-

39 See B. Zupančič, dissenting opinion to the chamber judgment of 4 June 2015 in the case of *J.K. and others./.Sweden*, cited above.

40 On this issue see T. Gizbert-Studnicki, „*Konflikt dóbr* i kolizja norm", *Ruch Prawniczy Ekonomiczny i Socjologiczny*, vol. 51, 1989, no. 1.

dorsed by the auditorium. The more concordance there is the more the judgments establishing future facts are accepted.

A legal procedure in which a decision pertaining to future facts is taken may be considered as satisfactory from a legal point of view, if in the longer term of its application the benefits outweigh the costs, both the costs and benefits being measured in terms of values that are implemented or sacrificed in the process[41]. However, given the above-mentioned difficulties concerning the assessment of the consequences of decisions taken, the evaluation of the procedures is itself highly uncertain in practice.

41 Compare, on the criteria for assessing fallible reasoning, K. AJDUKIEWICZ, op. cit., p. 295.

Dritte Sitzung – Third Session – Troisième Séance

Vorsitz – Chair – Présidence :

Jacques Ziller

Podiumsdiskussion:
Herausforderungen durch Migration für das europäische öffentliche Recht

Round Table:
European Public Law Challenged by Migration

Table ronde :
Le droit public européen au défi des migrations

Europarecht und Zuwanderung: Aktuelle Herausforderungen

*Koen Lenaerts**

Eines der Ziele der Europäischen Union (EU) ist die Errichtung eines Raums ohne Binnengrenzen, in dem sich sämtliche Unionsbürgerinnen und -bürger frei und sicher bewegen können. Insofern hat die Ausweitung der Freizügigkeit den Abbau mitgliedstaatlicher Grenzen bewirkt. Allerdings hat die Beseitigung der Binnengrenzen auch die „Europäisierung" der äußeren Grenzkontrollen sowie der Asyl- und Einwanderungspolitik zur Folge gehabt. Aus diesem Grund ist es unerlässlich, die Europäische Union mit Kompetenzen zur Verabschiedung gemeinsamer Vorschriften darüber auszustatten, unter welchen Bedingungen Drittstaatsangehörige in die Union einwandern dürfen und Bleiberechte erwirken können.

Insbesondere die aktuelle Zuwanderungskrise zeigt, dass die Europäische Union im Bereich der äußeren Grenzkontrollen sowie der Asyl- und Einwanderungspolitik genuin europäische Lösungen für europäische Probleme anbieten muss.

Zu diesem Zweck hat die Union im vergangenen Jahrzehnt bereits ein umfassendes Regelwerk in der Absicht entwickelt, ein Gleichgewicht zwischen den entgegenstehenden Interessen dieser beiden Zieldimensionen der Europäischen Union herzustellen: zum einen müssen die Politiken für die Errichtung des Raums der Freiheit, der Sicherheit und des Rechts das Aufkommen rechtmäßiger Zuwanderung effektiv regeln, zum anderen müssen die Politiken aber – wie alle anderen Regelungen des Unionsrechts auch – die Grundrechte von Drittstaatsangehörigen beachten, die in die Union einwandern und Bleiberechte erwirken wollen. Allgemeiner formuliert: Die beiden Zieldimensionen bringen eine normativ ungelöste Frage aus der Praxis einer Vielzahl von Verfassungs- und Verwaltungsrichterinnen und -richtern zum Ausdruck, namentlich inwieweit die individuelle Freiheit aus Gründen des Gemeinwohls eingeschränkt werden darf.

Nachdem die EU auf dem demokratischen Prinzip der Gewaltenteilung errichtet wurde, ist die Herstellung des normativen Gleichgewichts zwischen diesen widerstreitenden Dimensionen jedoch in erster Linie Aufgabe des politischen Prozesses in der Union. Erst bei der Auslegung des unionsrechtlichen Regelwerks kann der Gerichtshof der Europäischen Union (EuGH) dann im Lichte dieses Fundamentalprinzips auf den politischen Prozess zurückverweisen. In die-

* *Präsident des Gerichtshofs der Europäischen Union und Professor für Europarecht an der Katholieke Universiteit Leuven.*

sem Sinne beschränkt sich die Funktion des Gerichtshofs darauf, die Vereinbarkeit des jeweils erzielten normativen Gleichgewichts am Maßstab des Primärrechts und der Grundrechtecharta zu überprüfen.

Erlauben Sie mir nun, die soeben angeführten Ideen am Beispiel von drei aktuellen Entscheidungen des Gerichtshofs näher zu illustrieren. Die Entscheidungen beziehen sich auf unterschiedliche Aspekte des Gemeinsamen Europäischen Asylsystems: Die erste Rechtssache betrifft die Qualifikationsrichtlinie[1], die zweite die Dublin-III-Verordnung[2] und die dritte die Aufnahmerichtlinie[3].

Wie Sie alle wissen, sind in der Qualifikationsrichtlinie die Kriterien zur Bestimmung der Drittstaatsangehörigen mit Anspruch auf internationalen Schutz niedergelegt. Über die umfassende Anwendung der Genfer Flüchtlingskonvention (Abkommen über die Rechtsstellung der Flüchtlinge) von 1951 hinaus, richtet sich die Direktive auf die Vermittlung eines einheitlichen Status' der Personen mit Anspruch auf internationalen Schutz. Auf diese Weise sehen sich Flüchtlinge und Berechtigte mit subsidiärem Anspruch – soweit nicht anders angegeben – einem einheitlichen Schutzniveau gegenüber. Darüber hinaus legt die Qualifikationsrichtlinie auch den Inhalt des internationalen Schutzes fest. Nach der Richtlinie sollen die Mitgliedstaaten dafür Sorge tragen, dass Personen mit Anspruch auf internationalen Schutz Zugang zu Beschäftigung, Gesundheitsversorgung, Systemen sozialer Sicherheit sowie Wohnraum haben. Die Mitgliedstaaten sollen Personen mit Anspruch auf internationalen Schutz auch Freizügigkeit innerhalb des Staatsgebiets gewähren[4].

In diesem Zusammenhang lag der Rechtssache *Alo und Osso*[5] die Frage zugrunde, ob die Freizügigkeit Berechtigten mit subsidiärem Schutzanspruch als Empfänger von Sozialleistungen eine Wahlfreiheit über den Aufenthaltsort vermittelt.

1 Richtlinie 2011/95/EU des EP und des Rates vom 13. Dezember 2011 über Normen für die Anerkennung von Drittstaatsangehörigen oder Staatenlosen als Personen mit Anspruch auf internationalen Schutz, für einen einheitlichen Status für Flüchtlinge oder für Personen mit Anrecht auf subsidiären Schutz und für den Inhalt des zu gewährenden Schutzes, [2011] ABl. L 337/9.

2 Verordnung (EU) Nr. 604/2013 des Europäischen Parlaments und des Rates vom 26. Juni 2013 zur Festlegung der Kriterien und Verfahren zur Bestimmung des Mitgliedstaats, der für die Prüfung eines von einem Drittstaatsangehörigen oder Staatenlosen in einem Mitgliedstaat gestellten Antrags auf internationalen Schutz zuständig ist, [2013] ABl. L 180/31.

3 Richtlinie 2013/33/EU des EP und des Rates vom 26. Juni 2013 zur Festlegung von Normen für die Aufnahme von Personen, die internationalen Schutz beantragen, [2013] ABl. L 180/96.

4 Artikel 33 der Qualifikationsrichtlinie lautet: „Die Mitgliedstaaten gestatten die Bewegungsfreiheit von Personen, denen internationaler Schutz zuerkannt worden ist, in ihrem Hoheitsgebiet unter den gleichen Bedingungen und Einschränkungen wie für andere Drittstaatsangehörige, die sich rechtmäßig in ihrem Hoheitsgebiet aufhalten."

5 EuGH, Urteil vom 01.03.2016 – verb. Rs. C-443/14 und C-444/14, *Alo und Osso*, ECLI:EU:C:2016:127.

Insbesondere aus öffentlich-rechtlicher Perspektive zeigt sich an dieser Frage beispielhaft, in welchem Maße der europäische Gesetzgeber gehalten ist, die beiden gegenläufigen Dimensionen im Rahmen des Asylrechts abzuschichten: Einerseits könnte die Wahlfreiheit deshalb als problematisch angesehen werden, da sie zu einer erhöhten Konzentration von Anspruchsberechtigten in der Region des Mitgliedstaates führen würde, die den Schutzstatus vermittelt hat. Zusätzlich zur unverhältnismäßigen Mehrbelastung des jeweiligen regionalen Haushalts könnte diese Konzentration auch die Integrationsbemühungen erschweren und soziale Spannungen hervorrufen. Andererseits sprechen grund- und völkerrechtliche Überlegungen für die Gewähr einer solchen Wahlfreiheit gegenüber Personen mit Anspruch auf internationalen Schutz. Das Recht auf freie Wahl des Aufenthaltsortes manifestiert insofern ein bedeutsames Element der individuellen Selbstbestimmung.

Im Rahmen seiner Entscheidung merkte der Gerichtshof zunächst an, dass der Wortlaut der zentralen Rechtsnorm der Qualifikationsrichtlinie (Artikel 33) keine Antwort auf die anstehenden Fragen liefert. Stattdessen musste die Norm im Lichte von Zweck und allgemeiner Struktur der Qualifikationsrichtlinie sowie in Übereinstimmung mit der Genfer Flüchtlingskonvention von 1951 ausgelegt werden. Die juristischen Auslegungsmethoden stellen nicht nur die Konsistenz mit den Absichten des europäischen Gesetzgebers sicher, sondern mit Blick auf die Flüchtlingskonvention auch mit den Autoren der Verträge.

Zwar findet die Genfer Flüchtlingskonvention von 1951 nur für Flüchtlinge Anwendung. Von besonderer Bedeutung ist die Konvention jedoch für solche Regelungen der Qualifikationsrichtlinie, die keine Unterscheidung zwischen Flüchtlingen und Berechtigten mit subsidiärem Schutzanspruch vorsehen. Dies wiederum geht, wie ich eingangs erwähnt hatte, auf den Zweck der Richtlinie zurück, nämlich einen einheitlichen Schutzstatus zu vermitteln. In diesem Sinne hat der EuGH festgestellt, dass die Freizügigkeit innerhalb des Hoheitsgebiets jenes Mitgliedstaats, der internationalen Schutz gewährt, gleichermaßen für Flüchtlinge und Berechtigte mit subsidiärem Schutzanspruch gelten würde. Tatsächlich genießen die Flüchtlinge nach der Genfer Flüchtlingskonvention von 1951 Wahlfreiheit über den Aufenthaltsort, weshalb die gleichen Maßstäbe *mutatis mutandis* auch für Berechtigte mit subsidiärem Schutzanspruch Geltung entfalten müssen.

Ferner entschied der Gerichtshof, dass die Qualifikationsrichtlinie kein unbeschränktes Recht auf Freizügigkeit vermittelt, sondern Beschränkungen unterworfen werden kann. Allerdings dürfen diese Beschränkungen keine Unterscheidung treffen zwischen Personen mit Anspruch auf internationalen Schutz auf der einen sowie Drittstaatsangehörigen auf der anderen Seite, deren Aufenthalt von einem anderen Schutzstatus abhängt. Selbstverständlich müssen sich die beiden voneinander unterschiedenen Drittstaatsangehörigen – mit Blick auf den eigentlichen Zweck der Einschränkung – jeweils in objektiv vergleichbaren Situationen befinden.

Unter Verweis auf das Ziel, die Integration von Drittstaatsangehörigen zu vereinfachen, hat der EuGH deshalb festgestellt, dass eine solche objektiv vergleichbare Situation nicht vorliegt, sofern die Integration von Berechtigten mit subsidiärem Schutzanspruch, die Empfänger von Sozialleistungen sind, schwieriger zu erzielen ist als von anderen Drittstaatsangehörigen, die diese Leistungen auch empfangen. Dies ist der Fall, wenn die nationale Gesetzgebung Regelungen vorsieht, die den rechtmäßigen Aufenthalt anderer Drittstaatsangehöriger von der Bedingung abhängig macht, Sorge für sich selber tragen zu können. Dabei werden Sozialleistungen erst nach einem bestimmten Aufenthaltszeitraum gewährt, was eine hinreichende Integrationstiefe in den jeweiligen Aufenthaltsstaat sicherstellen soll. Entsprechend kann Berechtigten mit subsidiärem Schutzanspruch diese Aufenthaltsbedingung bei Vorliegen bestimmter Umstände auferlegt werden.

Darüber hinaus stellt das Gemeinsame Europäische Asylsystem auch die Mechanismen und Kriterien bereit, die Mitgliedstaaten für die Überprüfung eines Antrags auf internationalen Schutz verantwortlich erklären. Diese Regelungen waren ursprünglich in einem völkerrechtlichen Vertrag niedergelegt, dem Dubliner Übereinkommen von 1990, das 2003 mit der Verabschiedung der Dublin-II-Verordnung „europäisiert" und 2013 durch die Dublin-III-Verordnung ersetzt wurde.

In dieser Hinsicht sind *Ghezelbash* und *Karim* zwei bedeutsame Rechtssachen: Sie können zeigen, dass der Gerichtshof seine Rechtsprechung an die Änderungen des europäischen Gesetzgebers anpasst[6]. In beiden Fällen war der EuGH aufgerufen zu bestimmen, ob die *Abdullahi*-Entscheidung – unter Anwendung der Dublin-II-Verordnung – auch im Rahmen der Dublin-III-Verordnung Geltung entfalten würde[7].

In der Rechtssache *Abdullahi* entschied der EuGH, dass ein Asylsuchender nur dann berechtigt ist, die Entscheidung über seine Ausweisung in den – nach der Dublin-II-Verordnung verantwortlichen – Mitgliedstaat anzugreifen, wenn sein Vorbringen auf systemischen Missständen im Rahmen des Asylverfahrens beruht. Die vorgebrachten Missstände selbst wiederum müssen offenkundige Indizien dafür liefern, dass der Asylsuchende dem Risiko unmenschlicher oder erniedrigender Strafe im Sinne von Artikel 4 der Charta ausgesetzt ist. Ein Asylsuchender konnte die Anwendung der Kriterien zur Bestimmung des verantwortli-

6 EuGH, Urteile vom 07.06.2016 – Rs. C-63/15, *Ghezelbash*, ECLI:EU:C:2016:409 und Rs. C-155/15, *Karim*, ECLI:EU:C:2016:410.

7 EuGH, Urteil vom 10.12.2013 – Rs. C-394/12, *Abdullahi*, ECLI:EU:C:2013:813.

chen Mitgliedstaates gemäß Dublin-II-Verordnung folglich nur dann überprüfen lassen, wenn hinreichende Nachweise über das Bestehen systemischer Missstände erbracht wurden.

In diesem Kontext lag den Rechtssachen *Ghezelbash* und *Karim* die Frage zugrunde, ob diese prozedurale Anforderung auch für Ausweisungsentscheidungen auf Grundlage der Dublin-III-Verordnung gelten würde. Nach Bewertung der allgemeinen Stoßrichtung der Entwicklungen, die sich an die Verabschiedung der Dublin-III-Verordnung angeschlossen hatten, verneinte der Gerichtshof die Frage.

Obwohl die zugrundeliegenden Prinzipien der Dublin-II-Verordnung auch in das neue Regelwerk Eingang gefunden haben, bringt die Dublin-III-Verordnung einige erforderliche Verbesserungen nicht nur für die Effektivität des Dublin-Systems mit sich, sondern auch für den gewährten Schutz von Antragstellern im Rahmen dieses Systems, der unter anderem über den Rechtsschutz von Asylsuchenden vermittelt wird.

Dieser Befund kann erklären, warum der europäische Gesetzgeber bei der Novellierung der Dublin-Verordnung entschieden hat, die Asylsuchenden in das Verfahren zur Bestimmung des jeweils verantwortlichen Mitgliedstaates einzubinden. Dies geschah insbesondere durch die Einführung und Ausweitung bestehender Rechte. Danach werden die Mitgliedstaaten durch die Dublin-III-Verordnung verpflichtet, erstens, Asylsuchenden die Kriterien für die Bestimmung der mitgliedstaatlichen Verantwortung mitzuteilen, zweitens, Gelegenheit zur Abgabe von Informationen in Zusammenhang mit der richtigen Auslegung dieser Kriterien einzuräumen, und, drittens, unter Hinzuziehung eines Rechtsbeistands Gelegenheit zur gerichtlichen Überprüfung der Ausweisungsentscheidung zu geben. Dieser Rechtsschutz wurde mit der Möglichkeit versehen, die Entscheidung bis zum Abschluss des Hauptsacheverfahrens im Wege des einstweiligen Rechtsschutzes aussetzen zu lassen.

Die Einräumung eines Rechts zur gerichtlichen Überprüfung der rechtmäßigen oder rechtswidrigen Anwendung der Kriterien aus der Dublin-III-Verordnung stimmt insofern mit den Zielen der Verordnung überein.

Die Entscheidungen des Gerichtshofs in den Rechtssachen *Ghezelbash* und *Karim* verweisen auf das unabdingbare Bedürfnis, im Rahmen der politischen Entscheidungsprozesse auf europäischer Ebene ein Gleichgewicht zwischen den beiden widerstreitenden Dimensionen der unionalen Asylpolitik zu erzielen. Beispielsweise obliegt es dem europäischen Gesetzgeber darüber zu entscheiden, den Grad der Einbindung von Asylsuchenden in das Verfahren über die Bestimmung des jeweils verantwortlichen Mitgliedstaates festzulegen. Anhand solcher Rechtssachen zeigt sich, dass der Gerichtshof diese Art von Entscheidungen respektiert, auch wenn dadurch eine Anpassung seiner Rechtsprechung an einen neuen Rechtsrahmen erforderlich wird. Selbstverständlich müssen die politischen Entscheidungen dabei jedoch stets mit europäischem Primärrecht und, insbesondere, mit der Grundrechtecharta vereinbar sein.

Das Urteil des Gerichtshofs in der Rechtssache *J.N.* verdeutlicht diesen Punkt[8]. Der Fall betraf die Aufnahmerichtlinie, die Minimalstandards für die Aufnahme von Personen mit Anspruch auf internationalen Schutz in den Mitgliedstaaten festschreibt. Als Teil dieser Vorschriften führt die Aufnahmerichtlinie auch die Umstände für die Ingewahrsamnahme von Antragstellern auf. In dieser Hinsicht enthält die Richtlinie eine Norm (Artikel 8 Absatz 3 lit. e), nach der ein Antragsteller in Haft genommen werden darf, „wenn dies aus Gründen der nationalen Sicherheit oder der öffentlichen Ordnung erforderlich ist".

In der Rechtssache *J.N.* war der Gerichtshof gehalten, die Vereinbarkeit dieser Norm mit dem in Artikel 6 der Charta verbürgten Recht auf Freiheit zu überprüfen. Zu diesem Zweck musste der EuGH darüber entscheiden, ob der Tatbestand von den Bedingungen für die eingeschränkte Ausübung von Grundrechten gemäß Artikel 52 Absatz 1 der Charta erfasst ist. Der Gerichtshof entschied, erstens, dass die in Rede stehende Einschränkung insofern gesetzlich vorgesehen war, als sie sich unmittelbar von einem Rechtsakt der Europäischen Union ableiten ließ. Zweitens entzog sie dem Recht auf Freiheit nicht seinen Wesensgehalt, nachdem die Haftunterbringung eines Antragstellers nur auf Grundlage individuellen Verhaltens und unter außergewöhnlichen Umständen nach Maßgabe der Rückführungsrichtlinie erfolgen konnte. Drittens verfolgte die Einschränkung zwei europarechtlich anerkannte Zielsetzungen, nämlich den Schutz der nationalen Sicherheit und der öffentlichen Ordnung. Viertens und letztens, urteilte der Gerichtshof, entsprach sie dem Verhältnismäßigkeitsprinzip. Die Inhaftierung eines Antragstellers, der eine Gefahr für die nationale Sicherheit oder die öffentliche Ordnung darstellt, fördert – von Natur aus – die Erreichung dieser beiden Ziele.

Dabei ist anzumerken, dass die eingeschränkte Ausübung des Freiheitsrechts des Antragstellers nicht über das Maß hinausging, das für den Schutz der nationalen Sicherheit und der öffentlichen Ordnung erforderlich war, zumal die Kompetenzen der zuständigen nationalen Behörden durch den europäischen Gesetzgeber genau umschrieben waren. Aus diesem Grund befand der EuGH, dass die Inhaftnahme eines Antragstellers nur erfolgen darf, sofern sie auf Grundlage einer Einzelfallprüfung und nur für die unbedingt erforderliche Dauer angeordnet wird sowie weniger einschneidende Maßnahmen mit gleicher Wirkung nicht zur Verfügung stehen.

8 EuGH, Urteil vom 15.02.2016 – Rs. C-601/15 PPU, *J.N.*, ECLI:EU:C:2016:84.

Insbesondere kann ein Antragsteller nur dann in Haft genommen werden, sofern die von ihm ausgehende Gefahr für die nationale Sicherheit und die öffentliche Ordnung zumindest der Schwere des mit solchen Maßnahmen verbundenen Eingriffs in das Recht auf Freiheit entspricht. Deshalb müssen Haftmaßnahmen um wichtige – das Verfahren und die gerichtliche Überprüfung betreffende – Rechtsgarantien ergänzt werden.

Darüber hinaus hat der Gerichtshof im Lichte seiner Rechtsprechung auch die Begriffe der „nationalen Sicherheit" und der „öffentlichen Ordnung" in der Weise ausgelegt, dass die Inhaftierung eines Antragstellers erforderlich ist, „wenn sein individuelles Verhalten eine tatsächliche, gegenwärtige und hinreichend erhebliche Gefahr darstellt, die ein Grundinteresse der Gesellschaft oder die innere oder äußere Sicherheit des betreffenden Mitgliedstaats berührt".

Die Überlegungen führten zu dem Schluss, dass der europäische Gesetzgeber einen hinreichenden Ausgleich zwischen dem Schutz der nationalen Sicherheit und der öffentlichen Ordnung einerseits sowie der Einschränkung der Rechtsfreiheit durch die Inhaftnahme andererseits geschaffen hat. In diesem Sinne befand der Gerichtshof die in Frage stehende Norm der Aufnahmerichtlinie für vereinbar mit der Grundrechtecharta.

Bis jetzt habe ich argumentiert, dass unser Gerichtshof die politischen Entscheidungen des europäischen Gesetzgebers bei der Herstellung eines Gleichgewichts zwischen den beiden – eingangs erwähnten – widerstreitenden Zieldimensionen der Asylpolitik beachtet, sofern sie mit europäischem Primärrecht und der Grundrechtecharta vereinbar sind. Darüber hinaus ist dem Gerichtshof auch die Aufgabe übertragen, nationalen Gerichten Leitlinien für die Überprüfung der Vereinbarkeit nationaler Maßnahmen mit Regelungen des Unionsrechts aus dem Bereich des Raums der Freiheit, der Sicherheit und des Rechts zur Verfügung zu stellen.

Die Entscheidung des EuGH in der Rechtssache *Affum* – eine Vorlage zur Vorabentscheidung der französischen *Cour de cassation* über die Rückführungsrichtlinie – hat dies zum Gegenstand[9]. Anders als die vorstehend untersuchten Richtlinien findet die Rückführungsrichtlinie auf sämtliche Drittstaatsangehörige Anwendung, die die Voraussetzungen für die Einreise in einen Mitgliedstaat oder den dortigen Aufenthalt nicht oder nicht mehr erfüllen[10]. Die Richtlinie normiert Vorschriften und Verfahren zur Anwendung in den Mitgliedstaaten für die Rückführung illegal aufhältiger Drittstaatsangehöriger. Diese Vorschriften müssen mit

9 EuGH, Urteil vom 07.06.2016 – Rs. C-47/15, *Affum*, ECLI:EU:C:2016:408.

10 Richtlinie 2008/115/EG des EP und des Rates vom 16. Dezember 2008 über gemeinsame Normen und Verfahren in den Mitgliedstaaten zur Rückführung illegal aufhältiger Drittstaatsangehöriger, [2008] ABl. L 348/98.

den grundrechtlichen Verbürgungen des Unions- und Völkerrechts vereinbar sein.

In der Rechtssache *Achughbabian*[11], ebenfalls eine Vorlage von einem französischen Gericht, hatte der EuGH über die bedeutsame öffentlich-rechtliche Frage zu entscheiden, welche Maßnahmen den Mitgliedstaaten im Kampf gegen illegale Einwanderung zur Verfügung stehen bzw. ob ein Mitgliedstaat bereits vor Abschluss des Rückführungsverfahrens im Sinne der Rückführungsrichtlinie die Inhaftnahme eines Drittstaatsangehörigen aufgrund unrechtmäßigen Aufenthalts vornehmen darf. Der Gerichtshof verneinte die Frage, da eine solche vorzeitige Inhaftnahme die Anwendung der vorgesehenen Verfahren konterkarieren und die Rückführung verzögern würde, was wiederum die Wirksamkeit der Rückführungsrichtlinie selbst unterliefe.

Der EuGH hat mit Blick auf den Freiheitsverlust auch entschieden, dass die Rückführungsrichtlinie den Mitgliedstaaten die Inhaftnahme von Drittstaatsangehörigen in besonderen Einrichtungen vor allem dann gestattet, wenn Fluchtgefahr besteht oder die betreffenden Drittstaatsangehörigen die Vorbereitung der Rückkehr oder das Abschiebeverfahren umgehen oder behindern. Diese Form der Inhaftnahme ist durch die Vorschriften der Rückführungsrichtlinie geregelt, um die Einhaltung der grundrechtlichen Verbürgungen für Drittstaatsangehörige zu gewährleisten.

Nichtsdestotrotz stellte der Gerichtshof fest, dass Haftstrafen gegenüber einem Drittstaatsangehörigen verhängt werden können, auf den das mit dieser Richtlinie geschaffene Rückführungsverfahren angewandt wurde und der sich ohne einen Rechtfertigungsgrund für seine Nichtrückkehr illegal in einem mitgliedstaatlichen Hoheitsgebiet aufhält. In der Rechtssache *Celaj*[12] entschied der EuGH, dass diese Erwägungen auch auf einen Drittstaatsangehörigen Anwendung finden, auf den das mit dieser Richtlinie geschaffene Rückkehrverfahren bereits angewandt wurde, der sich aber unter Verstoß gegen das Einreiseverbot auf mitgliedstaatlichem Hoheitsgebiet aufhält.

In der Sache *Affum* stellte sich die Frage, ob der französische Gesetzgeber unter Einbeziehung der *Achughbabian*-Entscheidung des Gerichtshofs seine Gesetzgebung in Übereinstimmung mit der Rückführungsrichtlinie novelliert hatte, nachdem der *rechtswidrige Aufenthalt* keinen Haftgrund mehr darstellen konnte, die *rechtswidrige Einreise* hingegen schon. Dieser Fall betraf einen Drittstaatsangehörigen, der französisches Hoheitsgebiet entweder rechtswidrig durch die Überquerung einer Außengrenze des Schengen-Raums oder einer Binnengrenze desselben betrat.

11 EuGH, Urteil vom 06.12.2011 – Rs. C-329/11, *Achughbabian*, ECLI:EU:C:2011:807.

12 EuGH, Urteil vom 01.10.2015 – Rs. C-290/14, *Celaj*, ECLI:EU:C:2015:640.

Lassen Sie mich an dieser Stelle kurz den Hintergrund der Rechtssache *Affum* klarstellen: Der Sachverhalt betraf nicht die Überquerung einer Außengrenze des Schengen-Raums. Stattdessen befand sich Frau Affum, eine ghanaische Staatsbürgerin, in einem Fernbus von Belgien nach Großbritannien und wurde von der französischen Polizei am Eingang des Ärmelkanals festgenommen. Gegen sie wurde eine Inhaftnahme angeordnet, da sie französisches Hoheitsgebiet unerlaubt an der französisch-belgischen Grenze betreten hatte, mithin einer Binnengrenze des Schengen-Raums.

Anfangs befand der Gerichtshof, dass die Rückführungsrichtlinie auf jeden Drittstaatsangehörigen Anwendung finden würde, der sich auf dem Hoheitsgebiet eines Mitgliedstaates befindet, ohne die Voraussetzungen für die Einreise oder den dortigen Aufenthalt zu erfüllen – ungeachtet der Dauer des Aufenthalts oder der individuellen Bleibeabsichten. Unter Verweis auf Drittstaatsangehörige wie Frau Affum, die illegal in die Europäische Union eingereist sind, eine Binnengrenze des Schengen-Raums überquert haben und bei Verlassen dieses Raums festgenommen werden, befand der Gerichtshof die Rückführungsrichtlinie bis zur regulären Anerkennung des Aufenthalts für anwendbar. Obgleich sich auf dem betroffenen Hoheitsgebiet tatsächlich Drittstaatsangehörige befinden, war die vom französischen Gesetzgeber vorgenommene Unterscheidung zwischen rechtswidrigem Aufenthalt und rechtswidriger Einreise für die eigentliche Zielsetzung dieser Richtlinie von künstlicher Natur.

Nachdem eine Drittstaatsangehörige wie Frau Affum in den Geltungszusammenhang der Rückführungsrichtlinie fiel, fanden die Erwägungen des Gerichtshofs aus der Rechtssache *Achughbabian* auch auf ihren Einzelfall Anwendung. Dies hatte zur Folge, dass die französischen Behörden keine Inhaftnahme lediglich aufgrund der rechtswidrigen Einreise verhängen durften. Stattdessen hatten die Behörden das Rückführungsverfahren nach der Richtlinie anzustrengen.

Offensichtlich hielten die Erwägungen des Gerichtshofs die Mitgliedstaaten aber nicht davon ab, zur Bestrafung anderer Vergehen als der rechtswidrigen Einreise Inhaftnahmen anzuordnen, beispielsweise für den unerlaubten Gebrauch des Ausweises eines Unionsbürgers.

Dies bringt mich zu meinem letzten Punkt: Zuwanderung stellt das Europarecht vor große Herausforderungen. Diese Herausforderungen betreffen in erster Linie den politischen Entscheidungsprozess. Dies hat zur Folge, dass die politischen Institutionen der Europäischen Union schwierige Entscheidungen treffen müssen, um einen hinreichenden Ausgleich zu schaffen zwischen der Sicherheit und dem Wohlergehen aller in der Union lebenden Menschen sowie der Würde von Drittstaatsangehörigen, die nicht mehr jenseits der Außengrenzen leben möchten.

Als Kontrollinstanz dieses politischen Entscheidungsprozesses ist der Gerichtshof gehalten, die *Rule of law* in der Europäischen Union dadurch sicherzustellen, dass der zu findende Ausgleich mit europäischem Primärrecht und der Grundrechtecharta vereinbar ist. Solange dies der Fall ist, unterwirft sich der Gerichtshof den Entscheidungen der politischen Institutionen der EU und überwacht deren Einhaltung durch die Mitgliedstaaten. Nur in dieser funktionalen Abstufung kann sich das Demokratieprinzip in der Europäischen Union dauerhaft und umfassend entfalten.

Le droit public européen au défi des migrations

Camelia Toader[*]

I. Introduction

Notre Europe, espace d'interculturalisme, berceau des libertés et droits des individus, est confrontée aujourd'hui avec une crise migratoire de grande ampleur. D'un point de vue historique, l'Europe s'est construite, déconstruite et reconstruite par le biais des mouvements de population[1].

Le respect des droits fondamentaux ne doit pas être sacrifié dans les périodes les plus difficiles. Traditionnellement, la protection des droits fondamentaux constitue le nucléé de l'identité européenne. Pour cette raison, les États membres de l'UE ont progressivement élaboré une politique commune en matière de migration et d'asile. Le droit de demander l'asile est un droit fondamental reconnu depuis la seconde Guerre Mondiale par tous les États démocratiques européens.

Les accords de Schengen (de 1985 et 1990) prévoient la liberté de circulation et la possibilité de voyager sans limite pour les citoyens des États membres de l'espace Schengen, qui peuvent vivre, étudier et travailler où ils le souhaitent. Si elle a aboli les anciens contrôles aux frontières, l'UE s'est dotée d'une « frontière » plus large pour protéger son territoire. Le système Schengen, avec ses mécanismes de contrôle aux frontières, et la Convention de Dublin[2] (1997), avec ses règles relatives aux pays tiers sûrs, qui facilite le contrôle et le renvoi des migrants indésirables entrant dans l'un des États membres de Schengen, ont provoqué une diminution du nombre de demandeurs d'asile et une augmentation du nombre des migrants en situation irrégulière.

La montée du terrorisme et l'augmentation de la pression migratoire aux portes de l'Union européenne ont conduit les États membres à afficher une grande défiance vis-à-vis de l'immigration dans l'Union. J'ai choisi les arrêts récents *T.* ainsi que *K. et A.* parce qu'ils entraînent des conséquences directes sur les politiques migratoires des États membres, l'affaire *T.* portant sur la révocation

* *Juge, Président de Chambre, Cour de Justice de l'Union européenne ; Professeur.*

1 Il est intéressant dans ce contexte, le rappel par les autorités du Grand Douchée de Luxembourg, y inclus le Grand-Duc Henri, récemment fait lors de la visite d'État au Luxembourg par le Président roumain Klaus Iohannis, de la grande voie migratoire du XIIème siècle des habitants de la région mosellane vers la Transylvanie.

2 Convention relative à la détermination de l'État responsable de l'examen d'une demande d'asile présentée dans l'un des États membres des Communautés européennes - Convention de Dublin, JO n°C 254, 19.08.1997, p. 1.

du titre de séjour accordé à un réfugié et l'autre (*K. et A.*) portant sur les conditions exigées par les États membres pour une demande de regroupement familial formulée par des réfugiés et/ou les membres de leurs famille.

En 1999, les États Membres de l'Union Européenne se sont engagés à créer un système européen commun d'asile pour pouvoir faire face aux problèmes en matière d'asile de plus en plus grands au niveau européen. Dans les prochaines années, l'Union Européenne adoptera une série de mesures législatives importantes afin d'harmoniser les différentes systèmes d'asile des États Membres. Le règlement Dublin II[3] (qui remplace l'ancienne Convention de Dublin) détermine à quel État membre de l'UE il incombe de traiter les demandes d'asile. La directive relative à des normes minimales pour l'accueil des demandeurs d'asile dans les États membres[4] établit les conditions minimales pour la réception des demandes d'asile, y compris leur hébergement, éducation et santé. La directive concernant les procédures d'asile prévoit les standards minimaux pour les procédures d'asile[5], apportant une contribution importante au niveau du droit international, car cette thématique n'avait pas été initialement règlementée par la Convention de Genève, qui constitue « la pierre angulaire du régime juridique international de protection des réfugiés »[6].

La jurisprudence de la Cour de justice de l'Union Européenne a augmenté considérablement, notamment à la suite de l'entrée en vigueur du Traité de Lisbonne ouvrant la question préjudicielle dans les matières relevant de l'espace de liberté, sécurité et justice à toute juridiction nationale et non plus seulement aux juridictions dont les décisions ne sont pas susceptibles de recours. L'œuvre de la Cour doit être saluée pour son souci d'asseoir le respect de principe des droits fondamentaux, dans une matière sensible comme celle du droit de la migration[7].

3 Règlement (CE) no. 343/2003 du Conseil du 18 février 2003 établissant les critères et mécanismes de détermination de l'État membre responsable de l'examen d'une demande d'asile présentée dans l'un des États membres par un ressortissant d'un pays tiers, JO n° C 317, 23.12.2009, p. 115.

4 Directive 2003/9/CE du Conseil du 27 janvier 2003 relative à des normes minimales pour l'accueil des demandeurs d'asile dans les États membres, JO n° L 031, 06.02.2003, p. 18.

5 Directive 2013/32/UE du Parlement européen et du Conseil du 26 juin 2013 relative à des procédures communes pour l'octroi et le retrait de la protection internationale, JO n° L 180, 29.06.2013, p. 60.

6 CJCE, arrêt du 02.03.2010 - affaires jointes C-175/08, C-176/08, C-178/08 et C-179/08, *Salahadin Abdulla*, ECLI:EU:C:2010:105, n. 52.

7 Dans ce sens, J.-Y. Carlier, « Droit européen des migrations, exemple d'un droit en mouvement », *Annuaire français du droit international*, 2011, p. 26.

II. L'affaire T.[8] (révocation du titre de séjour)

Cette affaire concerne un domaine hautement sensible, mettant en jeu la répartition des compétences entre le droit européen d'asile et les droits nationaux relatifs aux titres de séjour. La question centrale de la présente affaire porte sur l'interprétation de la notion de « raisons impérieuses liées à la sécurité nationale ou à l'ordre public » au sens de l'article 24, paragraphe 1, de la directive 2004/83/CE[9].

Adoptée après les attentats du 11 septembre 2001, la directive 2004/83, dite « de qualification», introduit le concept de protection subsidiaire, qui vient compléter la Convention de Genève. Cette directive porte la trace de préoccupations sécuritaires des États membres. On constate dans cette directive une multiplication des concepts qui visent à encadrer l'exercice de la protection. En effet, la directive a été adoptée pour l'application de l'article 78 TFUE qui prévoit que « L'Union développe une politique commune en matière d'asile, de protection subsidiaire et de protection temporaire visant à offrir un statut approprié à tout ressortissant d'un pays tiers nécessitant une protection internationale et à assurer le respect du principe de non-refoulement ».

En vertu de l'article 12 § 2 de la directive 2004/83, l'exclusion du statut de réfugié est possible « lorsqu'il y a des raisons sérieuses de penser qu'il a commis un crime contre la paix, un crime de guerre ou un crime contre l'humanité au sens des instruments internationaux élaborés pour prévoir des dispositions relatives à ces crimes; qu'il a commis un crime grave de droit commun en dehors du pays de refuge avant d'être admis comme réfugié, c'est-à-dire avant la date d'obtention du titre de séjour délivré sur la base du statut de réfugié ; les actions particulièrement cruelles, même si elles sont commises avec un objectif prétendument politique, pourront recevoir la qualification de crimes graves de droit commun » ; ou encore « qu'il s'est rendu coupable d'agissements contraires aux buts et aux principes des Nations unies tels qu'ils figurent dans le préambule et aux articles 1 et 2 de la charte des Nations unies ».

L'article 21 dispose en substance que « lorsque cela ne leur est pas interdit en vertu de leurs obligations internationales, les États membres peuvent refouler un réfugié, qu'il soit ou ne soit pas formellement reconnu comme tel notamment lorsqu'il y a des raisons sérieuses de considérer qu'il est une menace pour la sécurité de l'État membre ». Selon l'article 21, paragraphe 3 « les États membres

8 CJCE, arrêt du 24.06.2015 – affaire C-373/13, *T.* ; ECLI:EU:C:2015:413.

9 Directive 2004/83/CE du Conseil du 29 avril 2004 concernant les normes minimales relatives aux conditions que doivent remplir les ressortissants des pays tiers ou les apatrides pour pouvoir prétendre au statut de réfugié ou les personnes qui, pour d'autres raisons, ont besoin d'une protection internationale, et relatives au contenu de ces statuts, JO L 304, 30.09.2004, p. 12.

peuvent refuser d'octroyer un titre de séjour à un réfugié qui entre dans le champ d'application du paragraphe 2, le révoquer, y mettre fin ou refuser de le renouveler ». L'article 24, paragraphe 1 prévoit : « Dès que possible après que le statut leur a été octroyé, les États membres délivrent aux bénéficiaires du statut de réfugié un titre de séjour valable pendant une période d'au moins trois ans et renouvelable, à moins que des raisons impérieuses liées à la sécurité nationale ou à l'ordre public ne s'y opposent, et sans préjudice de l'article 21, paragraphe 3 ».

Dans la logique du marché intérieur, l'exception de sécurité publique ou d'ordre public fait traditionnellement l'objet d'une interprétation restrictive de la Cour, qui a été ajustée grâce aux nouveaux défis en matière de sécurité. Parce que « l'ordre public s'avère d'autant plus indéfinissable qu'il est propre à chaque État membre »[10]. Ainsi, en 1977, dans l'affaire *van Duyn* la Cour a affirmé que la notion d'ordre public constitue un principe fondamental de la libre circulation des personnes, qui doit être étendue strictement, de sorte que sa portée ne saurait être déterminée unilatéralement par chacun des États membres, sans contrôle des institutions de l'Union européenne[11].

Dans l'arrêt *Bouchereau* de 1977, la Cour a été plus explicite, en retenant que « le recours par une autorité nationale à la notion d'ordre public suppose (...), l'existence, en dehors de tout trouble pour l'ordre social que constitue toute infraction à la loi, d'une menace réelle et suffisamment grave, affectant un intérêt fondamental de la société »[12].

La Cour avait décidé dans son arrêt 2010, *Tsakouridis*[13] que la lutte contre la criminalité liée au trafic de stupéfiants en bande organisée est susceptible de relever de la notion de « *raisons impérieuses de sécurité publique* », pouvant justifier une mesure d'éloignement d'un citoyen de l'Union ayant séjourné dans l'État membre d'accueil pendant les dix années précédentes. En outre, la Cour a jugé, dans ce contexte, que la notion de « raisons impérieuses de sécurité publique », au sens de l'article 28, paragraphe 3, suppose non seulement l'existence d'une atteinte à la sécurité publique, mais aussi qu'une telle atteinte présente un degré de gravité particulièrement élevé, reflété par l'emploi de l'expression « raisons impérieuses ».

Ensuite, par son arrêt de 2012, *I.*[14], elle a considéré qu'une « atteinte particulièrement grave à un intérêt fondamental de la société, susceptible de représenter une menace directe pour la tranquillité et la sécurité physique de la population »

10 L. Dubouis / C. Blumann, *Droit matériel de l'Union Européenne*, Paris, 2013, p. 64.
11 CJCE, arrêt du 04.12.1974 – affaire 41/74, *Yvonne van Duyn c. Home Office*, ECLI:EU:C:1974:133, n. 18.
12 CJCE, arrêt du 27.10.1977 – affaire 30/77, *Régina c. Pierre Bouchereau*, ECLI:EU:C:1977:172, n. 35.
13 CJCUE, arrêt du 23.11.2010 – affaire C-145/09, *Tsakouridis*, ECLI:EU:C:2010:708.
14 CJCE, arrêt du 22.05.2012 –affaire C-348/09, *I.*, ECLI:EU:C:2012:300, n. 33.

peut « relever de la notion de «raisons impérieuses de sécurité publique ». Celle-ci peut justifier une mesure d'éloignement, à la condition que « la façon selon laquelle de telles infractions ont été commises présente des caractéristiques particulièrement graves, ce qu'il appartient à la juridiction de renvoi de vérifier sur le fondement d'un examen individuel du cas d'espèce dont elle est saisie ».

Pourtant, pour la première fois, dans l'affaire *T.* de 2015, la Cour de justice a été amenée à se prononcer sur la question de la révocation d'un titre de séjour accordé à un réfugié. Si les États membres sont libres d'en faire usage, à l'encontre des bénéficiaires de ces libertés, des mécanismes classiques de protection dont ils disposent à leur égard en droit international, à savoir le refus de séjour ou l'éloignement, *quid* de la révocation d'un titre séjour ?

Il s'agit d'une question particulièrement sensible car elle concerne en réalité les droits fondamentaux, mais également l'ordre public ainsi que la sécurité nationale. Comment assurer en même temps l'accomplissement du désidérata du traité, le développement d'une politique commune d'asile et la sécurité nationale (voire européenne) ?

La révocation du titre de séjour est permise par l'article 21, paragraphe 3, de la directive 2004/83 , lorsque le réfugié entre dans le champ d'application du paragraphe 2, c'est-à-dire lorsque l'une des exceptions au principe de non-refoulement s'applique. Celle-ci n'est pas prévue expressément par l'article 24, paragraphe 1, de ladite directive qui impose seulement aux États membres de délivrer un titre de séjour aux bénéficiaires du statut de réfugié « à moins que des raisons impérieuses liées à la sécurité nationale ou à l'ordre public s'y opposent ».

Saisie d'un renvoi préjudiciel par le Verwaltungsgerichtshof Baden-Württemberg (Allemagne), la Cour devait déterminer si un État membre peut révoquer un titre de séjour accordé à un réfugié dans l'hypothèse où une situation n'entre pas dans le champ des exceptions au principe de non-refoulement. En l'espèce, *M. H. T.* est un ressortissant turc d'origine kurde vivant avec sa famille depuis vingt-cinq ans en Allemagne. Il dispose, depuis 1993, d'un titre de réfugié politique en raison des risques de persécution pesant sur lui en cas de retour en Turquie, titre que les autorités allemandes ont essayé en vain de lui retirer, la juridiction allemande ayant annulé cette décision. Ce contexte particulier éclaire peut-être la volonté des autorités allemandes de le poursuivre, en 2008, pour « soutien à une association terroriste », le PKK, M. H. T. ayant distribué une des publications de cette organisation et recueilli des dons à son attention. Ces poursuites ayant été validées par le juge national, l'intéressé a fait l'objet, pour ce motif, d'une décision d'expulsion, impossible à exécuter en raison de son statut de réfugié et de sa situation familiale.

La Cour considère que, lorsque les conditions prévues à l'article 21, paragraphe 2, sont remplies, les États membres disposent de trois options : « Premièrement, ils peuvent procéder au refoulement du réfugié concerné. Deuxièmement, ils peuvent expulser le réfugié vers un État tiers où il ne risque pas d'être persécuté ou d'être victime d'atteintes graves au sens de l'article 15 de cette directive. Troisièmement, ils peuvent autoriser le réfugié à rester sur leur territoire. »[15]

Par son arrêt, la Cour introduit deux possibilités alternatives au refoulement, qui n'étaient pas prévues par la directive, lorsque la situation d'un réfugié entre dans le champ d'application de son article 21, paragraphe 2 : la première est l'expulsion de celui-ci et la seconde son maintien sur le territoire. En effet, la Cour estime que le refoulement du réfugié ne constitue qu'une faculté laissée à la discrétion des États Membres, ceux-ci étant libres d'opter pour d'autres options moins rigoureuses.

En l'occurrence, une possibilité d'expulsion d'un réfugié, qui n'était pas prévue par la directive, est reconnue à l'État membre en question. Selon la Cour, l'intéressé « ne peut pas risquer d'être persécuté ou d'être victime d'atteintes graves au sens de l'article 15 de la directive ». De même, une telle décision d'expulsion devrait « être fondée exclusivement sur le comportement personnel de l'individu concerné [16]».

Si les conditions dans lesquelles les États membres pourront recourir à cette procédure ne sont pas précisées par la Cour, la jurisprudence de la Cour fournit néanmoins aux autorités nationales des critères utiles à prendre en compte. La Cour avait en outre précisé que la condition relative à l'existence d'une menace réelle et actuelle doit être appréciée par les autorités de l'État d'accueil « à l'époque où intervient l'expulsion »[17] et qu'une telle constatation « implique, en général, chez l'individu concerné, l'existence d'une tendance à maintenir ce comportement à l'avenir »[18].

L'autre nouvelle possibilité reconnue aux États membres, est celle « d'autoriser le réfugié à rester sur leur territoire ». Elle témoigne l'optique constante de la Cour quant à la protection de la situation personnelle et familiale (respect de la vie privée et familiale conformément à l'article 7 de la Charte des droits fondamentaux de l'Union Européenne).

Dès lors, on peut constater que cette affaire confirme la volonté de la Cour de construire un corpus européen autonome en matière d'asile.

15 Arrêt *T.*, précité, n. 43.
16 Arrêt *Bouchereau*, précité, n. 10.
17 CJCE, arrêt du 29.04.2004 - affaire C-482/01, *Orfanopoulos*, ECLI:EU:C:2004:262, n. 79.
18 Arrêt *I.*, précité, n. 34.

III. *L'affaire K. et A.*[19]

Il y a des soucis ces dernières années qu'en Europe, il y a actuellement une « *tendance à ériger de nouvelles barrières à l'unité familiale* »[20]. Le regroupement familial est l'une des principales voies de migration légale vers l'UE. Le législateur communautaire a reconnu l'importance d'assurer la protection de la vie familiale des ressortissants des États membres afin d'éliminer les obstacles à l'exercice des libertés fondamentales garanties par le traité[21]. La Directive 2003/86/CE[22] est la première mesure législative européenne prise en matière d'intégration des ressortissants de pays tiers, en réglementant les conditions sous lesquelles les étrangers résidant régulièrement dans un des États membres puissent être rejoints par les membres de leur famille. Par l'adoption des lignes directrices pour l'application de la directive 2003/86/CE, la Commission a réaffirmé le principe de la protection du droit au regroupement familial au sens des droits fondamentaux à l'épreuve desquels aucune marge de manœuvre des États membres ne peut prospérer[23].

Le droit au respect de la vie familiale, prévu par l'article 7 de la Charte, fait partie des droits fondamentaux protégés dans l'ordre juridique de l'Union. Le regroupement familial est un droit authentique qui fait partie de la vie familiale[24]. En outre, en vertu du droit à la protection de la vie privée et familiale, l'exigence des conditions requises pour l'exercice du regroupement familial par les États membres doit être raisonnable.

Par cet arrêt du 9 juillet 2015, la Cour a été amenée à se prononcer pour la première fois sur la notion de « *mesure d'intégration* » dans le cadre de la directive 2003/86/CE[25].

En l'espèce, la réglementation néerlandaise subordonnait le regroupement familial à la réussite d'un examen de base d'intégration civique. Cet examen se composait d'un test de langue néerlandaise parlée, d'un test de connaissance de la société néerlandaise ainsi que d'un test de compréhension à la lecture.

19 CJCE, arrêt du 09.07.2015 – affaire C-153/14, *K et A*, ECLI:EU:C:2015:453.

20 Th. Hammarberg, Communiqué du Commissaire aux Droits de l'Homme du Conseil de l'Europe: « Des lois restrictives empêchent le regroupement familial », *Les Brèves européennes. L'hebdomadaire d'information, Seine et Marne*, 2011, p. 3.

21 CJCE, arrêt du 11.07.2002 – affaire C-66/00, *Carpenter*, ECLI:EU:C:2002:397, n. 38.

22 Directive prise sur le fondement de l'article 63 § 3 TCE (actuel article 79 § 3 sous b TFUE) qui prévoyait l'adoption des actes législatifs en matière d'immigration à la règle de l'unanimité, conférant ainsi un droit de veto à chacun des États membres.

23 COM(2014) 210 final concernant les lignes directrices pour l'application de la directive 2003/86/CE relative au droit au regroupement familial du 3 avril 2014.

24 J. García-Roca / P. A. Fernández-Sánchez, *Integración europea a través de derechos fundamentales : de un sistema binario a otro integrado*, Madrid, 2009, p. 390.

25 Directive 2003/86/CE du Conseil du 22 septembre 2003 relative au droit au regroupement familial, JO n° L 251, 03.10.2003, p. 12.

Les litiges au principal concernaient deux ressortissantes de pays tiers (Azerbaïdjan) qui avaient invoqué des problèmes de santé et des troubles mentaux qui les avaient empêchés de se présenter audit examen. En l'espèce, les demandes d'autorisation de séjour provisoire des deux ressortissantes en cause avaient été rejetées par les autorités nationales, bien que la réglementation nationale ait prévu des exemptions pour les demandeurs qui ne sont durablement pas en mesure de passer l'examen en raison d'un handicap physique ou mental.

L'article 7 paragraphe 2 alinéa 1 de la directive 2003/86/CE[26], prévoit que « les États membres peuvent exiger des ressortissants de pays tiers qu'ils se conforment aux mesures d'intégration, dans le respect du droit national ». En outre, la directive ne précise pas le contenu de cette notion de « mesure d'intégration », d'où la difficulté relevée dans l'espèce. Dans la lumière dudit article, les États membres ont une marge d'appréciation certaine pour déterminer l'opportunité et le type de mesures d'intégration exigées.

Pourtant, la Cour rappelle sa jurisprudence *Chakroun*[27], en estimant que la marge de manœuvre reconnue aux États membres ne doit pas être utilisée par ceux-ci d'une manière qui porterait atteinte à l'objectif de cette directive, qui est de favoriser le regroupement familial, et l'effet utile de celle-ci. En effet, dans cette affaire, la Cour a complété son interprétation de la directive 2003/86/CE à l'aune des articles 7 et 24 de la Charte des droits fondamentaux de l'Union européenne[28].

En estimant que l'obligation de réussir un examen d'intégration civique de niveau élémentaire permet d'assurer l'acquisition, par les ressortissants de pays tiers concernés, des connaissances qui s'avèrent incontestablement utiles pour établir des liens avec l'État membre d'accueil, la Cour applique à cette législation le test de la proportionnalité. À cet égard, la Cour apprécie que les moyens mis en œuvre par la réglementation nationale transposant l'article 7, paragraphe 2, premier alinéa, de la directive 2003/86 doivent être aptes à réaliser les objectifs visés par cette réglementation et ne doivent pas aller au-delà de ce qui est nécessaire pour les atteindre. La Cour conclut logiquement que ces conditions d'application ne doivent donc pas rendre impossible ou excessivement difficile l'exercice du droit au regroupement familial. Tel est le cas lorsqu'elles ne permettent pas de tenir compte des circonstances particulières faisant objectivement obstacles à ce que les intéressés puissent réussir cet examen et lorsqu'elles fixent le montant des frais afférents à un tel examen à un niveau trop élevé.

26 Directive 2003/86/CE du Conseil du 22 septembre 2003 relative au droit au regroupement familial,
JO n° L 251, 03.10.2003, p. 12.

27 CJCE, arrêt du 04.03.2010 – affaire C-578/08, *Chakroun*, ECLI:EU:C:2010:117, n. 43.

28 L. Driguez, « Conditions du regroupement familial des ressortissants d'État tiers », *Europe*, 2010, comm. 163.

En effet, le rejet automatique d'une autorisation au séjour violerait le droit de mener une vie familiale normale garantie par l'article 7 de la Charte des droits fondamentaux de l'UE. Finalement, la Cour a décidé que l'article 7, paragraphe 2, premier alinéa, de la directive 2003/86 doit être interprété en ce sens que les États membres peuvent exiger des ressortissants de pays tiers qu'ils réussissent un examen d'intégration civique, tel que celui en cause au principal, comprenant l'évaluation d'une connaissance élémentaire tant de la langue que de la société de l'État membre concerné et impliquant le paiement de différents frais, avant d'autoriser l'entrée et le séjour desdits ressortissants sur leur territoire aux fins du regroupement familial, si les conditions d'application d'une telle obligation ne rendent pas impossible ou excessivement difficile l'exercice du droit au regroupement familial. Partant, elle conclut que, dans des circonstances telles que celles des affaires au principal, ces conditions, en tant qu'elles ne permettent pas de tenir compte de circonstances particulières faisant objectivement obstacle à ce que les intéressés puissent réussir cet examen et en tant qu'elles fixent le montant des frais afférents à un tel examen à un niveau trop élevé, rendent impossible ou excessivement difficile l'exercice du droit au regroupement familial.

Par cette affaire, la Cour réaffirme que les États membres disposent, certes, d'une certaine marge d'appréciation s'agissant de cette ingérence dans le droit au respect de la vie familiale Toutefois, cette marge d'appréciation n'est pas, quant à elle, sans limites non plus. Les conditions permettant de restreindre le droit au respect de la vie familiale sont donc d'interprétation stricte.

IV. Conclusion

Les deux arrêts illustrent bien le mode d'interprétation extensif du droit de la libre circulation. On peut remarquer le souci de la Cour pour les droits des requérants, les gouvernements adoptant principalement une logique en termes de compétence migratoire. Alors que la Cour se place exclusivement sur le terrain du droit de la libre circulation, les gouvernements utilisent des arguments et la sémantique de la politique migratoire : irrégularité du séjour, ressortissants en provenance de l'extérieur de l'Union, pouvoir discrétionnaire d'imposer une condition de séjour légal, maîtrise de l'immigration[29]. L'existence de la crise des réfugiés ne doit pas servir de prétexte au non-respect des principes et exigences de l'État de droit. Il revient à la Cour de justice de contrôler comment les États membres mettent en œuvre le droit de l'Union.

29 S. Barbou des Places, « Droit communautaire : de la liberté de circulation et droit des migrations. Où est la frontière ? », in: *Mélanges Philippe MANIN,* Paris, 2010, p. 347.

The squeaky sounds of Dublin

*Sanderijn Wierink**

Working in the field of immigration law there is, you will all agree, never a dull moment. It is difficult to publish an article since everything changes while your paper is at the publisher.

We can all recall the image of people walking the highways of Europe. I still hear asylum seekers at a Hungarian square scream "where we go?" "Germany!". Should an asylum seeker be able to decide where he or she wants to go in Europe? Aren't all countries a safe haven for people on the run? Is Germany a better destination than Slovenia or Poland? And what are the effects of this free will of the migrant? What is needed for our system to work?

I. The system

Recently, the documentary "*the asylum seeking machine*"[1] was broadcasted on Dutch television, including old interviews dated 1993. When someone stated that "There was nothing, it was everyone for oneself for all the countries", it hit me. If we consider how far we have already come, whereas in the beginning it was every Member State for itself, we have already come a long way. But we still have a very long way to go.

After *N.S.*[2] and *Kaved Puid*[3] and of course after *Abdullahi*[4] the system of determining the Member State responsible for examining asylum claims and the remedies available to asylum seekers in determining the responsible Member State under the Dublin II Regulation[5] were clear. To prevent forum shopping, these criteria are not to be contested by asylum seekers. The process for determining the responsible Member State is an issue for the Member States, untouchable for asylum seekers. This follows from the principle of mutual trust between Member States on which the Common European Asylum System is based. The only way an asylum seeker can challenge the responsibility of a Member State, is by pleading systemic flaws in the asylum procedure and in the conditions for the

* *Senior migration expert at the national court of Rotterdam, the Netherlands.*

1 "De asielzoekmachine", June, 20th 2016, VPRO, the Netherlands.

2 ECJ, Decision of 21.12.2011 – Case C-411/10 and C-493/10, *N.S*, ECLI:EU:C:2011:865.

3 ECJ, Decision of 14.11.2013 – Case C-4/11, *Kaved Puid*, ECLI:EU:C:2013:740.

4 ECJ, Decision of 10.12.2014 – Case C-394/12, *Abdullahi*, ECLI:EU:C:2013:813.

5 Dublin II Regulation 343/2003.

reception of asylum seekers in the Member State of the asylum seeker's first entry into EU territory, which provide substantial grounds for believing that the asylum seeker would face a real risk of being subjected to inhuman or degrading treatment within the meaning of Article 4 of the Charter of Fundamental Rights. The national courts will only verify whether the criteria for determining responsibility laid down by the EU legislature have been applied correctly. We rely on the presumption that safety and protection are sufficient in all Member States. The Common European Asylum System was conceived in a context making it possible to assume that all the participating States observe fundamental rights, including the rights based on the Geneva Convention and the 1967 Protocol.

In the Dutch system judges already took a serious look at the claim of asylum seekers that there are systemic flaws in the asylum procedure and in the conditions of reception in the Member State of first entry. But if the request of the second Member State contains all the relevant individual facts, and the system is flawed but still running, the asylum seeker can and should go to that Member State of first entry. It is not easy for the asylum seeker to provide evidence, since the primary consideration is the presumption that all Member States are equal and respect fundamental rights.

With *Ghezelbash*[6] this practice was formalised. Under the Dublin III Regulation[7], more than under the Dublin II Regulation, the asylum seeker can contest the claim for responsibility on the ground that there are errors in this claim. Consequently, a problem arises: time is the issue. The asylum seeker must be able to provide the (indirect) evidence and the Member State claiming responsibility must respond to that. The national judge will have to deliver a verdict on this appeal. The whole chain will be delayed. In most cases it will lead to nothing, only delay.

For the system to work, one of the things needed is that protection and reception mean the same in all Member States. So, how common is the Common European Asylum System? If an asylum seeker has the same rights in all Member States, the only reason to contest a Member State's claim is most likely found in family ties, which is already a reason for a Member State to declare responsibility for processing the application.

II. Is the Dublin system failing?

While underlining the ambition behind the Dublin system, the effect of this system is the enormous caseload for border countries, the southern Member States

6 ECJ, Decision of 07.06.2016 – Case C-63/15, *Ghezelbash*, ECLI:EU:C:2016:409.
7 Dublin III Regulation 624/2013.

with borders to non-EU countries. These Member States are unable to process the current high amount of asylum seekers. And if they are able to, reception is difficult to organise and procedures take time.

Another issue is the abuse of the system, which causes delay among other things. Among the asylum seekers the number of non-refugees is high. For a period of time, the Netherlands did not claim applications with no chances of success but screened them out at the earliest possible stage and declared these applications manifestly unfounded. This seemed to be a good solution at the time, but meant the responsibility for deportation in which the Netherlands did not succeed very often. Or is it not so much the asylum seekers who seek to abuse the Dublin system? Member States can withhold information from each other when sending the request to the Member State of first entry[8], omit the registration or refuse reception.

Abdullahi also revealed another problem of this system. By the time the judgement was delivered on December 10th 2013, the Dublin II regulation was followed by the Dublin III Regulation three weeks later on January 1st 2014. Immediately in the national courts the question raised "what about the differences?". Dublin III differs on some essential points to Dublin II. At first we were all a bit scary: "shouldn't we just follow *Abdullahi* anyway, safe and sound?" "Does Dublin III make it possible for an asylum seeker to contest the responsibility of a Member State?" These questions were referred to the European Court of Justice for a preliminary ruling by a Dutch national court on February 2nd 2015 in the case of *Ghezelbash*.

Waiting for a case in which questions can be asked and asking the right questions, takes time. Besides, courts feel exposed, they feel vulnerable, when asking questions, as they fear that other courts may respond by asking: "Why did you pose that question? Don't you understand the law?" If a national court has overcome this fear to refer a question, time, again, is the issue since your own national court has to await the answers and also (at least that is how it should be) the other national courts and the Dutch Council of State[9] should wait. If the questions concern the Dublin III Regulation, this means approximately 6700 cases[10] in the Netherlands - of which 650 for Rotterdam - have to wait. In the meantime, the asylum seeker is allowed to wait in the Netherlands with rights to reception and benefits. Consequently, the request for international protection is not being processed. While Member States discuss responsibility and all lawyers criticise

8 Meijers Committee, CM1609, Note on the proposed reforms of the Dublin Regulation (COM(2016) 197).

9 In the administrative jurisdiction division the Council of State is in the Netherlands the highest general administrative court (including asylum cases).

10 Based on caseload in the Netherlands, January until May 2016: 2773, for Rotterdam only in this period: 272.

every word of a new judgement of the Court of Justice, the asylum seeker concerned is still waiting and his kids go to school. This causes feelings of injustice and an uncooperative attitude.

Furthermore, the Court of Justice has to wait for a question to arise, before it can interpret the European Treaties, always in relation with the specifics of the case. Besides, if the question is open for discussion, the referring court will risk that the response does not directly address the question. Some say this seemed to have happened in the *Abdullahi* case, where the Court of Justice, instead of answering the question whether an asylum seeker has a remedy when a request for responsibility to the Member State of first entry contains incorrect elements, answered the question whether an asylum seeker would face the risk of ill treatment when transferred to Hungary[11].

At last, the Dublin system can cause excessive formalism: for example, a boy from Eritrea arrived traumatised, as one of three survivors after their boat sank and 300 people drowned in the Mediterranean, and travelled to the Netherlands since Italy could not handle the amount of cases at that time. The Netherlands then claimed that Italy was responsible since it did not respond on time. This might be legally correct, but is it humane? Should the Netherlands have used the discretionary clause? Shouldn't all Member States use this more often, especially when a border Member State is involved?

III. What is needed for the system to work (besides world peace)?

The legal basis for the determination of responsibility leaves room for interpretation in regard to several details. The less interpretation possible, the less questions are needed to process cases and appeals. The system needs to be smooth. Also different recognition rates and unequal use of refugee protection and subsidiary protection are challenges that require further harmonisation. However, complete harmonisation between all Member States is almost impossible. The current EU legal framework is scattered[12]. We need to find mutual ground to see what level of harmonisation is possible. In the core, protection, refugee status and subsidiary protection, as well as reception should be equal. And also at a national level it is needed to realize we are Europe. Migration law, more than ever, is European law. Although binding since Lisbon, we are not used to think in

11 E.R. Brouwer, "Het Dublinmechanisme en geschonden wederzijds vertrouwen. Plichten voor de overdragende staat maar geen rechten voor de asielzoeker", in: A. Pahladsingh / S. de Vries, *JHG, EU Charter selected cases 2016*, Den Haag, the Netherlands, 2016, p. 241.

12 European Parliament, Directorate General for Internal Policies, The Implementation of the Common European Asylum System, 2016, pp. 9-11.

terms of the Charter. It is still an unknown territory, waiting to be explored. The element of time, which I have pointed out on several aspects, ca not be solved very easily but with a better cooperation it will create less issues than it currently does.

Although Member States with systemic flaws in the asylum procedure and in the conditions for the reception should not be rewarded, a responsibility-allocation mechanism governed by the principle of solidarity and fair sharing of responsibility, based on fair distribution criteria[13], is needed for the EU to function. For example, prosperity, unemployment rates and population density. We need to intervene *before* the level of systemic flaws is reached.

And at last, please remember the children. Upholding child protection as an essential principle should have our constant attention. Children are the most vulnerable and are in need of protection, not only from the war or hunger they fled in their country of origin, but also from risks during their flight and their request of protection.

IV. More bridges, less walls

What I wish for is that countries do not retreat into their national shells but work together. Let go of national ideas. If we are one, we need to act like one. Instead, we act like separate states. It is time for a cultural shift. The will to harmonise is not enough when all national states stick to their own rules and national procedures. Like the pope quoted Isaac Newton in April 2016: we need to *build bridges not walls*.

13 Idem.

Schlussbemerkungen

*Jörn Axel Kämmerer**

Schon 2008, in Sevilla, befasste sich die SIPE mit Einwanderung, wenn auch unter einem ganz anderen Blickwinkel: Damals lag der Akzent auf Integration, dem Rechtsstatus von Ausländern und der im Aufbau begriffenen gemeinsamen Asylpolitik der Union. Der konstruktive, optimistische Geist – als „neue Europäer" betitelte die Sevillaner Tagung die Migranten – scheint heute verflogen: Das Wort Krise macht die Runde, Zuwanderung gilt als abzuwehrendes Übel, vielerorts macht sich Fremdenfeindlichkeit breit. Nicht nur als Herausforderung, sondern gar als Bedrohung für Europa und seine Mitgliedstaaten wird Migration mitunter wahrgenommen, als Bedrohung ihres kulturellen Erbes, der öffentlichen Sicherheit, der Arbeitsplätze und des Selbstverständnisses all derer, die sich zu den „alten Europäern" rechnen. Wenn dieser Befund der Bestätigung bedurfte, hat ihn der Ausgang des Brexit-Referendums nur eine Woche vor der Bukarester SIPE-Tagung geliefert. Die jüngsten Entwicklungen belegen, dass Migration mit nicht zu unterschätzenden intellektuellen Herausforderungen – auch für Juristen – verbunden ist. Kompliziert werden diese Herausforderungen, gerade in einer hochintegrierten Gemeinschaft, durch die Ambivalenz des Phänomens; man könnte sagen, dass Migration einen Januskopf trägt. Denn auf der einen Seite sucht Europa im Rahmen des Binnenmarkts grenzüberschreitende Wanderung zu erleichtern, auf der anderen Seite aber wehrt es Einwanderung von außerhalb der Union nach Möglichkeit ab. Warum die beiden Wanderungsformen so unterschiedlich behandelt werden, ist bei näherer Betrachtung keineswegs ganz logisch und offenkundig. Das Recht ist aufgerufen, Widersprüche und Inkohärenzen zu benennen, aber auch konsistentere Ansätze – nicht zuletzt beim Verwaltungsverfahren – zu entwickeln.

Ein Schlüsselwort im Zusammenhang mit der Migrationsdebatte, wiewohl oft missbraucht und schillernd, ist Identität. Migration rührt an Identität, wie spätestens die Brexit-Debatte verdeutlicht hat – aber weder Völker- noch Europarecht nehmen auf sie ernstlich Bezug. Migration kann jedenfalls nicht unbeschränkt stattfinden, das „Boot" ist irgendwann voll; doch solange die Binnenwanderungszahlen innerhalb der Union den Zuzug von außerhalb übersteigen, ist die Gefahr der Überfüllung kein starkes Argument für einen restriktiven Ansatz gegenüber Letzterer. Aus ökonomischer, auch handelsbezogener Sicht erscheint

* *Professor, Bucerius Law School, Hamburg.*

Migration förderungswürdig, wenn sie nutzt. Auch wenn es sich nicht um ein vertragsartiges Rechtsverhältnis handelt, wird doch im wahrsten Sinne eine *Trans-Aktion* vorgenommen, deren Nutzen sich für das Herkunfts- und das Zielland bilanzieren lässt. Auch dies spricht für einen differenzierten Ansatz. Das Völkerrecht blendet die Ökonomie der Migration allerdings bis jetzt aus und beschränkt sich auf eine Ökonomie der Güter. Das WTO-Recht erkennt Zollunionen und Freihandelszonen, kurz: integrierte Wirtschaftsräume, an, regelt Faktormobilität aber nur für Güter und Dienstleistungen, nicht auch für Personen. Das Recht der ILO – von dem *Andrei Popescu* berichtet – mag dies ein wenig abmildern, sein Ziel ist aber nicht, Migration zu ermöglichen, sondern Migranten zu integrieren. Auch das internationale Flüchtlingsrecht kann wegen seiner ganz anderen Zielrichtung nicht in die Bresche springen, ja sein Schutz ist im Grundsatz auf politisch Verfolgte beschränkt. *Philippe Fargues* hat mit Recht darauf hingewiesen, dass ein internationales Migrations- und Migrationsorganisationsrecht jenseits des tradierten Flüchtlingsrechts im engeren Sinne fehlt; *Constantin Hruschka* unterstreicht, dass grundlegende Statusfragen noch unbeantwortet sind, und auch *Leonard Orban* mahnt völkerrechtliche Lösungen an. Das Unionsrecht, welches in den „internationalen Schutz" auch den sogenannten subsidiären Schutz für zwar nicht politisch Verfolgte, aber existenziell Bedrohte einschließt, begründet, wie *Koen Lenaerts* verdeutlicht, einen einheitlichen Schutzstatus, der aber bis jetzt nur wenig über die völkerrechtlichen Standards hinausreicht. Ähnliches gilt, trotz der im Kern gänzlich anderen Schutzverbürgungen, für die EMRK. Das Unionsrecht gewährt auch Faktormobilität für Personen als integrales Element des Binnenmarkts; doch geht die Liberalisierung des Außenhandels weder auf Seiten der EU noch der meisten Mitgliedstaaten mit Erleichterung von Migration einher. Insofern fehlt es Europas Argument, das Vereinigte Königreich könne nach dem Brexit ohne Personenverkehrsfreiheit die Vorteile des freien Handels nicht nutzen, an Stringenz – wird im Verkehr mit außereuropäischen Staaten doch ganz selbstverständlich zwischen Warenhandel und Personenverkehr differenziert.

Ohne einzelne Vorträge nochmals zu paraphrasieren, soll an dieser Stelle der Versuch unternommen werden, aus den während der Tagung gewonnenen Erkenntnisse über Migration in und nach Europa in sechs, im Folgenden noch näher begründete Thesen zu formen: 1) Europäische Integration erfordert Migration. 2) Die Migrationskrise ist eine systemische Krise. 3) Vor dem Hintergrund der Migration tritt Identitätswahrung mit Gerechtigkeitsstreben in Konflikt. 4) Migrationskrisen rühren an das europäische Solidarprinzip. 5) Die Individualrechtsstellung Schutzsuchender bleibt diffus. 6) Abbau von Schengen-Gewährleistungen beeinträchtigen auch Grundfreiheiten.

1. Europäische Integration ist ohne Migration nicht denkbar. Das ist einerseits ein historischer Befund und betrifft Migration zugleich als axiomatisches Prinzip – als eine der Säulen des Binnenmarkts. Die Grundfreiheiten verhalten sich dabei wie kommunizierende Röhren: Sie stehen nicht isoliert zueinander, sondern müssen im Konnex betrachtet werden. Illustrativ dafür kann die jüngere Geschichte Irlands sein. Auf dem Gebiet der heutigen Republik lebten 1841 noch 6,5 Millionen Menschen, im Jahr 1961, infolge von Hungersnöten und bedingt durch armutsbedingte Auswanderung nur noch 2,8 Millionen. Seit dem EU-Beitritt 1973 ist die Auswanderung aus Irland stark zurückgegangen – und dies, obwohl der Binnenmarkt sie leichter machte als je zuvor; dies dürfte auch an dessen stabilisierender Wirkung gelegen haben. Mehr Migrationsfreiheit führt also nicht unbedingt zu mehr Migration, wenn sie Bestandteil eines übergreifenden Freiheitskonzepts ist. Interessanterweise – aber das nur nebenbei – hatte Irland seit den 1990er Jahren eine ganz neue Erfahrung zu machen, als es selbst zum Ziel von Migration aus anderen europäischen Ländern wurde.
2. Die Migrationskrise scheint die EU nicht weniger existenziell zu betreffen als die Finanzkrise. *Daniel Thym* hat auf Ähnlichkeiten zwischen diesen Krisen bereits aufmerksam gemacht: bei Strukturdefiziten, aber auch bei Legitimitätsgrenzen der von der Union gesuchten und teils gefundenen Antworten. Auf keine der Krisen war die Union wirklich vorbereitet. Die Finanzkrise beruhte auf der Unterschätzung von Systemgefahren, die Migrationskrise der Union wird ebenfalls durch systemische Defizite verschlimmert. Der Umgang mit sicheren Herkunfts-, sicheren Drittstaaten und sicheren europäischen Drittstaaten ist nicht eingespielt, Lasten sind nicht hinreichend austariert. Unter Berufung darauf, dass manche Migranten gar nicht bis an ihre Grenzen hätten vordringen dürfen, schotten sich nun einzelne Mitgliedstaaten gegen sie hermetisch ab. Dabei können sie sich paradoxerweise auf das Völkerrecht berufen, das nur „refoulement“ verbietet, aber grundsätzlich kein Zugangsrecht gewährt (auch dies wird in verschiedenen Beiträgen angesprochen). Subkutan aber wird die Finalität des Schengen-Systems untergraben, wenn nicht der Schutz von Außengrenzen (siehe hierzu den Beitrag von *Alessandra Lang*), sondern der Schutz des Mitgliedstaats im Vordergrund steht.
3. Bei Migration kollidieren Identitäts- auch mit Gerechtigkeitsfragen. Der Umstand, dass sich niemand den Ort seiner Geburt aussuchen kann (also die *Heidegger*'sche „Geworfenheit“, wenn man so will) müsste eigentlich dafür streiten, eine „Chance auf Chancengleichheit“ durch Migration und rechtliche Gleichstellung nach Migration zu eröffnen. Der letztgenannte Aspekt klingt in den von *Antonis Bredimas* präsentierten Konstellationen im Zusammenhang mit sozialen Rechten an. Dagegen werden mitunter die nationale

oder gar die europäische Identität in Ansatz gebracht. So gesehen, ist die Migrationskrise auch als Identitätskrise für jeden der betroffenen Mitgliedstaaten sowie für die EU an sich anzusehen. Damit schließt sich die Bukarester SIPE-Tagung an die vorausgegangene Tagung zum Thema nationale Identität in der Union fast nahtlos an.

4. Migration stellt die EU und ihre Staaten vor ein Solidaritätsproblem. Aus primärrechtlicher Sicht muss dies eigentlich erstaunen: Der Lissabon-Vertrag hat „Solidarität" mehr als ein Dutzend Mal in den Gründungsverträgen verankert, sie ist also ein Grundwert der Union. Auch „Dublin" versucht einen Solidarmechanismus, vergleichbar mit den „common but differentiated responsibilities" im Völkerrecht, zu schaffen, dessen partielle Dysfunktionalität – ähnlich wie diejenige der Wirtschafts- und Währungsunion – indes spaltend wirkt und das Gegenteil des Gewollten zu erreichen scheint. Insoweit kann abermals auf die Analysen von *Hruschka* und *Thym* verwiesen werden, doch auch der „cultural shift", den sich *Sanderijn Wierink* wünscht, gehört in diesen Kontext.
5. Die ohnehin nicht starke Rechtsstellung der Schutz- bzw. Asylsuchenden wird infolge des Unvermögens, einen integrierten Ansatz zu finden, zusätzlich belastet. Außerhalb der Faktormobilität des Binnenmarkts ist die subjektive Rechtsstellung der Migranten schwach ausgeprägt; sie droht durch Überbetonung des Abwehrziels (die von *Hruschka* bemängelte Umgestaltung des EU-Asylsystems in ein Migrationskontrollsystem) noch weiter abgeschwächt zu werden. Ob der EGMR lückenfüllend wirken kann, ist fraglich. Wenn die EU jedenfalls durch Vereinbarungen mit der Türkei die Flut der aus Syrien Geflüchteten einzudämmen versucht (und, wie insbesondere *Michał Jackowski* nachgewiesen hat, damit die EMRK verletzt), droht sie die Individualrechtsstellung der Migranten „zu verkaufen". Die von *Koen Lenaerts*, *Horatiu Radu* und *Camelia Toader* analysierten Entscheidungen des EuGH scheinen stärker dem Ausgleich widerstreitender Ziele verschrieben und zwischen einer objektivrechtlichen, ordnungsbezogenen, und einer individual- und flüchtlingsrechtsbezogenen Perspektive zu oszillieren. In der Podiumsdiskussion haben vor allem die Einlassungen von Präsident *Lenaerts* aber auch die Erkenntnis zutage gefördert, dass Systemdefizite durch menschenrechtliche Überlagerung überbrückt werden können.
6. Ungenügende und inkonsistente Regulierung der Zuwanderung schadet dem Binnenmarkt. Wie schon erwähnt, haben sich die EU und viele ihrer Mitgliedstaaten in der Tendenz für die Abwehr von Migranten (Flüchtlinge eingeschlossen) von außerhalb der Union entschieden – und rüsten mitunter zur Abwehr einer Invasion. Nachhaltig wirkt dieser Ansatz schon insofern nicht, als die Union, wie *Fargues* betont, demographischen Herausforderungen aus-

gesetzt ist und der Wohlstandserhalt alternder Gesellschaften auf erfolgreicher Migrationslenkung beruht. Ein „Masterplan", Migrationsmanagement anstelle von Abschiebung oder Ausweisung – hier sei auf *Stela Haxhi*s' Beitrag verwiesen – käme der Entwicklung der Union wahrscheinlich zugute. Zu Recht verweist *Lang* darauf, dass es noch immer an einem gemeineuropäischen Einwanderungskonzept für qualifizierte Arbeitnehmer aus Drittstaaten fehlt. Das Heft des Handelns (oder Nichthandelns) liegt einstweilen bei den Mitgliedstaaten. Gleichzeitig gilt es zu bedenken, dass eine restriktive, ja feindselige Haltung gegenüber Einwanderung von außerhalb der EU auch Einschränkungen der Arbeitnehmerfreizügigkeit und des freien Dienstleistungsverkehrs zur Folge haben kann – in dem Maße, in dem sie zur Erosion des Schengen-Besitzstands beiträgt. Die Unvollkommenheit der Schengen-Maßstäbe – belegt von *Nuno Piçarra* – erscheint kontraproduktiv. Wie fragil, wie verletzlich die Freiheiten auch der Unionsbürger sind, zeigte sich, als Deutschland an der österreichischen Grenze Kontrollen einführte, um den Zustrom Geflüchteter einzudämmen. Nicht nur Berufspendler, auch Importwaren steckten in Staus fest. Zwischen den Grenzstädten Malmö und Kopenhagen wurde der durchgehende grenzüberschreitende Zugverkehr bis auf weiteres eingestellt. Die Brexit-Debatte verdeutlichte, in welchem Maße die Flüchtlingskrise Vorbehalte auch gegen den Zustrom von EU-Bürgern verstärkte. Wenn sie auf weitere Staaten überspringen, könnte dies am Ende den europäischen Binnenmarkt insgesamt politisch in Frage stellen.

Dass Migration keine neue Herausforderung für Europa ist, haben vor allem *Christoph Bezemek* und *Stephan Haack* belegt; nicht einmal ihre Dimension ist neu, sondern allenfalls, dass Migration von außen auf eine Staatengemeinschaft trifft, die Wanderung, freilich in Gestalt von Binnenmigration, geradezu als Heiligen Gral hochhält. Die europäische Migrationspolitik ist ambitioniert, aber auch ambivalent, partiell ist sie auch – wie nicht zuletzt *Wierink* aus richterlicher und *Orban* aus unionsinterner Sicht geschildert haben – lückenhaft, teils kontradiktorisch, in der Umsetzung defizitär und mitunter dysfunktional. Defizite einzuräumen, wie die Kommission es *Lang* zufolge kürzlich getan hat, ist nur ein Teil der Aufgabe; der andere Teil besteht in systemischer Innovation. Migration bleibt eine Herausforderung für Europa auf seinem holprigen Weg in Richtung eines möglichen „Dublin IV", für die Staaten, das Recht und die Juristen, für die Redner und Diskutanten auf dieser Tagung. Die SIPE jedenfalls hat sie nicht nur willig angenommen, sondern vermag Europa mit substanzreichen und anregenden Referaten und Diskussionsbeiträgen, die zahlreiche Probleme akribisch und analytisch offenlegen, aber auch konstruktiv Lösungsmöglichkeiten aufzeigen, eine Handreichung zu geben. Mehr kann man von Tagungen im Dialog von Wissenschaft und Praxis nicht verlangen.

Abschließen soll dieses Resümee mit einer Anekdote zur Bedeutung der Migration für die Zukunft der Wissenschaft. Als Vertrauensdozent der Studienstiftung des deutschen Volkes, einer altehrwürdigen Fördereinrichtung für Hochbegabte, betreue ich in Deutschland eine Gruppe von Stipendiaten unterschiedlichster Fachrichtungen. Bei einem der letzten Treffen mit den Studierenden – nicht alle waren anwesend – fiel mir, als ich in die Runde blickte, etwas auf. Und ich fragte die Stipendiaten: „Wissen Sie, was mir soeben aufgefallen ist? Hier am Tisch bin ich der einzige ohne Migrationshintergrund."